Ware liefde en andere rampen

Rachel Gibson

Ware liefde en andere rampen

Karakter Uitgevers B.V.

IJSHOCKEYTERMEN

play-offs	serie wedstrijden om een kampioenschap
face-offcirkel	cirkel waarin twee spelers bij het begin van de wedstrijd of een spelhervatting tegenover elkaar staan
powerplay	situatie waarin een ploeg met een of twee spelers meer speelt dan de tegenstander
tripping	het laten struikelen van een tegenstander
elbowing	het geven van een elleboogstoot
slashing	het slaan van een tegenstander met de stick
roughing	te ruig lichamelijk contact aangaan
five-hole	de ruimte tussen de benen van een doelverdediger
cross checking	het duwen van de tegenstander met de stick in beide handen
icing	wanneer team A de puck vanaf de eigen helft over de achterlijn van team B schiet

Oorspronkelijke titel: True love and other disasters
© 2009 by Rachel Gibson
Published by arrangement with Sterling Lord Literistic, Inc.
Vertaling: Corry van Bree
© 2010 Karakter Uitgevers B.V., Uithoorn
Opmaak binnenwerk: ZetSpiegel, Best
Omslagontwerp: blauwblauw-design | bno
Omslagbeeld: Shutterstock

ISBN 978 90 6112 668 3
NUR 340

1

De avond voor Virgil Duffy's begrafenis teisterde een storm de Puget Sound, maar de volgende ochtend waren de grijze wolken verdwenen en waren Elliott Bay en de spectaculaire skyline van Seattle weer zichtbaar.

Het landhuis op het eiland Bainbridge baadde met zijn enorme ramen in het zonlicht. Sommige gasten in het zonlicht die Virgil Duffy de laatste eer bewezen vroegen zich af of hij vanuit de hemel het beruchte grijze aprilweer naar zijn hand zette. Ze vroegen zich ook af of hij in staat was geweest om zijn jonge vrouw naar zijn hand te zetten, maar vooral vroegen ze zich af wat ze ging doen met al het geld en het NHL-ijshockeyteam dat ze net had geërfd.

Tyson Savage vroeg zich dat ook af. De stemmen die uit de zitkamer stroomden overstemden het geluid dat zijn Hugo Boss-schoenen maakten terwijl hij over de parketvloer van de hal liep. Hij had het sombere voorgevoel dat de weduwe Duffy zijn kans op de beker ging verpesten. Het voorgevoel beet zich vast in zijn keel, en hij maakte de knoop van zijn stropdas wat losser.

Ty liep door de dubbele deuren de grote kamer in, die naar geboend hout en oud geld rook. Hij zag een aantal van zijn teamgenoten, opgedoft en niet op hun gemak te midden van de elite van Seattle. Verdediger Sam Leclaire had een blauw oog van de wedstrijd van afgelopen week tegen Avalanche, dat had geresulteerd in een straf van vijf minuten. Ty maakte er geen probleem van dat een speler een tegenspeler op het ijs aanpakte, daar stond hijzelf ook bekend om, maar in tegenstelling tot Sam was hij geen heethoofd. Over drie dagen begon de eerste wedstrijd van de play-offs, en die zouden nog heel wat blauwe plekken opleveren.

Ty bleef net voorbij de deur staan. Zijn blik gleed door de kamer en bleef hangen bij Virgils weduwe, die in het zonlicht stond dat door de ramen naar binnen stroomde. Zelfs als de zon niet in haar lange blonde haar had geschenen, zou mevrouw Duffy nog steeds opvallen tussen de rouwenden die om haar heen stonden. Ze droeg een zwarte jurk die tot net boven haar knieën kwam, met mouwen tot vlak onder haar ellebogen. Het was een eenvoudige jurk, die allesbehalve eenvoudig leek als hij over haar fantastische lichaam was gedrapeerd.

Ty had mevrouw Duffy nooit ontmoet. Een paar uur eerder, in de St. Jameskerk, had hij haar voor het eerst in levenden lijve gezien. Hij had echter over haar gehoord. Iedereen had gehoord over de miljardair en de playmate. Hij had gehoord dat de weduwe een paar jaar voordat ze een rijke oude man aan de haak had geslagen, als paaldanseres had gewerkt. Volgens de roddels was Hugh Hefner in eigen persoon op een avond de club in gelopen en had hij haar op haar torenhoge hakken op het podium zien dansen. Hij had haar in zijn tijdschrift gezet en twaalf maanden later was ze verkozen tot Playmate van het Jaar. Ty wist niet waar ze Virgil had ontmoet, maar het was ook niet belangrijk hoe dat was gegaan. Dat de oude man was gestorven en zijn team aan een golddigger had nagelaten, was wel belangrijk – heel belangrijk zelfs.

In de kleedkamer van de Key Arena ging het gerucht dat Virgil een zware hartaanval had gehad terwijl hij zijn jonge vrouw in bed tevreden probeerde te stellen. Er werd verteld dat zijn hartklep het had begeven en dat hij was gestorven met een enorme grijns op zijn gezicht. De begrafenisondernemer was niet in staat geweest om die weg te krijgen, en de oude man was gecremeerd met een erectie en een glimlach.

Ty trok zich niets aan van geruchten, en het kon hem niet schelen wat mensen deden of met wie. Of het goed, slecht of iets daartussenin was. Tot nu toe. Hij had drie maanden geleden een contract met de Seattle Chinooks getekend, deels om het geld dat de oude man hem had geboden, maar voornamelijk omdat hij daarmee de aanvoerder werd van een team dat een kans had om de Lord Stanley Cup te winnen. Zowel Virgil als hij wilde die beker, hoewel dat om verschillende redenen was. Virgil wilde hem om zijn rijke vrienden iets te bewijzen. Ty wilde de wereld tonen dat hij beter was dan zijn vader, de legendarische Pavel Savage. Alleen de Stanley Cup hadden ze allebei niet gewonnen, maar Ty was de enige die nog een kans had dat dat ging gebeuren. In elk geval had hij die kans gehád, tot Duffy net voor de play-offs het loodje had gelegd en het team had nagelaten aan een lange, blonde playmate. Plotseling lag Ty's kans op de belangrijkste beker in de NHL in de handen van een *trophy wife*.

'Hé, Engel,' riep Daniel Holstrom terwijl hij naar hem toe liep.

Ty had de bijnaam 'Engel' gekregen in zijn eerste jaar, toen hij na een avond bijzonder wild feesten de volgende dag afschuwelijk slecht had gespeeld. Toen de coach hem naar de kant haalde, beweerde Ty dat hij een griep onder de leden had. 'Je bent net je vader,' had de coach vol afkeer gezegd. 'Een gevallen engel.' Vanaf dat moment had Ty geprobeerd zich los te maken van die reputatie, wat niet altijd was gelukt.

Hij keek over zijn schouder naar zijn teamgenoot. 'Hoe gaat het?'

'Goed. Heb je mevrouw Duffy al gecondoleerd?'

'Nog niet.'

'Denk je dat Virgil echt stierf terwijl hij het met zijn vrouw deed? Hoe oud was hij? Negentig?'

'Eenentachtig.'

'Krijgt een vent van eenentachtig hem nog steeds omhoog?' Daniel schudde zijn hoofd. 'Sam denkt dat ze zo opwindend is dat ze doden tot leven kan wekken, maar eerlijk gezegd betwijfel ik of zelfs zíj wonderen kan verrichten als het gereedschap overjarig is.'

Hij zweeg even en bestudeerde de jonge weduwe alsof hij niet wist wat hij ervan moest denken. 'Ze is ongelofelijk sexy.'

'Virgil heeft waarschijnlijk farmaceutische hulp gehad.' Ty's vader was achter in de vijftig en ging nog steeds tekeer als een tiener. Tenminste, dat beweerde hij. Viagra had veel mannen hun seksleven teruggegeven.

'Dat is waar. Hefner is toch ook in de tachtig? Die heeft ook nog steeds seks.'

Dat beweerde hij tenminste. Ty knoopte zijn jasje los. 'Ik zie je straks nog wel,' zei hij terwijl hij zich tussen de bezoekers begaf. De leeftijden varieerden; sommigen waren stokoud, terwijl in een hoek een paar tieners aan het fluisteren waren. Terwijl hij rechtstreeks naar de 'ongelofelijk sexy' mevrouw Duffy liep, knikte hij naar verschillende spelers, die er netjes uitzagen in hun designerkostuums.

Hij stopte voor haar en stak zijn hand uit. 'Gecondoleerd.'

'Dank u.' Er lag een lichte frons op haar voorhoofd en haar grote groene ogen keken hem aan. Ze was van dichtbij zelfs nog mooier en zag er veel jonger uit. Ze legde haar hand in de zijne; haar huid was zacht en haar vingers voelden koel aan. 'U bent toch de aanvoerder van Virgils ijshockeyteam? Hij sprak altijd heel waarderend over u.'

Het was nu haar ijshockeyteam, en niemand wist wat ze ermee van plan was. Hij had gehoord dat ze het team wilde verkopen. Hij hoopte dat het waar was, en dat het snel zou gebeuren.

Ty liet zijn hand zakken. 'Virgil was een geweldige kerel.' Iedereen wist dat dat niet helemaal waar was. Net als zoveel buitensporig rijke mannen die gewend waren altijd hun zin te krijgen, kon Virgil een echte klootzak zijn. Maar Ty had goed overweg gekund met de oude man, omdat ze hetzelfde doel hadden. 'Ik heb genoten van onze lange gesprekken over ijshockey.' Virgil mocht dan eenentachtig zijn geweest, zijn hersenen waren scherp en hij had meer over ijshockey geweten dan veel spelers.

Een glimlach krulde haar lippen, die uitnodigden om gezoend te worden. 'Ja, hij vond het prachtig.'

Ze droeg heel weinig make-up, wat hem met het oog op haar

vroegere beroep verbaasde. Hij had nog nooit een playmate ont-moet die het niet geweldig vond om haar gezicht vol te schmin-ken. 'Laat het me weten als er iets is waarmee de spelers en ik u kunnen helpen,' zei hij zonder veel animo, maar omdat hij de aanvoerder van het team was dacht hij dat hij het moest aan-bieden.

'Dank u.'

Virgils enige kind liep naar de weduwe toe en fluisterde iets in haar oor. Ty had Landon Duffy een paar keer ontmoet en kon niet zeggen dat hij hem graag mocht. Hij was net zo meedogen-loos en gedreven als Virgil, maar zonder de charme waardoor zijn vader zoveel succes had gehad.

De glimlach van de weduwe verdween en ze rechtte haar schou-ders. Boosheid flitste in haar groene ogen. 'Bedankt dat u bent gekomen, meneer Savage.' Net als veel Amerikanen sprak ze zijn naam verkeerd uit. Het was niet sávage, maar werd uitgesproken als sah-vahge.

Ze draaide zich om en liep weg, en hij vroeg zich af wat Landon had gezegd. Ze was er duidelijk niet blij mee. Zijn blik gleed van haar blonde haar naar de mooie ronding van haar billen in de zwarte jurk die er absoluut niet eenvoudig uitzag. Hij vroeg zich af of Virgils zoon haar oneerbare voorstellen had gedaan, hoe-wel dat totaal niet belangrijk was. Ty had andere dingen om zich zorgen over te maken, zoals de wedstrijd van aanstaande don-derdag in Vancouver, waar ze een antwoord moesten hebben op de dubbele dreiging van de Sedin-tweeling in de openingswed-strijd van de play-offs. Tot drie maanden geleden was hij aan-voerder in Vancouver geweest, en hij wist beter dan wie ook dat de twee spelers uit Zweden nooit onderschat mochten worden. Als ze goed in hun spel zaten, waren ze de ergste nachtmerrie van alle verdedigers.

'Heb je de foto's gezien?'

Ty haalde zijn blik van de verdwijnende billen van de weduwe en keek over zijn schouder naar de uitmuntende spelverstoorder

Sam Leclaire. 'Nee.' Hij hoefde niet te vragen wat voor foto's het waren. Hij wist het en was nooit geïnteresseerd genoeg geweest om ze op te zoeken.

'Haar borsten zijn echt.' Vanuit zijn mondhoek voegde Sam eraan toe: 'Niet dat ik gekeken heb.' Hij probeerde onschuldig over te komen, maar zijn blauwe oog verpestte dat.

'Natuurlijk niet.'

'Denk je dat ze een uitnodiging voor de Playboy Mansion voor ons kan regelen?'

'Ik zie je morgen,' zei Ty lachend, waarna hij naar de hal liep. Hij liep door de enorme dubbele deuren van het stenen landhuis naar buiten en voelde een koud windje op zijn gezicht. Toen hij stopte om zijn jas dicht te knopen, hoorde hij de stem van de weduwe Duffy, die door de bries werd meegevoerd.

'Natuurlijk wil ik je zien,' zei ze. 'Het is alleen een heel slecht moment.'

Ty keek naar haar. Ze stond een paar meter verderop met haar rug naar hem toe. 'Je weet dat ik van je hou. Ik wil geen ruzie.' Ze schudde haar hoofd en haar haar golfde over het midden van haar rug. 'Op dit moment is het onmogelijk, maar we zien elkaar snel.'

Ze ging naar de zijkant van het huis en Ty liep de trap af. Hij was niet geschokt dat het erop leek dat mevrouw Duffy een minnaar had. Natuurlijk had ze die. Ze was met een oude man getrouwd geweest. Een oude man die haar zojuist zijn ijshockeyteam had gegeven.

Ty dacht niet graag aan alle dingen die zijn kansen op de beker konden verwoesten, maar de Cup was altijd in zijn gedachten. Virgils dood had niet op een slechter tijdstip kunnen komen. Elke onzekerheid kon en zou invloed hebben op de spelers, en niet weten wie het team ging kopen of welke veranderingen de nieuwe eigenaar zou doorvoeren, was een groot vraagteken dat als een zwaard van Damocles boven hem hing. Maar erger dan die onzekerheid was het idee dat hij het eigendom was van een voormalige stripper en playmate die het tot trophy wife had geschopt. Het was genoeg om ervoor te zorgen dat het voorgevoel dat zich in zijn keel had vastgezet nog wat harder op hem drukte. Terwijl hij naar zijn zwarte BMW liep, zette Ty alles behalve zijn nieuwste obsessie uit zijn gedachten. Hij wilde niet meer denken aan Virgils weduwe, de dreigende verkoop en de aanstaande wedstrijd. Een paar uur lang wilde hij zich geen zorgen maken over de plannen die de weduwe met het team had of de wedstrijd tegen de Chanucks.

Het grootste deel van zijn leven had Ty geprobeerd om de onbeheerste Savage-impulsiviteit, die hem in moeilijkheden kon brengen, te bedwingen, maar hij had één groot zwak waaraan hij regelmatig toegaf. Ty hield van mooie auto's.

Hij ging in het zachte leren interieur zitten en startte de M6. Het lage, hese gebrom van de 5.0 liter V-10-motor vibreerde op zijn huid terwijl hij een Ray-Ban-pilotenbril op zijn neus zette. De spiegelglazen beschermden zijn ogen tegen de heldere middagzon terwijl hij het omheinde landgoed verliet en in de richting van Paulsbo reed. Hij bevrijdde de 500 pk onder de motorkap van de BMW en reed met een omweg naar huis.

Faith Duffy klapte haar mobieltje dicht en keek naar het smaragdgroene gazon, de zorgvuldig bijgehouden plantenperken en ruisende fonteinen. Het laatste wat ze op dit moment kon gebruiken was een bezoekje van haar moeder. Haar leven was onzeker en angstig, en Valerie Augustine was een emotioneel zwart gat.

Haar blik gleed over het drukke water van Elliot Bay, en ze sloeg haar armen over elkaar en kromde haar schouders tegen de koele bries waardoor haar blonde haar rond haar gezicht waaide. Vannacht had ze gedroomd dat ze weer in Aphrodite werkte. Haar lange blonde haar golfde rond haar gezicht terwijl 'Slice of Your Pie' van Mötley Crüe uit de geluidsboxen boven het podium van de stripclub dreunde. In de droom flitste roze laserlicht over haar lange benen en torenhoge pumps met hakken van 15 centimeter, terwijl haar handen langzaam haar platte buik streelden. Haar handen gleden naar haar kruis, dat was bedekt met een minuscuul plooirokje, en pakten de stoel tussen haar naakte dijbenen vast.

Faith haatte die droom. Ze haatte de paniek en de knoop van angst die de droom altijd in haar maag achterliet. Ze had hem al jarenlang niet meer gehad, maar hij was nog steeds hetzelfde. Ze draaide opzij op de stoel, kromde haar rug en liet haar hoofd langzaam naar het podium zakken terwijl haar handen haar witte bloesje losknoopten. Het roze licht bescheen haar terwijl ze op de zitting van de stoel balanceerde en haar benen optilde. Ze gleed met één voet langs haar kuit naar beneden terwijl haar grote borsten vrijkwamen uit het bloesje en uit haar rode balconette-bh met lovertjes dreigden te vallen. Zoals altijd stonden de mannen rond het podium en keken haar met wellustige ogen en open mond aan.

'Layla!' Ze riepen haar toneelnaam terwijl ze geld in hun gespannen vuisten klemden.

In de droom krulde een ik-weet-dat-je-me-wilt-glimlach haar mond, terwijl Vince Neil en zijn bandleden zongen over een zoete glimlach en nog een stuk taart. In de herenclub, drie blokken van de Las Vegas Strip, legde Faith haar handen op de vloer naast haar hoofd en voerde een perfecte *walk over* uit tot ze met haar voeten op schouderbreedte stond. Ze gooide haar bloes weg en wiegde met haar heupen terwijl ze bij haar middel vooroverboog. Ze liet het minuscule plooirokje over haar benen naar beneden glijden en stond even later in een rode string. Terwijl het ritme van de zware bas en de drums door de club dreunde, was ze het onderwerp van de mannelijke fantasie en probeerde ze hen te manipuleren om zo diep mogelijk in hun portefeuilles te graaien en hun geld af te geven.

De droom eindigde altijd op dezelfde manier. De stapel geld die ze had verdiend verdween als een fata morgana, en ze werd altijd naar adem snakkend wakker. De angst verkrampte haar borstkas en benam haar de adem, en ze voelde zich weer een hulpeloos klein meisje. Alleen en doodsbang.

Vrouwen die beweerden dat ze liever zouden doodgaan dan strippen hadden die keus waarschijnlijk nooit hoeven te maken. Ze hadden waarschijnlijk nooit vijf dagen achter elkaar hotdogs gegeten omdat die goedkoop waren. Ze hadden waarschijnlijk nooit gefantaseerd over tafels vol Big Macs en patat en schaaltjes crème brûlée.

Faith draaide haar gezicht naar de bries en haalde diep adem. Ze moest weer naar binnen. Het was onbeleefd om Virgils vrienden te negeren tijdens de receptie, maar de meeste hadden haar toch nooit gemogen. En zijn familieleden mochten wat haar betrof stuk voor stuk naar de hel lopen. Zelfs vandaag hadden ze hun verbittering niet opzijgezet.

Virgil was er niet meer. Ze kon het gewoon niet geloven. Nog maar een week geleden had hij haar verhalen verteld over alle fantastische dingen die hij in zijn lange leven had gedaan, en nu...

Nu was hij er niet meer en ze voelde zich verschrikkelijk alleen. Ze was kwetsbaar en uitgeput na de rouwplechtigheid ter ere van haar echtgenoot en tevens de beste vriend die ze ooit had gehad. Ze wist dat sommige mensen Virgil niet hadden gemogen. In zijn eenentachtig jaar had hij veel vijanden gemaakt. Maar hij was goed voor haar geweest, vooral in de tijd dat ze niet altijd goed voor zichzelf was.

Zelfs na zijn dood was hij nog steeds goed voor haar. Virgil had geld aan verschillende liefdadige instellingen geschonken en het grootste deel van zijn miljardenbezit was naar zijn enige kind, Landon, en Landons drie kinderen en acht kleinkinderen gegaan. Maar hij had Faith het penthouse in Seattle, vijftig miljoen dollar op de bank en zijn ijshockeyteam nagelaten. Ze glimlachte toen ze eraan dacht hoe razend zijn familie daarover was geworden. Ze was ervan overtuigd dat ze allemaal dachten dat ze had gekonkeld en geïntrigeerd om al dat geld in handen te krijgen. Dat ze verwrongen seksuele verlangens had bevredigd in ruil voor het ijshockeyteam, maar de waarheid was dat Virgil wist dat ze niets om het team gaf. Ze hield niet van sport en was net zo geschokt geweest als de rest dat Virgil de Chinooks aan haar had nagelaten. Ze verdacht Virgil ervan dat hij het had gedaan omdat Landon er nooit een geheim van had gemaakt dat hij verwachtte het team te erven. Faith wist dat zodra hij eigenaar van de Chinooks was, zij uit de skybox zou worden verbannen. Wat in principe geen probleem voor haar zou zijn. Ze had geen belangstelling voor ijshockey. Natuurlijk was ze met haar echtgenoot meegegaan naar een paar wedstrijden, maar ze had niet veel aandacht geschonken aan wat er op het ijs gebeurde. Ze had haar tijd besteed aan het negeren van de twistzieke Duffy's en door een verrekijker op zoek gaan naar afschuwelijke kleding en idiote dronkaards op de stoelen onder haar. Als ze een goede dag in de Key Arena had, zag ze een idiote dronkaard *in* afschuwelijke kleding.

Landon had meer interesse voor de wedstrijden en had de dagen geteld tot hij het team in handen zou krijgen. Het eigendom van een professioneel sportteam was een teken van extreme rijkdom, en het lidmaatschap van een exclusieve club dat Landon heel graag wilde hebben. Een lidmaatschap dat zijn vader hem nu had ontzegd.

Landon was Virgils enige zoon, maar ze hadden elkaar veracht. Landon had nooit moeite gedaan om zijn minachting voor Virgils leven en zijn haat voor Virgils vijfde echtgenote, Faith, te verbergen.

Ze liep over de lange loper in de gang op de eerste verdieping naar de slaapkamer en suite die ze met Virgil had gedeeld. Werknemers van een verhuisbedrijf pakten haar kleren in dozen terwijl een van Landons advocaten de gang van zaken op de achtergrond volgde, om ervoor te zorgen dat Faith niets meenam wat volgens hen niet van haar was. Ze negeerde de verhuizers en gleed met haar hand over de rug van Virgils versleten leren stoel.

De zitting was ingedeukt door het jarenlange gebruik en Virgils leesbril lag op de tafel boven op het boek dat hij had gelezen op de avond dat hij was gestorven. Dickens, omdat Virgil een verwantschap voelde met David Copperfield.

Die avond, vijf dagen geleden, had ze op een stoel naast haar echtgenoot gezeten en naar een herhaling van Top Chef gekeken. Terwijl Padma op de televisie beoordeelde wat de beste amuse was, had Virgil plotseling scherp ingeademd. Ze had naar hem gekeken. 'Is er iets?' had ze gevraagd.

'Ik voel me niet goed.' Hij had zijn bril en zijn boek neergelegd en had zijn hand naar zijn borstbeen gebracht. 'Ik denk dat ik maar naar bed ga.'

Faith had de afstandsbediening neergelegd, maar voordat ze kon opstaan om hem te helpen, was hij naar voren gevallen en had naar adem gesnakt, terwijl zijn door ouderdom gevlekte hand op zijn schoot was gevallen.

De rest van de nacht was een waas. Ze herinnerde zich dat ze zijn naam had geroepen en zijn hoofd op haar schoot had gewiegd terwijl ze met de telefonist van 112 praatte. Ze kon zich niet herinneren hoe hij op de grond was terechtgekomen, alleen dat ze naar zijn gezicht keek terwijl zijn ziel uit zijn lichaam verdween. Ze herinnerde zich dat ze huilde en tegen hem zei dat hij niet mocht doodgaan. Ze had hem gesmeekt om vol te houden, maar hij had het niet gekund.

Het was allemaal zo snel gegaan. Tegen de tijd dat het ambulancepersoneel was gearriveerd, was Virgil er niet meer. En in plaats dat zijn familie dankbaar was dat hij niet alleen was gestorven, hadden ze haar nog meer gehaat omdat ze tot het eind bij hem was geweest.

Faith liep de slaapkamer in en pakte de Louis Vuitton-koffer waarin ze wat kleren had gestopt en de sieraden die Virgil tijdens hun vijfjarig huwelijk voor haar had gekocht.

'Die moet ik doorzoeken,' zei Landons advocaat terwijl hij de slaapkamer in liep.

Faith had zelf ook een paar advocaten. 'Daarvoor heb je een volmacht nodig,' zei ze terwijl ze langs hem liep. Hij probeerde niet om haar tegen te houden. Faith was in de buurt van te veel angstaanjagende mannen geweest om zich te laten intimideren door een van Landons bullebakken. Op weg naar de zitkamer pakte ze haar zwarte Valentino-jas. Ze stopte Virgils exemplaar van *David Copperfield* in haar Hermès-tas en liep naar de voorkant van het huis. Ze kon de achteruitgang en de bediendetrap nemen, waardoor ze Virgils familie ontliep, maar ze was niet van plan om dat te doen. Ze wilde niet wegsluipen alsof ze iets verkeerds had gedaan. Boven aan de trap stak ze haar armen in de mouwen van haar jas en ze glimlachte toen ze dacht aan haar eeuwigdurende verschil van mening met Virgil. Hij wilde altijd dat ze nerts of zilvervos droeg, maar ze had zich daar nooit prettig in gevoeld. Zelfs niet nadat hij haar erop had gewezen dat ze hypocriet was omdat ze wel leer droeg. Dat klopte. Ze hield van leer. Hoewel ze zich tegenwoordig oefende in smaak en gematigdheid. Iets wat haar moeder nog moest ontdekken.

Terwijl ze over de lange, gedraaide trap liep, dwong ze een glimlach op haar gezicht. Ze nam afscheid van de paar vrienden van Virgil die vriendelijk tegen haar waren geweest en liep door de voordeur naar buiten.

Haar toekomst lag helemaal open. Ze was dertig jaar en kon doen wat ze wilde. Ze kon naar school gaan of een jaar vrij nemen en ergens op een warm strand gaan liggen.

Ze keek achterom naar het stenen landhuis van drie verdiepingen, waar ze tijdens haar vijfjarige huwelijk met Virgil had gewoond. Ze had een goed leven met hem gehad. Hij had haar beschermd en voor het eerst in haar leven had ze niet voor zichzelf hoeven zorgen. Ze kon ontspannen. Ze kon ademhalen en plezier hebben en hoefde zich geen zorgen te maken om te overleven.

'Tot ziens,' fluisterde ze terwijl ze de neuzen van haar rode leren pumps naar haar toekomst richtte. De hakken klikten op de trap en op het pad naar de garage achter het huis toen ze naar haar Bentley Continental GT liep. Virgil had haar de auto afgelopen september voor haar dertigste verjaardag gegeven. Ze legde de koffer in de kofferbak, stapte in en reed weg bij het landhuis. Als ze opschoot kon ze de veerboot van halfzeven naar Seattle nog net halen.

Terwijl ze de hekken passeerde, vroeg ze zich weer af wat ze met haar leven moest gaan doen. Behalve de paar liefdadige instellingen waarbij ze betrokken was, had niemand haar nodig. En hoewel het waar was dat Virgil voor haar had gezorgd, had zij hetzelfde voor hem gedaan.

Ze pakte haar zonnebril uit haar tas en zette hem op haar neus.

Wat moest ze trouwens in vredesnaam doen met zijn ijshockeyteam en al die stoere, meedogenloze spelers? Ze had een aantal van hen ontmoet tijdens het jaarlijkse kerstfeest, waar ze altijd met Virgil naartoe ging. Ze herinnerde zich de grote Rus Vlad, de jonge Zweed Daniel, en Sam, de man die altijd een gehavend gezicht had, maar ze kende hen niet. Voor haar waren het gewoon leden van het ijshockeyteam, dat uit vierentwintig spelers bestond, en die graag vochten en vaak spuugden, voor zover zij dat kon beoordelen.

Ze kon het team het beste verkopen. Echt. Ze wist hoe ze over haar dachten. Ze was niet gek. Ze dachten dat ze een dom blondje was. Een trophy wife. Virgils snoepje aan zijn arm. Ze hadden de *Playboy* waarin ze stond waarschijnlijk aan elkaar doorgegeven, hoewel dat haar niets kon schelen. Ze schaamde zich niet voor de foto's. Ze was vierentwintig geweest en had het geld nodig gehad. Het was veel prettiger dan strippen, had haar in contact gebracht met interessante mensen en had nieuwe kansen opgeleverd. Een van die kansen was Virgil geweest.

Ze remde bij een stopteken, keek naar beide kanten en stak het kruispunt over.

Faith was eraan gewend dat mannen naar haar staarden. Ze was eraan gewend dat mannen haar beoordeelden op de omvang van haar borsten en aannamen dat ze dom of gemakkelijk of allebei was. Ze was eraan gewend dat mensen haar veroordeelden om haar beroep of omdat ze was getrouwd met een man die eenenvijftig jaar ouder was. Het kon haar echter niet schelen wat de wereld dacht. Ze was er lang geleden mee gestopt zich daar druk om te maken, toen die wereld haar passeerde als ze voor de Lucky Lady of de Kit Kat Topless Lounge stond te wachten tot haar moeder klaar was met werken.

Ze had alleen haar gezicht en lichaam meegekregen bij haar geboorte, en daar had ze gebruik van gemaakt. Als ze zich er druk om maakte wat mensen van haar dachten gaf ze ze de mogelijkheid om haar pijn te doen, en Faith had niemand die mogelijkheid ooit gegeven. Niemand behalve Virgil. Ondanks al zijn fouten had hij haar nooit als een dom blondje beschouwd. Hij had haar nooit behandeld alsof ze niets was. Natuurlijk was ze zijn trophy wife geweest, dat kon ze niet ontkennen. Hij had haar gebruikt om zijn enorme ego overeind te houden. Net als het ijshockeyteam was ze Virgils bezit, bedoeld om de wereld jaloers te maken. Ze had het helemaal niet erg gevonden. Hij had haar vriendelijk en met respect behandeld, en hij had haar gegeven waarnaar ze het meest verlangde: veiligheid van het soort dat ze nooit had gekend. Vijf jaar lang had ze in een prettige, veilige zeepbel geleefd. En hoewel haar zeepbel was gebarsten en ze het gevoel had dat ze een vrije val maakte, had Virgil ervoor gezorgd dat die landing zo zacht mogelijk zou zijn.

Ze dacht aan Ty Savage, met zijn diepe, rijke stem en lichte accent. *Ik heb genoten van onze lange gesprekken over ijshockey*, had hij over Virgil gezegd.

Faith had veel knappe mannen in haar leven meegemaakt. Ze had met velen van hen ook afspraakjes gemaakt. Mannen zoals Ty met een uiterlijk waarvan je adem stokte, dat je als een mokerslag kon treffen, en die je helemaal gek konden maken. Zijn donkerblauwe ogen waren lichter in het midden, als kleine uitbarstingen van kleur. Een lok donker haar raakte zijn voorhoofd, terwijl kleine plukken rond de bovenkant van zijn oren en nek krulden. Hij was lang en had het figuur van een Hummer, maar hij was een beetje te explosief naar Faiths smaak. Misschien was het de hetero-energie die door het lichaam van de man stroomde en van hem af wasemde als giftige damp. Misschien was het het litteken op zijn kin, waardoor hij er een beetje gevaarlijk uitzag. Hoewel het weinig meer was dan een dunne, zilverachtige lijn, zag het litteken er angstaanjagender uit dan Sams blauwe oog.

Ze dacht aan haar hand in zijn warme, stevige handpalm toen hij haar zijn hulp had aangeboden. Net als veel mannen zei Ty Savage precies de juiste dingen, maar hij had ze niet gemeend. Dat deden mannen zelden. Virgil was de enige man geweest die zijn beloften had gehouden. Hij had nooit tegen haar gelogen, zelfs niet als dat gemakkelijker was. Hij had haar een andere manier van leven laten zien, anders dan de manier waarop ze had geleefd. Met Virgil was ze veilig en gelukkig geweest. En daarvoor zou ze voor altijd van hem houden en hem missen.

2

Het gejoel van duizenden fans onderstreepte Ty's terugkomst in het General Motors Place-stadion in Vancouver. Tientallen spandoeken hingen aan de tribunes, met teksten die varieerden van GEVALLEN ENGEL en DE ENGEL IS EEN VERRADER tot Ty's persoonlijke favoriet: SAVAGE DONDER OP. Hij had zeven seizoenen lang het shirt van de Canucks gedragen. De afgelopen vijf jaar had er een C onder zijn linkerschouder gestaan, en hij was behandeld als een zegevierende held. Als een rockster. Dit seizoen droeg hij nog steeds een C, alleen had hij de orka verruild voor een zalm die een puck een mep gaf met zijn staart. Spelers werden voortdurend verhandeld. In elk geval had hij niet gewacht tot net voor de deadline voordat hij het aanbod accepteerde, wat hem meer geld en – iets wat oneindig veel meer waarde had – een grotere kans op de beker opleverde.

Het was al langer dan een seizoen bekend dat hij niet tevreden was over het management en de begeleiding van de coaches van Vancouver. Toen Mark Bressler, de aanvoerder van Seattle, vlak na Kerstmis betrokken was geraakt bij een verschrikkelijk auto-ongeluk, zat het team zonder aanvoerder. Het management van Seattle had Ty een fantastisch aanbod gedaan en hij had de overstap gemaakt. Er waren veel mensen in de pers en in heel Canada, met inbegrip van zijn vader, die vonden dat hij zich moest schamen en dat hij een verrader was, maar zo voelde hij dat niet.

In elk geval gooiden de fans vanavond geen spullen naar hem toe, wat opmerkelijk was als je bedacht hoe verraden ze zich hadden gevoeld toen bleek dat hij 200 kilometer zuidelijker ging spelen.

Hij glimlachte terwijl hij zijn helm op zijn hoofd zette en naar de middencirkel schaatste om de strijd aan te binden met zijn vroegere teamgenoot Markus Naslund. Hij schaatste twee keer langs de face-offcirkel om het geluk af te dwingen en stopte daarna in het midden.

'En, hoe gaat het met Nassy?' vroeg hij.

'Opdonderen, Engel,' zei Markus met een grijns.

Ty lachte. Hij mocht Nassy graag. Hij had respect voor zijn talent op het ijs, maar vanavond was het zijn taak om ervoor te zorgen dat Nassy wilde dat hij thuis was gebleven. Ty kende de tegenstanders beter dan hij de spelers van zijn eigen team kende, omdat hij langer met hen had gespeeld, maar de Chinooks hadden het beste team in de competitie en met hun *powerplay* scoorden ze een kwart van de doelpunten van het team. Als de Chinooks op stoom waren, domineerden ze het ijs met snelheid, brute kracht en gevoel voor ijshockey.

Tijdens de wedstrijd in Vancouver hing er iets vreemds in de lucht. Ty was niet bijgelovig. Hij schaatste weliswaar altijd twee keer langs de *face-offcirkel* voordat hij naar de middenstip ging, maar hij geloofde er niet in dat een ploeg vervloekt kon zijn. Hij geloofde in talent en niet in een ondefinieerbaar ongeluk. Hij was een van de weinige spelers die zich tijdens de play-offs schoren.

Er was echter iets heel vreemds aan deze wedstrijd. Vanaf het moment dat de eerste puck op het ijs terechtkwam, liep de wedstrijd niet goed voor de Chinooks. De verdediging had veel moeite om de puck naar de aanvallers te krijgen, en net als de rest van het team was Ty niet in staat een stabiel ritme te vinden. Hij mikte op het doel, maar had moeite om de puck in een scorende positie te krijgen.

Schoten ketsten van de buizen af en hun spel werd vanaf het midden van de tweede periode steeds slechter. Sam Leclaire en vleugelspeler Andre Courture brachten het grootste deel van hun tijd door op de strafbank voor 'lichte' overtredingen zoals *tripping*, *elbowing*, *slashing* en *roughing* in de hoeken.

In de laatste seconden van de wedstrijd voelde Ty eindelijk zijn vorm terugkomen, en hij schoot over het ijs met de puck in de kromming van zijn stick. Hij wist dat de doelverdediger van Vancouver links ving en hij maakte een schijnbeweging naar rechts. Het *ssj-ssj* van zijn schaatsen verdronk in het gebonk in zijn hoofd en het geschreeuw van het publiek. Hij zwaaide zijn stick naar achteren en mikte op Luongo's *five-hole*. Het blad sloeg op het ijs en versplinterde. Ty keek ongelovig toe terwijl de puck miste en de laatste zoemer klonk. De score was 2-1 voor Vancouver.

Een halfuur later zat Ty in de gastenkleedkamer naar het tapijt tussen zijn blote voeten te staren. Hij had een handdoek rond zijn middel en een rond zijn nek. Zijn teamgenoten stonden voor hun kluisjes, droogden zich af en kleedden zich aan voor de vlucht naar huis. Het enige goede aan vanavond was dat coach Nystrom de pers uit de kleedkamer had geweerd.

'We vergeten deze wedstrijd zo snel mogelijk,' zei coach Nystrom terwijl hij de kleedkamer in liep en zijn handen in de zakken van zijn broek stopte. 'De andere coaches en ik gaan de band van de wedstrijd bekijken en proberen te achterhalen wat er vanavond verkeerd is gegaan. Als we zaterdag weer tegenover Vancouver staan, moeten we beter voorbereid zijn.'

'Er heerste een vloek op de wedstrijd,' zei Vlad 'de Spietser' Fetisov terwijl hij in zijn broekspijpen stapte.

Beginnend aanvaller Logan Dumont sloeg een kruis. 'Dat gevoel had ik ook.'

Ty stond op en trok de handdoek van zijn nek. Het was te vroeg in de play-offs om bang te worden. 'Eén slechte wedstrijd betekent geen slecht play-offseizoen en betekent niet dat we vervloekt zijn.' Tijdens de trainingen waren ze een goed geoliede, onverslaanbare machine. Op wedstrijdavonden kwamen ze echter niet zo goed in vorm, en Ty kon maar één ding bedenken om daar verandering in te brengen. 'Pokeravond,' zei hij. 'Ik laat jullie het tijdstip en de plek nog weten. Neem contant geld mee en bereid je erop voor dat je verliest.' De Chinooks waren gek op poker en er was niets geschikter dan hun liefde voor poker om een band te kweken. Toen Ty net begon, hadden zijn team-genoten hem meegenomen naar een stripclub om hem in te wij-den. Nadat hij aan Vancouver was verkocht, hadden ze een band gekweekt in de Mugs and Jugs. Ty had nooit veel gegeven om stripclubs. Wat ironisch was, met het oog op de huidige eigenares van de Chinooks.

Hij liet de handdoek vallen en kamde met zijn vingers door zijn vochtige haar. Hij had die ochtend gehoord dat de weduwe van plan was om het team aan Virgils zoon Landon te verkopen. Ty wist niet veel over Virgils zoon, maar genoeg om de indruk te hebben dat Landon een enorme idioot was. Toch leek het hem beter om een idioot dan een trophy wife als eigenaar te hebben.

'Wie neemt de sigaren mee?' vroeg verdediger Alexander De-veraux terwijl hij zijn overhemd dichtknoopte.

'Logan.' Ty pakte de handdoek rond zijn middel vast. 'En zorg ervoor dat het Cubanen zijn, afgesproken?' De dikke katoen viel op de grond en hij opende zijn sporttas, die op de bank stond. Hij duwde het oude *Playboy*-nummer opzij dat Sam hem had ge-geven en pakte een schone boxer. Hoewel hij niet echt een bran-dend verlangen had om mevrouw Duffy naakt te zien, zou hij waarschijnlijk wel kijken als hij thuis was.

'Ik?' Logan schudde zijn hoofd. 'Waarom ik?'

'Omdat je een beginner bent natuurlijk,' antwoordde Sam.

Ty trok zijn zwarte boxer aan. De media van Vancouver zou-den hem opwachten en hij keek er niet naar uit om van de kleed-kamer naar de bus te lopen. De sportjournalisten waren meedo-genloos geweest toen hij was verkocht. Hij verwachtte niet dat ze vanavond vriendelijker voor hem zouden zijn.

Ty kreeg gelijk. Hij had nog maar drie stappen buiten de kleed-kamer gezet toen de eerste vraag op hem werd afgevuurd.

'De Chinooks hebben vanavond maar zestien keer op het doel geschoten. Wat is er aan de hand met "het vuurpeloton"?' vroeg een journalist van *The Vancouver Sun*. Hij gebruikte de bijnaam van de aanvallerslinie van de Chinooks, die werd gevormd door Ty, Daniel Holstrom en Walker Brookes.

Ty schudde zijn hoofd en bleef lopen. 'Het was onze avond niet.'

'De organisatie is een chaos en staat te koop,' zei een andere journalist. 'Heeft dat effect op jullie spel en jullie kansen op de beker?'

'Het is nog vroeg in het play-offsseizoen.' Hij vertrok zijn mond en ging onmiddellijk verder. 'Ik maak me er geen zorgen over,' loog hij.

'Savage! Verrader! Hoe voelt het om het eigendom van een vrouw te zijn?'

Hij bleef lopen.

'Ik heb gehoord dat ze jullie kleedkamer roze gaat schilderen.'

'Nee, zalmkleurig,' voegde een andere journalist eraan toe. 'En jullie krijgen bunnyoortjes.'

'Draagt ze haar bunnypakje als ze jullie cheques tekent?' Ze begonnen allemaal te lachen.

Hoewel hij het helemaal niet grappig vond, lachte Ty met de journalisten mee. 'Het kan me niet schelen wat Miss Januari draagt als ze mijn cheque tekent, zolang ze maar tekent.'

'Hoe zit het met de aankondiging dat ze in gesprek is om het team te verkopen?'

'Daar weet ik niets van.' Behalve dat hij hoopte dat het snel afgewikkeld zou zijn. Langdurige onderhandelingen zouden invloed op het team hebben. Hij stak een hand op en liep naar de achteruitgang van het stadion. 'Goedenavond, heren.'

Het was Miss Juli. Ze was Miss Juli geweest.

'Het was niet voldoende voor je dat je een schaamteloze golddigger bent. Je hebt het team van mijn vader veranderd in een mikpunt van spot. Je bent een schande voor iedereen.'

Faith keek op van de sportpagina's die voor haar op tafel

lagen. Als Ty Savage een kleinerende opmerking over haar wilde maken, kon hij er in elk geval voor zorgen dat hij de juiste maand noemde. 'Je vader heeft me het team gegeven,' benadrukte ze. 'Hij schaamde zich niet voor me.'

Landon Duffy, die aan de andere kant van de tafel zat, fronste zijn voorhoofd. Hij leek zoveel op zijn vader dat het eng was, alleen de ogen verschilden. Virgil had blauwgrijze, intelligente ogen gehad, maar die van Landon waren koud. En vandaag waren ze in één woord ijzig, waarmee hij haar heel duidelijk maakte hoe erg hij het vond dat hij 170 miljoen aan haar moest betalen voor een team dat hij als zijn eigendom beschouwde. 'Mijn vader was een seniele oude gek die gemakkelijk gemanipuleerd kon worden.'

'Niet zó gemakkelijk, anders zouden we hier niet zitten. Dan had je het team al gehad.' Landon was een van de weinige mensen die haar konden intimideren. Heel erg zelfs, maar dat betekende niet dat ze van plan was dat te tonen. Ze keek naar links, waar haar advocaat zat. Ze hoefde hier vandaag niet te zijn. Haar advocaten konden alles regelen, maar ze wilde niet dat Landon wist dat ze bang voor hem was. 'Laten we dit afhandelen.'

Haar advocaat schoof een intentieverklaring over de tafel in de richting van Landon en zijn advocatenteam. Terwijl ze deze bestudeerden, dacht Faith na over het advies van haar eigen advocaat, dat ze moest afwachten of er andere aanbiedingen kwamen. Hij had iets gezegd over belastingvoordelen op lange termijn, zekerheid voor wat beheerskosten betrof, salarislimieten en verkoopkortingen, die andere potentiële kopers zouden aantrekken en de prijs zouden opdrijven. Faith was niet geïnteresseerd in het geld. Ze wilde gewoon niets meer met de Duffy's te maken hebben.

Als Landon een andere man was geweest, een aardiger man, had ze het team waarschijnlijk gewoon aan hem gegeven. De 50 miljoen die Virgil haar had nagelaten was meer dan genoeg geld. Maar ze nam aan dat Virgil de Chinooks aan Landon had nagelaten als hij een andere man was geweest, een aardiger man. En als Virgil een andere man was geweest, een man die gemakkelijker kon vergeven, had hij zijn zoon niet zo laten bloeden voor hun gespannen relatie.

Faith ging staan en streek de kreukels uit haar kameelharen rok. 'Ik laat het aan de heren over om de details te bespreken.' Ze pakte haar rode wollen jas van de stoel naast zich, draaide zich naar haar advocaat en zei: 'Ik ga nu naar de Chinooks voor een vergadering met het management om ze van mijn beslissing op de hoogte te brengen.' Ze kende de coaches en de leden van het management niet, maar ze vond dat het hun goed recht was om te horen wat er aan de hand was. En ze vond dat ze dat niet van haar advocaten moesten horen of in de media moesten lezen, maar dat zij het hun moest meedelen. Ze zou vertellen hoeveel de club had betekend voor Virgil, en ze zou ze ervan verzekeren dat ze bij Landon in bekwame handen waren. Hoezeer ze Landon ook haatte, dat kon ze niet ontkennen. 'Bel me als jullie hier klaar zijn.'

Landon zette zijn handtekening met sierlijke letters en keek daarna op. 'Zorg ervoor dat je niets meeneemt uit dat gebouw. Er is niets van jou bij.'

Hemel, zijn voortdurende insinuaties dat ze een dief was waren vermoeiend, maar daar hoefde ze niet lang meer naar te luisteren.

'Alles is van mij tot we de definitieve papieren tekenen en je cheque gedekt blijkt te zijn.'

'Knoop gewoon in je oren wat ik heb gezegd, *Layla*,' zei hij. Hij vond het blijkbaar nodig om haar met haar artiestennaam aan te spreken.

Ze pakte haar tasje van de tafel en drukte het tegen de knoop in haar maag. Ze had het grootste deel van haar leven te maken gehad met mannen zoals Landon. Mannen die haar vernederden omdat ze zich alleen al door haar aanwezigheid beledigd voelden, terwijl ze haar tegelijkertijd uitkleedden met hun wellustige ogen. Het maakte niet uit of ze een sweater droeg die haar van haar kin tot haar polsen bedekte, en dat haar rok tot onder haar knieën kwam, voor hen zou ze altijd een stripper zijn die haar kleren had uitgetrokken voor geld. Zelfs al zat ze in het bestuur van liefdadige instellingen die geld inzamelden voor wie het moeilijk hadden. Ze namen aanstoot aan haar omdat ze hun exclusieve lucht durfde in te ademen.

Het lag op het puntje van haar tong om Landon te vertellen wat hij wat haar betrof mocht doen met zichzelf. Ze voelde dat Layla naar de oppervlakte kwam om hem van repliek te dienen. Maar dat wilde Landon, en ze kon Virgil bijna in haar oor horen fluisteren. *Landon is een nul. Laat hem niet winnen. Laat hem niet merken dat je je er iets van aantrekt.* Faith klemde haar tanden op elkaar en haar mond krulde in een vriendelijke glimlach, een trucje dat ze had geleerd toen ze eenmaal met Virgil was getrouwd. Ze schudde haar hoofd alsof ze wilde zeggen dat hij haar niet kon raken, waardoor het uiteinde van haar paardenstaart langs haar rug gleed. Layla veroorzaakte problemen, en Faith wilde niet dat Landon zou winnen. 'Tot ziens, heren.'

De hakken van haar Christian Louboutin-pumps met luipaardprint tikten op de hardhouten vloer van het advocatenkantoor. Ze deed de deur achter zich dicht en zoog de schone lucht diep in haar longen. Dat was maar net goed gegaan. Ze had Layla al een hele tijd niet meer naar buiten laten komen. Niet sinds ze moest doen alsof ze het prettig vond dat mannen geld in haar string stopten. Layla was een vechter en een overlever, en zij zou Landon verteld hebben dat hij wat haar betrof aan het gas kon.

Ze liep bij de deur weg en stak haar armen moeizaam in de mouwen van haar jas. Een van de voordelen van het team verkopen was dat ze bevrijd zou zijn van Landon en zijn familie en dat ze zich niet meer een weg hoefde te banen door dat lastige web.

De rit naar de Key Arena kostte twintig minuten en gaf Faith een paar extra minuten om zichzelf te vertellen dat het goed was wat ze deed. Virgil had de Chinooks aan haar nagelaten, niet aan Landon, maar het was waarschijnlijk zijn bedoeling geweest dat ze het team aan haar stiefzoon zou verkopen. Toch? Of zou hij boos zijn om haar beslissing? Ze wist het gewoon niet, en ze wilde dat Virgil er met haar over had gepraat voordat hij stierf.

Een kille motregen sloeg op de voorruit van de Bentley toen ze de garage in reed en op een gereserveerde plek parkeerde. De kantoren van de Chinooks lagen op de tweede verdieping en iedereen zat al aan de vergadertafel toen ze binnenkwam. Ze herkende de meeste mannen van Virgils begrafenis. 'Hallo,' zei ze terwijl ze naar een lege stoel in het midden liep. 'Ik hoop dat ik jullie niet heb laten wachten,' voegde ze eraan toe, hoewel ze wist dat ze precies op tijd was.

'Helemaal niet.' Algemeen directeur Darby Hogue stond op en stak zijn hand over de tafel naar haar uit. Zijn bruine ogen waren net zo warm als zijn hand. 'Hoe gaat het met je?'

'Beter.' Dat was niet helemaal waar. Ze miste Virgil elke dag en er zat een groot gat in haar hart. 'Bedankt dat je het vraagt.'

Darby stelde iedereen in de zaal voor. Hij begon bij het management, ging verder met de operationele staf en eindigde met de aanvoerder van de Chinooks, die aan het eind van de tafel zat. Acht mannen en zij. Sommigen waren onbeleefder dan anderen. Of liever gezegd, één van de mannen was onbeleefder dan de andere.

De laatste keer dat ze Ty Savage had gezien, had hij beschaafd geleken in zijn designerkostuum. Vandaag brandden zijn levendige diepblauwe ogen onder de zwarte wenkbrauwen en zag hij er absoluut niet beschaafd uit. Hij had zijn armen voor zijn gespierde borstkas over elkaar geslagen en droeg een wit T-shirt. Op een van de lange mouwen stond in zwarte letters CHINOOK IJSHOCKEY gedrukt. Het was net na twaalf uur en hij had al baardstoppels. 'Hallo, meneer Savage.' Ze wist niet waarom de aanvoerder van het team bij de vergadering aanwezig was, maar eigenlijk maakte dat ook niet uit.

Een van zijn mondhoeken ging omhoog, alsof ze hem amuseerde. 'Mevrouw Duffy.'

Ze legde haar tasje op de tafel en trok haar jas uit. Een van de coaches kwam overeind om haar te helpen. 'Dank je,' zei ze toen hij de jas over de rug van haar stoel hing. Ze trok de lange mouwen van haar roomkleurige angora trui naar beneden en richtte haar aandacht op de gezichten om haar heen. 'Mijn overleden echtgenoot hield van deze club. Hij hield van ijshockey en hij praatte altijd over aankopen en het gemiddelde aantal tegendoelpunten per wedstrijd en voorgenomen transfers. Ik luisterde urenlang naar hem, maar ik snapte nooit waar hij het over had.'

Ze streek de achterkant van haar rok glad en ging zitten. 'Daarom heb ik besloten om het team te verkopen aan iemand die net zoveel passie voor het spel heeft als Virgil.' Ze kreeg een brok in haar keel en ze vroeg zich opnieuw af of het goed was wat ze deed. Ze wilde dat ze het zeker wist. 'Een halfuur geleden heeft Landon Duffy een intentieverklaring getekend om de club te kopen.' Ze verwachtte applaus. Iets. Ze keek de tafel langs op zoek naar een teken van opluchting, maar vreemd genoeg zag ze dat niet. 'Als de koop definitief is, geven we een persconferentie.'

'En wanneer zal dat zijn?' vroeg coach Nystrom.

'Over een paar weken.' Ze vouwde haar handen voor haar op de tafel. 'Landon heeft ons verzekerd dat er niets zal veranderen.'

Iemand die een eind verderop aan de tafel zat zei: 'We hebben gehoord dat hij erover denkt het team te verhuizen.'

Faith had daar niets over gehoord. Als dat gebeurde zou Virgil zich omdraaien in zijn graf. 'Waar heb je die informatie vandaan?'

'Ik heb vanochtend een telefoontje gehad van *Sports Center* omdat ze het bevestigd wilden hebben.'

'Hij heeft het er niet over gehad, dus neem ik aan dat hij van plan is het team in Seattle te laten.' Ze schudde haar hoofd. 'Waarom zou hij het team verhuizen?'

'Geld,' legde Darby uit. 'We hebben nog steeds last van de uitsluiting en een andere stad biedt hem misschien een nieuw stadion met betere concessieovereenkomsten en lagere arbeids-kosten. Een nieuwe stad kan hem lucratievere televisiecontracten en gunstiger belastingvoorwaarden bieden.'

Faith fronste haar voorhoofd en leunde achterover in haar stoel. Ze had gehoord over de NHL-uitsluiting in het seizoen 2004-2005. Virgil en zij waren net getrouwd en ze herinnerde zich dat hij naar een vergadering met de spelersbond was ge-gaan, die erin had geresulteerd dat het ijshockeyteam voor het hele seizoen werd uitgesloten. Ze herinnerde zich veel gevloek. Veel erger dan ze ooit in stripclubs had gehoord.

De deur naar de vergaderzaal ging open en Landon kwam bin-nen, met twee advocaten in zijn kielzog. Ze was helemaal niet verrast om hem te zien. 'Heb je het goede nieuws al verteld?' vroeg hij glimlachend, alsof hij een wraakengel was die eropuit was gestuurd om de Chinooks uit haar klauwen te redden.

Ze stond op. 'We bespreken de details.'

'Ik neem het vanaf hier over,' zei hij. Hij klonk als de CEO die hij was, in zijn kostuum van vierduizend dollar.

'Je bent de eigenaar van het team nog niet, Landon. Ik geloof niet dat je wettelijk gerechtigd bent om hier iets te zeggen.'

Hij gebaarde met zijn hand om haar weg te sturen. 'Verdwijn.'

Ze voelde dat haar wangen rood werden, maar wist niet of het van boosheid of schaamte was. Misschien allebei. Ze maakte zich lang en rechtte haar schouders. 'Als je met de coaches en het personeel wilt praten, zul je buiten moeten wachten tot we klaar zijn.'

Zijn glimlach verdween. 'Om de donder niet, Layla.'

Er was geen twijfel aan. Het was niet alleen boosheid, maar ook schaamte. Het was erg genoeg dat hij haar Layla had ge-noemd in het advocatenkantoor, maar in deze zaal vol mannen was het nog veel erger. Het was bedoeld om haar te vernederen. Om alle aanwezige mannen aan haar vroegere beroep te herin-neren. Als Virgil nog leefde, zou Landon niet zo oneerbiedig zijn geweest. Niet in het openbaar in elk geval. Nu voelde hij zich vrij om haar publiekelijk te beledigen. 'Ik zei dat je buiten moet wachten.' Daarna glimlachte ze en gebruikte de bijnaam waar hij zo'n hekel aan had: 'Spruitje.' Ze wist niet waarom hij zo'n hekel aan zijn bijnaam had. Spruitje klonk schattig, en veel kinderen waren in hun jeugd wel ergere dingen genoemd.

Blijkbaar vond Landon dat niet. Zijn ijskoude blik werd nog killer en hij deed een stap naar voren. 'Vijf jaar lang heb ik je moeten verdragen,' zei hij terwijl er een ader op zijn voorhoofd begon te kloppen. 'Maar dat is nu afgelopen. Als je niet weggaat, laat ik je door de beveiliging met de rest van het vuilnis verwijderen.'

De woede kolkte in haar maag en haar wangen brandden, en zonder erbij na te denken deed ze haar mond open en zei: 'Ik ben van gedachten veranderd. Ik verkoop het team niet. Ik houd het.'

Landon schrok. 'Dat kun je niet maken.'

Ze glimlachte, tevreden over haar vermogen om hem op zijn plaats te zetten. 'Ik kan doen wat ik wil. En ik wil het team houden dat je vader aan míj heeft gegeven.' Jezus, ze wilde hem pijn doen. Ze wilde hem uitschelden en in zijn gezicht spugen. Hem een keihard knietje geven. In een ander leven had ze niet geaarzeld, maar mevrouw Duffy gaf mannen geen knietjes. Dat had Virgil haar geleerd. 'Blijf bij mijn ijshockeyteam uit de buurt.'

Hij deed nog een paar stappen naar voren en wilde haar vastpakken. Voordat ze kon reageren, doemde er een groot lichaam voor haar op en staarde ze plotseling naar een brede rug in een wit katoenen T-shirt.

'Het lijkt me het beste dat u nu vertrekt, meneer Duffy,' zei Ty Savage. 'Ik wil niet dat er gewonden vallen.' Faith wist niet zeker of hij Landon of haar bedoelde. 'En ik zou het afschuwelijk vinden om in de kranten te lezen dat mevrouw Duffy u door de beveiliging naar buiten heeft laten slepen.'

Achter Ty's rug hoorde ze Landons advocaten iets zeggen en daarna zei Landon: 'Dit is nog niet voorbij, Layla.' Na een paar spannende seconden sloeg de deur achter hem dicht en Faith liet haar opgekropte ademhaling ontsnappen. Haar wangen brandden. Ze was al vaak genoeg vernederd. Ze moest toegeven dat ze dat soms zelf had veroorzaakt, maar deze vernedering voelde als die keer op de basisschool dat Eddie Peterson de achterkant van haar jurk bij het drinkfonteintje omhoog had getrokken en haar roze ondergoed vol gaten aan de voltallige derde klas had onthuld.

Ty draaide zich om. 'Wat heb je gedaan waardoor die man je zo haat?' vroeg hij.

Ze keek omhoog, van het witte litteken op zijn kin dat werd omringd door stoppels en zijn mond naar zijn diepblauwe ogen. 'Ik ben met zijn vader getrouwd.' Ze gaf toe aan het slappe gevoel in haar knieën en ging zitten. 'Bedankt dat je me te hulp bent gekomen.'

'Graag gedaan.'

Haar handen trilden en ze legde ze in haar schoot. 'Ik denk dus dat ik het team niet verkoop,' zei ze verdoofd, tegen niemand in het bijzonder. Ze keek naar de verbaasde gezichten om zich heen; ze was zelf net zo verbaasd door haar aankondiging.

'Ik heb nog nooit gezien dat een man een dame zo behandelde,' zei Darby hoofdschuddend.

Landon vond haar geen dame, en ze had er absoluut geen behoefte aan om te praten over Landon en wat hij van haar vond. 'Ik denk dat ik een spoedcursus in ijshockey nodig heb.' Haar gezicht voelde een beetje verdoofd door de schok.

'Je kunt een assistent aannemen,' stelde een van de coaches voor. 'Virgil heeft er tot de uitsluiting een gehad. Ik weet niet wat er daarna is gebeurd met Jules.'

Ze had nog nooit van een Jules gehoord. 'Jules?' Haar stem klonk vreemd en ze moest de neiging onderdrukken om haar voorhoofd op tafel te leggen en te kreunen. Wat had ze gedaan?

'Julian Garcia,' antwoordde Darcy. 'Ik zal zien of ik zijn telefoonnummer voor je kan achterhalen.'

'Dank je.' Ze hield Virgils team dus. In elk geval op dit moment, en ze wist echt niet wat ze moest zeggen. 'Ik zal doen wat ik kan om ervoor te zorgen dat jullie de Stanley Cup winnen. Dat was Virgils droom en ik weet dat hij spelers wilde aantrekken om het team nog sterker te maken.' Ze dacht dat ze hem dat had horen zeggen.

'De transferperiode is gesloten. Ons rooster is klaar, maar volgend seizoen kunnen we beslist een man met een gemene rechtse in de blauwe zone gebruiken,' zei iemand aan het eind van de tafel.

Faith wist niet zeker wat dat betekende, maar niemand leek het te merken, terwijl ze hun opmerkingen om haar heen in sneltreinvaart afvuurden alsof ze er helemaal niet was.

'Iemand die zowel kan verdedigen als vechten.'

'We hebben Sam.'

'Willen vechten en je tegenstanders intimideren zijn twee verschillende dingen,' merkte Ty op terwijl hij op zijn stoel aan het eind van de tafel ging zitten. 'Sam is beter in de puck bemachtigen dan in vechten. Niemand is bang voor Sam.'

'Dat is waar.'

'Andre en Frankie gaan allebei goed vooruit.'

'Niet snel genoeg. We hebben iemand als George Parros nodig, die een puck kan schieten als Patrick Sharp.'

'Iemand als Ted Lindsay.'

'Inderdaad, als Terror Ted.'

Ze knikten allemaal alsof 'Terror Ted' hun man was. Het duizelde Faith. Het gesprek dat buiten haar om plaatsvond gaf haar het gevoel dat ze ging hyperventileren, en daar had ze het volste recht toe, omdat haar leven volledig uit balans dreigde te raken. Ze bedacht echter dat ze waarschijnlijk beter niet kon flauwvallen op haar eerste dag als eigenares. Dat zou geen goede indruk maken. 'Hoeveel kost het om die man te krijgen? Die Terror Ted?' vroeg ze in een poging om deel te nemen aan het gesprek en niet zo verschrikkelijk onwetend te lijken.

Het gesprek stokte en iedereen draaide zijn hoofd naar haar

toe om naar haar te kijken. Op de een of andere manier waren ze allemaal sprakeloos. Allemaal, behalve Ty Savage. Hij kneep zijn ogen samen alsof hij pijn had. 'We zijn zo de lul,' zei hij.

'Engel, er zit een dame in de zaal,' waarschuwde een man met een Chinook-pet.

'Sorry.' Ty boog zijn hoofd naar achteren en zei: 'Maar we zijn echt ongelofelijk de lul.'

Faith keek naar Darby. 'Wat?'

'Ted is in 1956 gestopt.' Hij probeerde troostend naar haar te glimlachen maar zag er net zo gepijnigd uit als Ty met zijn dichtgeknepen ogen. 'Voordat jij geboren was.'

'O.' Ze nam aan dat dat betekende dat Terror Ted niet beschikbaar was. Het was haar aardig gelukt om onwetend te lijken.

3

'En toen keek ze naar ons met haar grote groene ogen en vroeg ze hoeveel het kostte om Terror Ted zover te krijgen dat hij voor de Chinooks kwam spelen.'

Pavel Savage verslikte zich in een slok bier en zette het glas op tafel. 'Jullie zijn goed de lul.' Hij veegde met de rug van zijn hand over zijn mond.

Ty knikte en nam een grote slok van zijn Labatt. Zijn vader was een uur geleden onverwacht bij hem op bezoek gekomen. Zoals altijd. 'Inderdaad, dat zei ik ook.' Hij zette het flesje neer en pakte zijn golfclub. Sinds zijn vader hier was hadden ze gepraat over de wedstrijd van gisteravond tegen Vancouver en de tweede wedstrijd, die morgenavond zou plaatsvinden. Ze hadden over Virgils dood gepraat en wat dat betekende voor Ty's kansen op de Cup. 'Een van de coaches stelde voor om Virgils oude assistent van stal te halen.' Hij zette zijn voeten een schouderbreedte uit elkaar en plaatste de golfclub achter de bal. 'Het maakt niet uit hoeveel assistenten ze inhuurt om haar het verschil uit te leggen tussen *cross check* en *slashing*, ze gaat het nooit snappen.' Hij zwaaide de golfclub tot boven zijn schouder en sloeg. De bal schoot door de kamer naar het midden van het grote net. Toen hij het huis in Mercer een maand geleden had gekocht, had hij dat gedaan om de enorme mediaruimte, waardoor hij zijn golfslagen in huis kon oefenen. De glazen wand keek uit over het meer en de stad Seattle. 's Nachts was de skyline spectaculair. 'Die ouwe kon niet op een slechter tijdstip overlijden, maar hij heeft in elk geval een sterke aanvalslinie gecreëerd voordat hij het loodje legde.'

'Dat is een kleine troost. God hebbe zijn ziel,' mompelde Pavel terwijl hij naar de kleine radar keek waarop Ty's snelheid verscheen. Die was 101, en Pavel fronste zijn donkere wenkbrauwen. 'Is ze net zo mooi als op de foto's?'

'Ik heb haar foto's niet gezien.' Ty schoof een nieuwe bal met zijn golfclub naar zich toe en legde hem op de golfmat naast de radar. Hij hoefde niet te vragen over welke foto's zijn vader het had. 'Haar foto's kunnen me geen donder schelen.' Nadat ze eerder die middag had verkondigd dat ze het team niet verkocht, had de pr-afdeling van de Chinooks een verklaring voor de pers opgesteld, waarna Faith Duffy op elke lokale nieuwszender was verschenen. Ze hadden filmmateriaal gevonden waarin ze met Virgil naar een wedstrijd ging en hadden dat samengevoegd met een stukje film uit haar *Playboy*-dagen, waarin ze een laag uitgesneden jurk droeg en naar Hugh Hefner glimlachte.

Ty's telefoon was aan één stuk door gegaan. Het waren allemaal journalisten die wilden weten wat hij vond van de nieuwe eigenares, maar in plaats van op te nemen had hij de stekker uit zijn telefoon gehaald. Na Landons gedrag vandaag was Ty er zeker van dat Virgils zoon geen betere keus was geweest. Het oordeel van de man was duidelijk gekleurd en werd beïnvloed door emoties en persoonlijke motivaties, wat nooit goed was voor een eigenaar. Nu was een playmate plotseling de beste van twee keuzes. Hoe was dat gebeurd? 'Ik neem aan dat jij de foto's wel hebt gezien?'

'Nee, dat heb ik niet.' Pavel kneep zijn ogen tot spleetjes terwijl hij toekeek hoe Ty sloeg.

De bal schoot door de kamer en raakte het rode middelpunt van het net.

'Dat is verrassend.' Ty keek naar de radar en daarna naar zijn vader: 113. Hij herkende de toegeknepen blik. Pavel was vijfenzestig en nog net zo prestatiegericht als vroeger.

'Eigenlijk niet.' Hij haalde zijn schouders op en gebaarde naar Ty dat hij hem de golfclub moest geven.

'Je kon haar dus niet vinden in je oude *Playboys*.'

'Nee.' Pavel legde de bal naast de radar.

Ty vertelde zijn vader niet dat het blad in de sporttas zat die aan de andere kant van de kamer stond. Het voelde gewoon verkeerd om de foto's aan zijn vader te laten zien, vooral omdat hij ze zelf nog niet had gezien.

'Maar ik heb er niet echt mijn best voor gedaan. Er zijn zoveel mooie vrouwen in de wereld, dus waarom zou ik onnodige tijd en energie aan een ervan besteden?' Dat was een uitstekende samenvatting van Pavels houding tegenover vrouwen. Zelfs tegenover de vrouwen met wie hij getrouwd was geweest. Hij sloeg en de bal vloog door de kamer in het net. De radar stond op 83. Niet slecht voor een man van Pavels leeftijd, maar natuurlijk was het niet goed genoeg om zijn zoon te verslaan.

'Je greep is niet helemaal goed,' zei hij terwijl hij Ty de golfclub gaf. 'Ik ben moe. Ik ga naar bed.'

Er was niets mis met zijn greep en Ty schoot nog een paar ballen in het net om dat te bewijzen. Even na tien uur zette hij zijn enorme tv aan en installeerde zich op de zachte moskleurige bank om naar het nieuws te kijken. Hij dacht aan de wedstrijd van morgenavond en aan de Sedin-tweeling.

Daarna dacht hij aan Faith Duffy. Hij hoopte heel erg dat haar aankondiging dat ze het team niet verkocht de Chinooks niet uit hun wedstrijdconcentratie haalde. Weten wie de nieuwe eigenaar van de Chinooks was, was beter dan niets weten, maar niet veel beter.

Hij dacht na over de manier waarop ze vanmiddag was overgekomen. Eerst zelfverzekerd en kalm, daarna duidelijk geschokt. Landon had haar Layla genoemd, en Ty vermoedde dat het haar artiestennaam was. Virgils zoon was een klootzak. Daar was geen twijfel aan. Het was laag om een vrouw in het openbaar expres te vernederen, maar om dit te doen in een ruimte vol mannen bewees dat hij een gemeen en arrogant karakter had, waardoor Faith Duffy de meest chique van de twee leek. Ze had tegenover hem gestaan, met haar hoofd hoog en haar rug recht, en Ty waardeerde het dat ze niet in tranen was uitgebarsten of woedend had gevloekt als de stripper die ze ooit was geweest.

Hij bracht zijn biertje naar zijn mond en nam een grote slok. Ze kleedde zich niet als een stripper. Zelfs niet als een meer ingetogen playmate. Geen felle kleuren of strakke T-shirts die op strategische plekken scheuren vertoonden. Geen strakke spijkerbroeken of korte rokjes met dijhoge laarzen. Vanmiddag was ze van haar kin tot haar knieën bedekt geweest, als een tuttige societyvrouw. Natuurlijk had het truitje de aandacht naar haar grote borsten getrokken, en alle mannen in de zaal hadden zich afgevraagd hoe ze er naakt zou uitzien.

Ty liet het flesje zakken en keek naar zijn sporttas. Hij nam aan dat een paar spelers dat al wisten. Hij zette zijn biertje op de salontafel en liep door de kamer. Het was niet zo dat hij er zijn uiterste best voor had gedaan om de foto's te bemachtigen, maar ze waren er en hij was een man. Hij zocht in zijn tas en haalde het vijf jaar oude tijdschrift eruit met een vrouw op de cover die was geschminkt als Uncle Sam. Terwijl hij terugliep naar de bank bladerde hij naar de foto's in het midden. Hij bleef stilstaan toen hij Faith Duffy zag, die in een doorschijnende gele jurk in een veld met wilde bloemen stond. Ze was van achteren belicht en was naakt onder het doorschijnende materiaal. Op de volgende foto had ze haar rug naar de camera gedraaid. Ze keek met haar groene ogen over haar schouder en had haar jurk opgetrokken, zodat haar lange benen en gladde billen zichtbaar waren.

Ty sloeg de bladzijde om en dit keer zat ze op handen en knieën op een deken die op een diepgroen grasveld lag. Ze droeg roze stiletto's, witte dijhoge kousen en een kleine witte string die op haar heupen was dichtgestrikt. Haar rug was gekromd en ze duwde haar borsten in de dunne witte bh naar voren. Zwaar. Rond. Perfect. Haar tepels prikten tegen het dunne kant. Het prachtige haar golfde over haar schouders en er speelde een lichte glimlach rond haar roze lippen. Hij bladerde naar de volgende foto, waarop ze op de deken naast een picknickmand knielde. Haar duim haakte in één kant van haar string en ze trok hem een stukje langs haar dij naar beneden. Hij hield zijn hoofd scheef en trok één wenkbrauw op. Ze was zo kaal als een perzik.

Hij bladerde naar de volgende foto. 'Jezus,' fluisterde hij toen hij de centerfold bekeek. Faith lag op de deken, helemaal naakt behalve de dijhoge kousen en een lang snoer parels rond haar linkerborst. Een van haar knieën was gebogen, ze kromde haar rug en haar huid glansde. Haar ogen keken onder halfgesloten oogleden in de camera en haar lippen waren uit elkaar alsof ze opgewonden was.

Wat zonde, dacht hij terwijl hij naar haar zachte, ronde borsten keek. Wat jammer dat ze dat lichaam heeft verspild aan een oude man. Want wat iedereen ook zei, viagra kon de tijd niet vijftig jaar terugdraaien en een eenentachtigjarige man geven wat er nodig was om een vrouw van dertig tevreden te stellen.

Hij bladerde naar haar playmate-profiel en las dat ze was geboren in Reno, Nevada, en 1 meter 73 was. Ze woog 55 kilo en haar maten waren 95-63-92. Hij dacht aan haar lichaam in de zwarte jurk die ze de dag van Virgils rouwplechtigheid had gedragen en nam aan dat ze niet veel was veranderd. Het was haar ambitie om een 'liefdadigheidsambassadrice te worden en wezen in derdewereldlanden te helpen'.

Ty begon smakelijk te lachen. Haar ambitie had moeten zijn: ik wil een golddigger worden die eindigt met meer geld dan een derdewereldland. Hij nam aan dat de *Playboy* zoiets niet zou publiceren, maar het was in elk geval dichter bij de waarheid geweest en hij zou haar eerlijkheid hebben gewaardeerd.

Haar favoriete gerecht was crème brûlée. Haar minst favoriete was hot dogs. Haar favoriete film was *Sweet Home Alabama*. Ze haatte sociale onrechtvaardigheid en onbeleefde mensen.

Ty grinnikte en bladerde terug naar de centerfold. Hij wist dat de foto's geretoucheerd waren, en ze was niet het soort vrouw op wie hij viel, maar verdomme, ze had iets. Haar harde tepels zaten als perfecte kleine besjes in het midden van haar borsten en ze had helemaal geen moedervlekken of littekens. Een vrouw die er zo uitzag zou minstens één zuigzoen ergens op haar perfecte lichaam moeten hebben.

Hij zag voor zich hoe ze naast haar oude echtgenoot lag. Hij had Virgil gemogen, maar het idee maakte hem een beetje misselijk. Misschien lag het aan hem, maar hij had het gevoel dat hij niet alleen stond in zijn overtuiging dat een man van eenentachtig niet voldoende in huis had om een vrouw van dertig in bed tevreden te stellen. Virgil had misschien een decennialange ervaring en obsceen veel geld, maar er was meer voor nodig om een vrouw zoals zij te bevredigen – bijvoorbeeld een gezond uithoudingsvermogen.

Hij sloeg het blad dicht en dacht aan het telefoongesprek dat hij op de dag van Virgils rouwplechtigheid had gehoord. Virgil had misschien genoeg geld gehad om zijn jonge vrouw gelukkig te maken, maar hij wedde dat er iemand anders was geweest die een tevreden glimlach op haar gezicht toverde.

Faith stond op de zesentwintigste etage en keek door de glazen wand, die twee verdiepingen hoog was, naar de lichten van Seattle en de dikke mist die boven het water van Elliott Bay hing. Ondanks de mist kon ze bijna exact aanwijzen waar Virgils landhuis lag. Ze had er tenslotte vijf jaar gewoond.

Ze dacht aan de eerste keer dat Virgil haar naar zijn huis had meegenomen, na hun haastige huwelijk een maand nadat ze elkaar hadden ontmoet. Ze had een blik op het grote huis op het eiland geworpen en had zowat een hartaanval gekregen, terwijl ze zich afvroeg of ze zou verdwalen in het grote, grillig gebouwde landhuis.

Ze dacht aan de eerste keer dat ze Virgil had gezien, tijdens een *Playboy*-feest in Palms in Las Vegas, waar ze een van de gastvrouwen was geweest. Die avond had hij haar een aanbod gedaan dat ze had geweigerd. Na de Playmate van het Jaar-ceremonie in de Playboy Mansion had hij zijn aanbod herhaald. Hij had haar verteld dat hij haar de wereld wilde laten zien en dat ze daar maar één ding voor hoefde te doen, namelijk net doen alsof ze meer van hém hield dan van zijn geld. Hij beloofde haar een miljoen dollar voor elk jaar dat ze getrouwd bleven en ze had ja gezegd.

In het begin was ze van plan geweest om een paar jaar met hem getrouwd te blijven en dan te vertrekken. Maar al snel werden ze dikke vrienden. Hij behandelde haar vriendelijk en met respect, en voor het eerst in haar leven wist ze hoe het voelde om veilig te zijn en je nergens zorgen over te hoeven maken. Tegen het eind van de eerste twaalf maanden hield ze van hem. Niet als een vader, maar als een man die haar liefde en respect verdiende.

Hij had zich aan zijn woord gehouden, en tijdens de eerste paar jaar van hun huwelijk hadden ze de hele wereld bereisd. Ze waren naar alle continenten geweest en hadden in exclusieve hotels gelogeerd. Ze hadden gevaren op jachten op de Middellandse Zee, gegokt in Monte Carlo, en geluierd op de witte stranden van Belize. Kort na hun tweede jaar samen kreeg Virgil een ernstige hartaanval en daarna waren ze niet meer naar het buitenland geweest. Ze bleven in Seattle en gingen om met Virgils vrienden, maar ze bleven voornamelijk in het grote huis op het eiland. Faith had het niet erg gevonden. Ze hield van hem en vond het heerlijk om voor hem te zorgen.

Ze hadden echter nooit met elkaar gevrijd.

Al het geld en de operaties en wonderpillen in de wereld hadden niet kunnen voorkomen dat Virgils leeftijd en zijn diabetes hem beroofden van het enige wat hem het gevoel gaf dat hij een vitale man was. Lang voordat hij Faith leerde kennen was hij al niet meer in staat geweest om een erectie te krijgen. Niets had hem geholpen, en zijn enorme trots en gigantische ego dwongen hem om voor het op één na beste te gaan. Net doen alsof hij seks had met een veel jongere vrouw. Een centerfold.

Als ze helemaal eerlijk was, moest ze toegeven dat ze het niet erg had gevonden. Niet alleen omdat hij eenenvijftig jaar ouder was dan zij – hoewel dat er vooral in het begin wel mee te maken had gehad – maar Faith hield niet van de onzekerheid van seks. Je kon door alleen naar een man te kijken niet bepalen of hij goed was in bed. Er was geen enkele manier om daarachter te komen voordat het te laat was en je geen string meer droeg.

Voor Virgil had ze veel relaties en veel seks gehad. Soms was het heerlijk geweest, en soms afschuwelijk. Voor haar was seks net een doos bonbons – ja, dat had ze min of meer gestolen uit *Forrest Gump* – je wist van tevoren nooit wat je zou krijgen. Faith hield niet van onzekerheid en niets was erger dan naar iets heerlijks hunkeren en dan afgescheept worden met zo'n vies oranje gelatinesnoepje.

Ze had geen seks meer gehad sinds ze met Virgil was getrouwd. In het begin was het moeilijk geweest, vooral omdat ze jong was en behoorlijk actief was geweest, maar na een paar jaar onthouding miste ze het eigenlijk niet meer. Nu Virgil er niet meer was, betwijfelde ze of haar behoefte aan seks plotseling zou terugkomen. Bovendien kon ze zichzelf gewoon niet voorstellen met een andere man.

De deurbel haalde Faith uit haar gedachten over seks en mannen. De travertijn tegels voelden koel onder haar blote voeten toen ze door de zitkamer liep. Virgil en zij hadden het vierkamerpenthouse vorig jaar gekocht, maar ze hadden er alleen gebruik van gemaakt tijdens de zeldzame gelegenheden dat het gemakkelijker was geweest om in de stad te blijven. Het was voornamelijk afgewerkt met marmer en tegels en straalde een ultramoderne sfeer uit. Virgil had haar het laten inrichten, en ze had wit leer en stapels rode en paarse kussens gekozen. Het penthouse had een terras dat uitkeek over Elliott Bay, en een dakterras met zonnekamer en een glazen plafond dat een onbeperkt uitzicht van 360 graden bood over de stad, het drukke water en Mount Rainier.

Ze deed de deur open en een wit vachtbolletje rende langs haar naar binnen. Faith hoorde de kleine nagels op de tegels klikken en ze voelde een overweldigende behoefte om het een trap te geven.

'Mama.' Faith keek over haar schouder en zag dat de witte pekinees op haar witte leren bank sprong. 'En Pebbles.' De gemeenste hond op aarde. 'Je had me even moeten bellen.'

'Waarom? Dan had je gezegd dat ik niet moest komen.' Valerie Augustine reed haar grote roze koffer het penthouse in en gaf met haar overdadig gestifte lippen een luchtkus op Faiths wang terwijl ze langs haar liep.

'Ik wil je natuurlijk graag zien,' zei Faith terwijl ze de deur dichtdeed. 'Maar ik heb het gewoon heel druk.' Ze liep achter haar moeder aan en wees naar de stapel boeken op de salontafel van glas en roestvrij staal.

'Wat ben je aan het lezen?' Haar moeder schoof het handvat in haar koffer en liep op haar schoenen met hakken van twaalf centimeter naar de bank. Ze waren natuurlijk roze, zodat ze bij haar leren broek pasten. '*IJshockey voor Dummies*. Waarom lees je dit? Ik dacht dat je het team had verkocht?'

'Ik heb besloten om dat niet te doen.'

Valerie sperde haar grote groene ogen open en ze schudde haar hoofd, waarmee ze haar perfect gelaagde Farrah Fawcett-kapsel in de war bracht. In de jaren zeventig had iemand tegen Valerie gezegd dat ze op Farrah Fawcett leek, en dat geloofde ze nog steeds. 'Wat is er gebeurd?'

Ze had geen zin om het hele verhaal aan haar moeder te vertellen. 'Ik heb gewoon besloten om het team te houden.' Ze dacht aan Landon die haar wilde vastgrijpen, en Ty Savage die tussen hen in was gaan staan. Ze was dankbaar dat hij er was geweest. Dankbaar dat hij zich ermee had bemoeid. Bijna dankbaar genoeg om hem te vergeven dat hij haar in de pers 'Miss Januari' had genoemd.

'Mooi, daar ben ik blij om. Nu die oude smeerlap er niet meer is, heb je iets nodig om je mee bezig te houden.'

'Mam.'

'Het spijt me, maar hij wás oud.' Het was niet bepaald een geheim dat haar moeder Virgil niet had gemogen. Het gevoel was wederzijds geweest. Virgil had Valerie een maandelijkse toelage gegeven, en hoewel Valerie de cheques verzilverde, hadden er voorwaarden aan vastgezeten die ze hem kwalijk had genomen. Een van die voorwaarden was dat ze niet kon langskomen wanneer ze daar zin in had. 'Te oud voor een mooi, jong meisje,' voegde ze eraan toe terwijl ze het boek op de bank gooide en haar hond optilde. Pebbles keek met haar zwarte kraalogen naar Faith, gromde en hapte naar haar alsof ze probeerde een stuk gedroogd vlees uit haar kaken te trekken. 'Sst,' zei Valerie met getuite lippen terwijl ze de hond bij haar gezicht hield zodat hij haar kon likken.

'Getver. Dat is ranzig.'

'Ik hou van de kusjes van Pebbles.'

'Straks likt ze haar kont weer.'

Valerie fronste haar voorhoofd en stopte de hond onder een arm. 'Nee, dat doet ze niet. Ze is erg schoon.'

'Ze plast op het bed.'

'Niet mijn bed. Dat heeft ze maar één keer gedaan, omdat jij tegen haar schreeuwde.'

Faith zuchtte en liep naar de keuken. 'Hoe lang blijf je?'

'Net zo lang als je me nodig hebt.'

Faith kreunde inwendig en deed de deur naar de kleine wijnruimte open. Natuurlijk was Faith blij om haar moeder te zien en hield ze van haar, maar ze wilde op dit moment geen verantwoordelijkheid. Niet voor Valerie en al helemaal niet voor de gemene Pebbles.

Zolang Faith zich kon herinneren was haar moeder geen echte moeder geweest. Ze waren 'vriendinnen' geweest, in plaats van ouder en kind. Een van de mooiste dagen van Valeries leven was de dag dat Faith een vals ID had bemachtigd, zodat ze samen de stad onveilig konden maken. En toen Faith achttien was geworden, stapte ze in navolging van haar moeder op torenhoge hakken het podium op.

Ze haalde een perfect gekoelde fles chardonnay uit het wijnrek en deed de deur achter zich dicht. Ze wist dat haar moeder geloofde dat alles kon worden opgelost met een lekkere fles wijn, een flinke huilbui en een nieuwe man. Hoewel Faith dat zelf niet meer geloofde, geloofde ze wel dat alles beter smaakte als het werd geserveerd in Waterford – iets wat ze had geleerd van haar overleden echtgenoot – en ze zette twee kristallen glazen op het zwarte granieten aanrecht.

'Ik kwam Ricky Clemente vorige week tegen in Caesar. Hij vroeg naar je,' zei Valerie terwijl ze met haar roze nagels door de vacht van de hond woelde.

Faith wist niet wat er weerzinwekkender was, dat haar moeder had gepraat met 'Ricky de Rat', de man die haar had bedrogen met de helft van de danseressen in Vegas, of dat ze in Caesar was geweest. Ze keek naar haar moeder terwijl ze een fles van Virgils beste wijn ontkurkte.

'Kijk niet zo naar me. Ik had met Nina afgesproken om in de Mesa Grill te gaan eten. Ik ben niet bij de fruitmachines in de buurt geweest.'

Faith wilde het graag geloven, maar dat lukte niet. Haar moeder had zo vaak een terugval gehad dat het niet vertrouwd was om haar in de buurt van een casino te laten komen. Haar moeder was een genotzoeker. Ze had het gevoel nodig als zuurstof, en spelen op de fruitmachines was een pure verrukking voor haar geweest. Godzijdank had ze nooit een voorliefde voor kaarten of dobbelstenen ontwikkeld.

'Ricky zei dat je hem moet bellen.'

Faith maakte een kokhalzend geluid terwijl ze de wijn inschonk.

'Als je geen zin hebt in Ricky, dan bel je iemand anders. Je moet weer op het paard stappen. Een paar rondjes rijden.' Ze pakte het glas en bracht het naar haar lippen. 'Aah. Dit is lekker. Hier voelt een mens zich beter door.'

'Ik voel me prima, en het is te vroeg om afspraakjes te maken.'

'Wie heeft het hier over afspraakjes? Ik heb het over een paar rondjes rijden met iemand die je aan het lachen maakt. Een man die beter bij jouw leeftijd past.'

'Ik wil niet rijden.'

'Het zou die verdrietige uitdrukking van je gezicht halen.'

'Mijn echtgenoot is net overleden.'

'Ja. Vorige week.' Ze zette Pebbles op de grond en de hond liep naar de voorraadkast en begon te snuffelen. 'Je moet eruit. Plezier maken. Ik ben hier om ervoor te zorgen dat je dat gaat doen.'

De meeste moeders zouden zijn langsgekomen met een stoofschotel en de waarschuwing dat hun dochter niet overhaast aan een nieuwe relatie moest beginnen.

Zo was Valerie echter niet. Valerie wilde feesten.

'Morgen gaan we winkelen en daarna gaan we naar een leuk restaurant.'

'Morgen heb ik een afspraak met Virgils vroegere assistent.' Darby had haar in contact gebracht met Jules Garcia en hij had erin toegestemd haar morgenmiddag te ontmoeten. Als hij er ook mee instemde om voor haar te werken, was ze van plan hem aan te nemen en begon hij morgenavond met zijn werk. Te beginnen met de tweede wedstrijd tegen Vancouver. Als hij niet wilde of ze vond hem niet aardig, wist ze niet wat haar volgende zet was.

'Na je afspraak dan.'

'Na mijn afspraak wil ik in mijn ijshockeyboek lezen.'

'Wat is er met je gebeurd?' Haar moeder schudde haar hoofd, waardoor de golvende blonde haarlokken in de war raakten. 'Je zat altijd vol levenslust. Je had altijd zoveel plezier.'

Ze was een stripper geweest die feestte tot de zon opkwam. Ze was veel dingen geweest die ze nu niet meer was.

'Je was roekeloos en sexy. Virgil heeft je vroeg oud gemaakt. Je kleedt je niet meer zoals je bent. Ik kan erom huilen.'

Inderdaad. Ze kleedde zich niet meer zoals haar moeder. 'Misschien kunnen we daarna ergens gaan eten. De wedstrijd die het team morgen tegen de Chanucks speelt, is mijn eerste als de officiële eigenares en dat wil ik niet verpesten.'

'Hoe zou je dat in vredesnaam kunnen verpesten?'

Op zo verschrikkelijk veel manieren. 'Ik weet zeker dat de pers na afloop met me wil praten. Ik wil gewoon niet dat de spelers zich voor me schamen.' Ze nam een slok wijn en dacht aan de pijn in de ogen van Ty Savage toen ze had voorgesteld om Terror Ted te contracteren. 'Of ikzelf.' Vooral zijzelf. 'Ik wil niet onnozel overkomen. Ik ben doodsbang dat ze me vragen stellen waarop ik geen antwoord weet.' En de kans dat dat ging gebeuren was heel groot.

Valerie knikte alsof ze het dilemma uitstekend begreep. 'Je hebt een mooie outfit nodig,' was haar moederlijke advies. 'Iets wat lekker strak zit.' Ze wees naar haar grote borsten. 'En laag uitgesneden. Laat de mannen voldoende decolleté zien en ze vergeten alle intelligente vragen die ze in hun hoofd hadden.'

4

Jules Garcia had Iers en Latijns-Amerikaans bloed, en had een wonderlijk modegevoel. Voor zijn afspraak met Faith droeg hij een gouden Saint Christopher-ketting die onder de kraag van zijn paars-roze gestreepte overhemd hing. Zijn zwarte broek was strak en zijn haar was met gel overeind gezet. Hij kleedde zich elegant, maar het meest opvallende aan hem was niet zijn onverschrokken gebruik van kleur of zelfs zijn groene ogen, maar zijn spieren. Hij was 1 meter 75 met zijn laarzen aan en had een nek met de omvang van een boomstam. Hij trainde beslist heel veel. Zoveel dat Faith zich afvroeg of hij homoseksueel was. Het kwam Faith bekend voor; veel gespierde uitsmijters van stripclubs waren homoseksueel.

Faith had om twaalf uur met Jules afgesproken in Virgils kantoor in de Key Arena, dat nu van haar was. De eerste vraag die ze stelde was: 'Heeft Virgil je ontslagen of heb je ontslag genomen?'

'Ik ben ontslagen.'

'Waarom?'

Hij keek in haar ogen terwijl hij antwoord gaf. 'Omdat hij me over jou hoorde praten.'

Hij was in elk geval eerlijk. Hij had kunnen liegen en dan was ze daar nooit achter gekomen. 'Wat heb je gezegd?'

Hij aarzelde. 'Voornamelijk dat hij een idioot was omdat hij met een stripper met grote borsten was getrouwd.'

Virgil was geen idioot, maar de rest was waar. Ze had het gevoel dat er meer was, maar vroeg er niet naar. Het was ironisch dat hij was ontslagen om haar, en dat zij hem vijf jaar later zijn baan opnieuw aanbood. Ze stelde nog een paar vragen over zijn relatie met Virgil en zijn baan. Als hij praatte, keek hij in haar ogen en niet naar haar borsten. Hij praatte niet neerbuigend tegen haar, en hij gedroeg zich niet alsof haar vragen belachelijk of stom waren.

'Je hoeft je er geen zorgen over te maken dat je niet alles weet. Deze club heeft zo'n vijftien verschillende afdelingen en bestuurt zichzelf in principe,' zei hij tegen haar. 'Virgil was een geslepen zakenman en hij ging met de club om alsof het een van zijn bedrijven was. Dat is het in principe ook, en het was een heel goede zet van hem dat hij slimme mensen op de juiste plekken aannam en ze hun werk liet doen.'

'Zoals jij het zegt klinkt het heel gemakkelijk,' zei ze, hoewel ze wist dat het niet zo was.

'Niet gemakkelijk, maar ook niet moeilijk. Virgil regelde niet alles tot in de kleinste details, en dat hoef jij ook niet te doen.' Hij pauzeerde om een vouw in de pijp van zijn broek recht te trekken. 'Ik zou willen voorstellen dat je dat juist niet doet. Het managementteam doet dat lastige werk voor je.'

Tegen het eind van hun gesprek wilde ze hem aannemen, maar hij wist niet zeker of hij de baan wilde. 'Luister,' zei hij, 'ik hou van mijn baan bij Boeing. Ik weet niet zeker of ik terug wil komen.'

Faith wist niet of hij er meer geld uit probeerde te slepen of dat hij de waarheid sprak. 'Kom anders vanavond naar de wedstrijd kijken,' bood ze aan. 'Dan neem je daarna een beslissing.'

Het was nu zeven uur later en Jules en zij zaten in de eigenarenskybox en bekeken een stapel dossiers die hij uit het kantoor had meegenomen. Ze droeg haar zwarte Armani-pakje, een witte bloes en zwarte stiletto's. Ze wilde serieus genomen worden, en ze wist dat er mensen waren die er gewoon op wachtten tot ze ergens in een kort rokje en een naveltruitje zou verschijnen.

Haar eerste taken waren de namen van haar spelers en de positie waarop ze speelden uit haar hoofd leren en het wedstrijdprogramma bestuderen. Terwijl Jules het teamrooster bekeek, drongen het gejuich en boegeroep uit de arena onder hen tot de luxe skybox door, terwijl flarden muziek uit de geluidsinstallatie dreunden.

'Ja!' riep haar moeder vanaf het balkon dat op de arena uit-keek. 'Faith, kom snel. De camera's filmen Pebbles en mij. We zijn op het grote scherm.'

Faith keek naar haar moeder, die haar gemene hond omklem-de en handkussen gaf alsof ze een filmster was. Grote roze en oranje armbanden gleden langs haar polsen heen en weer. Ze droeg een felroze legging en een kanten bloes met een roze bh eronder. Haar blonde haar was gelaagd en met lak bespoten in het perfecte wilde Farrah-kapsel. 'O mijn god,' fluisterde Faith.

'Ze is een aardige vrouw,' zei Jules terwijl hij achteroverleun-de. Blijkbaar werkte haar moeders vreemde magie nog steeds. Hoewel Faith daar niet verrast over was; of ze nu homo of he-tero waren, mannen mochten Valerie graag.

'Ze gedraagt zich gênant.'

Jules lachte. 'Ze heeft het gewoon naar haar zin.'

'Jij kunt erom lachen, het is jouw moeder niet.'

'Ik ben de oudste van acht kinderen. Mijn moeder heeft niet zoveel energie.' Hij pakte een map en haalde er wat papieren uit. 'Dit is het wedstrijdschema voor de eerste ronde van de play-offs.' Hij gaf ze aan haar. 'En ik heb een korte biografie van alle spelers voor je uitgeprint. Als je vertrouwder raakt met het team, kunnen we hun contracten doornemen, zodat je weet wie de vrije spelers en wie de beperkt vrije spelers zijn.'

Faith schoof haar lange haar achter haar oor en las het schema. Ze wist dat het team vaak wedstrijden speelde, maar ze had zich niet gerealiseerd dat dat meerdere keren per week gebeurde. 'Wat zijn vrije spelers en beperkt vrije spelers, en wat is het verschil?'

Jules legde het uit. 'Een vrije speler speelt zonder contract en zolang hij geen contract tekent kan hij op elk moment vertrek-ken. Een beperkt vrije speler is een speler met een contract dat verloopt, die door de club op de transferlijst is geplaatst en nog niet is verkocht. Dat zijn veranderingen die zijn ingevoerd nadat de bond is gestopt met het gebruik van beperkende clausules in verband met het collectieve verhandelen.'

Geen idee wat hij daarmee bedoelde. 'Hebben wij vrije spelers?' vroeg ze terwijl er een luchthoorn klonk en de muziek over de ijsvloer onder hen dreunde.

'Op dit moment niet. Het management heeft ze allemaal gecontracteerd voor de play-offs.' Jules keek op. 'Wat is de score, Valerie?'

'2-2. Nummer 21 van jullie team heeft net gescoord.'

Nummer 21 was de aanvoeder van het team. Faith bladerde naar de biografie van Ty Savage en las zijn persoonsgegevens. Hij was vijfendertig jaar en was geboren in Saskatchewan, Canada, wat het accent verklaarde. Hij was 1 meter 95 en woog 100 kilo. Hij schoot links en dit was zijn vijftiende seizoen in de NHL. Hij had voor de London Knights in de OHL gespeeld voordat hij aan het begin van de transferperiode was gekocht door Pittsburgh, die in de NHL speelde. Hij had achtereenvolgens voor de Penguins, de Blackhawks en Vancouver gespeeld, en nu voor de Chinooks. Toen Faith verder las viel haar mond open. 'Dertig miljoen,' hijgde ze. 'Heeft Virgil hem dertig miljoen betaald? Dollars?'

'Voor drie jaar,' legde Jules uit, alsof het de normaalste zaak van de wereld was.

Faith keek op en pakte een fles water die op tafel stond. 'Is hij zoveel waard?'

Jules haalde zijn grote, gespierde schouders op, die werden bedekt door een blauwgroen zijden T-shirt. 'Virgil vond van wel.'

'Wat denk jij?' Ze nam een slok water.

'Hij is een franchisespeler en is elke cent waard.' Jules stond op en rekte zich uit. 'Laten we eens kijken wat jíj ervan vindt.'

Faith legde de papieren op de tafel, kwam overeind en volgde Jules naar het balkon. Het was ontmoedigend dat ze nog zoveel moest leren, en ze was te overweldigd om te kunnen denken. Ze liep langs de drie rijen stadionstoelen met kussens en ging bij haar moeder aan de reling staan.

Op het ijs onder haar lag de wedstrijd stil. De teams stonden opgesteld en Ty schaatste twee keer in zijn donkerblauwe shirt langs de face-offcirkel voordat hij naar de middenstip ging. Hij stopte, zette zijn voeten wijd uit elkaar, plaatste de stick tussen zijn dijbenen en wachtte. De puck viel en het spel was begonnen. Ty ramde met zijn schouder tegen zijn tegenspeler terwijl zijn stick op het ijs sloeg en hij de puck achter zich schoot. De spelers van beide teams kwamen als één man in actie en er ontstond een verwarrende, maar georganiseerde chaos. De donkerblauwe shirts met witte nummers van de Chinooks-shirts mengden zich met de wit-groene shirts van Vancouver.

Nummer 11, Daniel Holstrom, schaatste naar het doel van de Chanucks en schoot de puck over het ijs naar aanvaller Logan Dumont, die een pass gaf aan Ty. Met de puck in het midden van zijn stick schaatste Ty achter het doel, kwam aan de andere kant tevoorschijn en schoot. De puck kaatste af van de kniebescherming van de doelverdediger en er ontstond een gevecht. Faith verloor de puck uit het oog in de worsteling van sticks en lichamen. Vanaf haar positie zag ze alleen duwende en stotende ellebogen.

Een scheidsrechter blies op zijn fluit en de wedstrijd stopte... behalve Ty, die een speler van Vancouver zo'n harde duw gaf dat hij bijna viel. De speler hervond zijn evenwicht net op tijd. Er ontstond een woordenwisseling en Ty gooide zijn handschoenen op het ijs. Een scheidsrechter schaatste tussen de twee in en pakte de voorkant van Ty's shirt vast. Over het hoofd van de scheidsrechter wees Ty naar zijn gezicht en daarna naar de andere speler. De scheidsrechter vroeg hem iets, en zodra hij knikte liet de kleinere man zijn shirt los. Ty pakte zijn handschoenen op en terwijl hij naar de bank schaatste, verscheen er een herhaling op het sportscherm. 'Welcome to the Jungle' dreunde uit de geluidsinstallatie van het stadion. Op het grote scherm dat boven het ijs hing, zag Faith hoe Ty een hand naar zijn gezicht bracht en boven het hoofd van de scheidsrechter naar zijn intens blauwe ogen onder de zwarte wenkbrauwen en de witte helm wees. Daarna wees hij naar nummer 33 van de tegenpartij. Een dreigende glimlach krulde zijn lippen. Faith voelde een huivering langs haar ruggengraat gaan en kreeg kippenvel op haar armen. Als zij nummer 33 was, zou ze bang zijn. Heel bang.

Voor het geval iemand het niet had gezien, werd het ook nog in slow motion herhaald. De menigte onder haar was dolenthousiast. Ze juichten en stampten met hun voeten, terwijl Ty's intens blauwe ogen opnieuw naar de tegenstander staarden en het litteken op zijn kin tussen de donkere stoppels zichtbaar was.

'Goeie hemel.' Valerie deed een stap naar achteren en liet zich op haar stoel vallen. 'En hij is van jou.' Ze zette Pebbles op de grond en de kleine hond waggelde naar Faith toe en rook aan haar schoen. 'Ze zijn allemaal van jou,' voegde ze er met een zucht aan toe.

'Je doet net alsof het slaven zijn.' Pebbles keek met haar zwarte kraalogen naar Faith en kefte. Stomme hond. 'Ik heb ze in dienst.' Maar hoeveel vrouwen konden zeggen dat ze vierentwintig knappe, gespierde mannen in dienst hadden die naar pucks sloegen en rake klappen aan andere spelers uitdeelden?

Ze was waarschijnlijk de enige, en het idee was zowel opwindend als angstaanjagend. Ze keek naar de rij mannen die op de bank van de Chinooks zaten, tussen hun voeten op de grond spuugden, het zweet van hun gezicht veegden en op hun mondbescherming kauwden. De aanblik van al dat spugen en zweten zou haar een beetje misselijk moeten maken, maar om de een of andere reden was dat niet zo.

'Na de wedstrijd ging Virgil altijd naar de kleedkamer om met het team te praten,' vertelde Jules haar.

Ja, dat wist ze, maar zij was nooit meegegaan. 'Ik weet zeker dat ze niet verwachten dat ik naar de kleedkamer ga.' Het was een hele tijd geleden dat Faith in een beperkte ruimte in de buurt van zoveel mannen was geweest. Dat was niet meer gebeurd sinds ze geld in haar string stopten. Veel van hen waren sporters geweest. In de regel hield ze niet van sporters. Sporters en rocksterren dachten altijd dat ze boven de wet stonden.

'Je moet, Faith,' zei haar moeder terwijl ze haar aandacht van het ijs verplaatste. 'Doe het voor Virgil.'

Doe het voor Virgil? Was haar moeder weer begonnen met wiet roken?

'Er zijn journalisten,' ging Jules verder. 'Dus het is belangrijk. Ik weet zeker dat ze willen dat je een verklaring aflegt.'

Op het ijs werd op een fluit geblazen en de wedstrijd werd hervat. 'Wat voor verklaring?' vroeg Faith terwijl ze de spelers bestudeerde, die eruitzagen als een georganiseerde zwerm blauwe en witte shirts.

'Iets eenvoudigs. Vertel waarom je hebt besloten het team niet te verkopen.'

Ze keek naar hem en richtte haar aandacht daarna weer op de wedstrijd. 'Ik heb besloten het team niet te verkopen omdat ik Landon Duffy haat.'

'O.' Jules grinnikte. 'Als ze het vragen, kun je waarschijnlijk beter zeggen dat je gek bent op ijshockey en dat Virgil zou willen dat je zijn team houdt. Daarna vertel je dat de mensen volgende week woensdagavond naar de vierde wedstrijd moeten komen kijken.'

Dat kon ze wel. 'Stel dat ze me iets over de wedstrijd vragen?'

'Zoals wat?'

Ze dacht even na. 'Zoals *icing*. Wat is een *icing call*? Ik heb de spelregels gisteravond gelezen en dat begreep ik niet.'

'Maak je daar maar geen zorgen over. Er zijn maar weinig mensen die weten wat icing is.' Jules schudde zijn hoofd. 'We nemen een paar basisantwoorden door voordat je met de verslaggevers praat. En als ze een vraag stellen die je niet begrijpt, zeg je gewoon dat je daar op dit moment geen commentaar op kunt geven. Dat is het standaard ontwijkende antwoord.'

Dat moest lukken. Misschien. Ze ging naast haar moeder zitten en keek daar naar de rest van de wedstrijd. In de laatste drie minuten zette Ty een tegenstander van de puck en schaatste razendsnel naar de overkant van het ijs. Het publiek in de Key juichte. Net binnen de blauwe lijn haalde hij zijn stick naar achteren en schoot. De puck schoot zo snel over het ijs dat Faith niet wist dat het een doelpunt was voordat er een luchthoorn loeide en de lamp boven het net flitste. De fans sprongen overeind, brulden 'Rock and Roll Part 2' en stampten op het beton terwijl de Chinooks om Ty heen drongen en met hun grote handschoenen op zijn rug sloegen terwijl hij met zijn handen in de lucht schaatste alsof hij wereldkampioen was geworden. De enige die niet meedeed was Sam, die een speler tegen zijn hoofd stompte, zijn handschoenen op het ijs gooide en begon te vechten.

Jules stak zijn hand op en gaf zowel Faith als Valerie een high five. 'En voor zulke hattricks betaal je de Engel dus dertig miljoen.'

Faith wist niet wat een hattrick was, maar prentte het woord in haar geheugen, zodat ze het kon opzoeken in haar ijshockeygids voor dummies.

Hij grinnikte. 'Jezus, Virgil heeft dit seizoen een verdomd goed team samengesteld. Ik ga ervan genieten om ze te zien spelen.'

'Betekent dat dat je mijn assistent wordt?'

Jules knikte. 'Zeker weten.'

Na de 3-2 overwinning van Seattle op Vancouver waren de journalisten vriendelijker dan de laatste keer dat ze in de Key Arena hadden gespeeld. De coaches lieten de journalisten na een paar minuten naar binnen, en de spelers lachten en maakten grapjes terwijl ze zich afdroogden na het douchen.

'Jullie zijn gelijk geëindigd in de play-offs. Wat gaan jullie doen om de volgende stap te bereiken?' vroeg Jim Davidson, verslaggever van *The Seattle Times*, aan Ty.

'We blijven doen wat we vanavond hebben gedaan,' antwoordde hij terwijl hij zijn broek dicht ritste. 'Na ons verlies van de Chanucks konden we het ons niet veroorloven om in ons eigen stadion punten te verliezen.'

'Je bent de aanvoerder van de Chanucks geweest en bent nu de aanvoerder van het team uit Seattle. Wat is volgens jou het grootste verschil?'

'De filosofie van de coaches is anders. De Chinooks geven me meer vrijheid om het soort ijshockey te spelen dat ik graag speel,' antwoordde hij. Hij vroeg zich af of ze hem nog naar zijn hattrick zouden vragen.

'En die filosofie is?'

Hij keek over het hoofd van de journalist naar Sam, die werd geïnterviewd door iemand van een Canadees nieuwsbureau. Ty glimlachte. 'Coach Nystrom denkt niet in hokjes.'

'Het team heeft twintig strafminuten gekregen. Nystrom vertelde vorige week dat hij het aantal strafminuten per wedstrijd tot een minimum wil beperken. Beschouw je twintig als buitensporig?'

Ty stak zijn armen in de mouwen van zijn overhemd en knoopte het dicht. 'Helemaal niet, Jim. We hebben ervoor gezorgd dat Vancouver geen voordeel van de powerplays heeft gehad. Je kunt dus zeggen dat we ons werk vanavond goed hebben gedaan.'

'Je hebt je eerste hattrick van het seizoen in je thuisstadion gescoord. Hoe voelt dat?'

Eindelijk. 'Heel goed. Het hele team verdient veel lof voor de winst van vanavond. Ik was gewoon op de juiste plek toen Daniel de puck in mijn richting schoot. Monty's eerste voorzet sinds hij…'

'Mevrouw Duffy is in de spelerslounge,' riep iemand van *Post Intelligencer*, en Jim draaide zich om naar de commotie in de deuropening. 'Bedankt, Savage,' zei de journalist, waarna hij de stormloop uit de kleedkamer volgde.

Ty knoopte zijn blauwe overhemd dicht en stopte de onderkant in zijn grijze wollen broek. Hij keek naar de andere spelers, die net zo verbijsterd leken als hij was. Dit was de tweede wedstrijd in de play-offs. Ze hadden thuis gewonnen en de coach had de pers volledige toegang tot het team gegeven. Journalisten vonden volledige toegang heerlijk. Ze genoten daarvan als een kind van een bak vol snoep, en toch veroorzaakte de plotselinge komst van Faith Duffy een massale uittocht. Wat was er verdomme aan de hand?

Ty trok zijn sokken aan en stopte zijn voeten in zijn schoenen. Hij kamde met zijn vingers door zijn vochtige haar en liep naar de spelerslounge. Faith Duffy stond in het midden, boven op het enorme Chinooks-logo dat in het blauwe kleed was geweven, glimlachte naar de camera's en beantwoordde de vragen die door een drom sportjournalisten naar haar werden geschreeuwd. Ze zag er bijna breekbaar uit in de voor honderd procent mannelijke omgeving. Onder de felle lichten en de cameraflitsen glinsterde haar gladde haar, straalde haar huid en glansden haar lippen roze. Ze droeg een zwart pakje dat aansloot in de taille en onder haar borsten was dichtgeknoopt. De spelers hadden zich vanavond kapot gewerkt en het enige wat zij blijkbaar hoefde te doen was opgewekt en stralend verschijnen, en de jongens van de pers gingen uit hun dak.

'Waarom heb je besloten het team niet te verkopen?' vroeg iemand.

'Mijn overleden echtgenoot, Virgil, wist hoeveel ik van ijshockey hou. Hij heeft me het team nagelaten omdat hij wilde dat ik gelukkig was. Het team houden was de enige juiste beslissing.'

Wat een onzin. Ty liep verder de spelerslounge in en leunde met één schouder tegen de deurpost van de fitnesszaal.

'Wat zijn je plannen voor het team?'

Een onschuldige en tegelijkertijd verleidelijke glimlach krulde haar mondhoeken. Ze moest een verdomd fantastische stripper zijn geweest. 'De Stanley Cup winnen. Virgil heeft een stel geweldige spelers bij elkaar gebracht, en ik ben van plan om te doen wat ik kan om ervoor te zorgen dat we de beker naar Seattle halen.'

'We hebben gehoord dat er geen plannen zijn om Fetisov voor het volgende seizoen te contracteren.'

De glimlach verdween en Darby Hogue deed een stap naar voren om haar te redden. 'Ik weet niet waar jullie die informatie vandaan hebben,' zei Darby. 'We hebben absoluut geen plannen om Vlad op de transferlijst te zetten.' Coach Nystrom beantwoordde een paar vragen met betrekking tot transferbeperkingen terwijl Faith Duffy glimlachte alsof ze wist waar hij het over had.

Ty keek de spelerslounge in op zoek naar zijn teamgenoten en zijn blik bleef hangen op zijn vader. Hij stond bij het kantoor van de coaches te praten met een vrouw in een kanten bloes en een roze bh die zo'n kefferig klein hondje vasthield. Ze was helemaal zijn vaders type. Overdreven veel blond haar, niet lelijk, maar een beetje ordinair. Hij vroeg zich af waar zijn vader haar had opgeduikeld in de twee uur sinds Ty hem voor het laatst had gesproken.

'Wanneer ben je voor het laatst in de Playboy Mansion geweest?' vroeg een journalist. Ty richtte zijn aandacht weer op de eigenares van het team.

Er verscheen een frons op haar gladde voorhoofd. 'Meer dan vijf jaar geleden.'

'Heb je nog steeds contact met Hef?'

'Nee. Hoewel ik meneer Hefner waardeer en hem altijd dankbaar zal zijn, is mijn leven nu heel anders.'

Ty verwachtte half dat de journalisten haar telefoonnummer zouden vragen nu ze single was. Hij dacht aan haar blootfoto's in de *Playboy* en vroeg zich af hoeveel journalisten haar uitgestrekt op de middenpagina's hadden gezien.

'Vanavond heeft het team in totaal twintig strafminuten gekregen. In het begin van de play-offs gaf coach Nystrom te kennen dat hij de strafminuten per wedstrijd tot een minimum wil beperken. Vind je twintig minuten niet buitensporig?' Jim stelde dezelfde vraag die hij Ty een paar minuten geleden had gesteld.

Ze glimlachte en hield haar hoofd schuin. 'Het spijt me. Ik kan daar op dit moment geen commentaar op geven.' Een man met donker haar, die een groenblauw zijden T-shirt droeg, deed een stap naar voren en fluisterde iets in Faiths oor. 'O. Juist. Onze strafminuten waren hoog en daar zijn we niet blij mee,' praatte ze hem na.

Ty had kunnen lachen als hij niet zo geïrriteerd was. De journalisten keken elkaar aan en in plaats van haar op haar nummer te zetten omdat ze zo'n stommeling was, vroeg iemand: 'Wat vond je van de wedstrijd van vanavond?' Daarmee was ze helemaal uit de problemen.

'Het was geweldig. Alle spelers waren uitzonderlijk goed.'

'Virgil heeft een stabiel team neergezet. Ik weet dat hij heeft geprobeerd Sean Toews te contracteren. Wat is er gebeurd?'

Toews wilde meer geld dan hij waard was. Dat was er gebeurd.

'Daar kan ik op dit moment geen antwoord op geven.'

'Wat vind je van de hattrick van je aanvoerder?'

De klootzakken hadden hem daar nauwelijks iets over gevraagd. Ze glimlachte, maar Ty betwijfelde of ze wist wat een hattrick was.

'We zijn natuurlijk dolblij. Mijn overleden echtgenoot geloofde in het talent van meneer Savage,' zei ze, waarbij ze zijn naam opnieuw verkeerd uitsprak.

'Het is Sah-vahge.' Hij sprak hardop voordat hij erover had nagedacht.

De journalisten draaiden zich om en keken naar hem. Hij zette zich met zijn schouder af van de deurpost. 'Nu je de eigenares van het team bent, zou je moeten weten hoe je mijn naam uitspreekt. Het is Sah-vahge. Niet Savage.'

Ze glimlachte. 'Dank je. Het spijt me, meneer Sah-vahge. En nu ik degene ben die de cheques tekent, zou je moeten weten dat het Miss Juli is. Niet Miss Januari.'

5

De Gloria Thornwell Stichting kwam elke derde donderdag van de maand bij elkaar. De stichting was vernoemd naar Gloria Thornwell, die haar in 1928 had opgericht, en was de meest exclusieve stichting in de staat. Veel exclusiever dan de Junior League, die tegenwoordig allerlei uitschot met nieuw geld leek binnen te halen.

De stichting bestond uit rijke vrouwen met echtgenoten die designerkleding voor hen kochten en hun favoriete liefdadigheidsdoelen financierden. Dit jaar was het doel een school in een *favela* in Rio de Janeiro. Een doel dat door iedereen als bijzonder loffelijk werd beschouwd, hoewel Faith had gestemd voor een lokaal liefdadigheidsdoel. Ze hadden er zoals altijd over gestemd.

Ze frunnikte aan het lange snoer antieke parels dat tussen de revers van haar regenjas hing terwijl ze naar het gebouw bij Madison en Fourth liep. De stichting had bijzonder strenge kledingvoorschriften, en Faith trok de lange mouwen van haar kasjmier twinset onder haar glanzende jas naar beneden terwijl ze naar de voordeur liep. Ze werd in de hal opgewacht door Tabby Rutherford-Longstreet, echtgenote van Frederick Longstreet, manager en CEO van *Longstreet Financial* en een van Virgils oude vrienden en zakenrelaties.

'Hallo, Tabby,' zei ze terwijl ze haar mouw terugtrok en op haar Rolex keek. De lunch begon altijd om twaalf uur, en het was tien voor. 'Is iedereen er al?' Ze liep naar de lift, maar Tabby ging tussen haar en de knoppen staan.

'Ja. Iedereen is er. Ze hebben mij naar beneden gestuurd om met je te praten.'

'Waarover?'

'We zijn het er allemaal over eens dat Dodie Farnsworth-Noble de leiding moet krijgen over de entertainmentcommissie voor het liefdadigheidsbal van dit jaar.'

'Maar dat is míjn taak.' Faith keek in Tabby's blauwe ogen, die waren omringd door fijne rimpels en poeder. 'Ik heb de leiding over de entertainmentcommissie.'

'We vinden het beter als Dodie die positie overneemt.'

'O.' Voor Virgils dood had ze onvermoeibaar aan de liefdadigheidsbijeenkomst voor dit jaar gewerkt. Ze had al gepraat met het Seattle Philharmonic en de moed zonk haar een beetje in de schoenen. 'En wat wordt mijn taak dan?'

Er verscheen een onechte glimlach op Tabby's gezicht. 'We zijn bang dat je geen tijd meer hebt voor je verantwoordelijkheden, met alles wat er op dit moment in je leven gaande is.'

Nu ze de eigenares van een hockeyteam was, had ze natuurlijk veel te doen, maar het werk voor de stichting was belangrijk. 'Ik begrijp jullie bezorgdheid, maar ik verzeker jullie dat ik voldoende tijd vrij kan maken,' zei ze tegen Tabby. 'Daarover hoeven jullie je geen zorgen te maken.'

Tabby legde een hand op haar keel en draaide aan haar parels. 'Dwing me niet om onvriendelijk te worden.'

'Wat bedoel je?'

'We zijn van mening dat het beter is als je je lidmaatschap van de stichting vrijwillig opgeeft.'

Ze opende haar mond om naar de reden te vragen, maar deed hem weer dicht. Ze waren niet bang dat ze geen tijd zou hebben door 'alles wat er op dit moment in je leven gaande is'. Virgil had haar eens plagend gezegd dat na zijn dood alle vrouwen van zijn vrienden en zakenrelaties haar uit hun clubs zouden schoppen, omdat ze het niet konden uitstaan dat iemand die zo jong en mooi was in de buurt van hun echtgenoten kwam. De meeste echtgenoten hadden minnaressen waar de vrouwen vanaf wisten. Ze wilden haar niet omdat ze niet was geboren met een dubbele achternaam. Ze had vanaf de eerste bijeenkomst ge-weten dat ze haar niet beschouwden als een waardig lid van hun stichting, maar op een bepaald moment was ze vergeten dat ze niet echt een van hen was en dat ze haar als uitschot be-schouwden. Hoe hard ze ook werkte en hoeveel geld ze ook bijeenbracht.

'Ik snap het.' Als Tabby dacht dat Faith een scène zou maken waarop de stichting nog maanden kon teren, had ze het mis. 'Veel succes met alles,' zei ze. 'Ik hoop dat het liefdadigheidsbal van dit jaar een doorslaand succes wordt.' Ze glimlachte en draaide zich om terwijl een gloeiende golf uit haar borstkas op-steeg en haar keel dichtkneep. Haar hand trilde toen ze de deur openduwde en de koude ochtendlucht in liep. Tranen prikten in haar ogen en ze zocht in haar tas naar haar zonnebril. Ze ging niet huilen. Ze zou zich niets aantrekken van mensen die geen zier om haar gaven.

Ze kon haar team advocaten op ze afsturen en zorgen dat ze er spijt van kregen. Ze kon hun dag verpesten, net zoals zij dat bij haar hadden gedaan, maar ook al werden ze gedwongen om haar weer in de stichting te accepteren, in een wereld waarin ze niet welkom was, wat schoot ze daar dan mee op? Helemaal niets.

Faith zette haar zonnebril op en keek naar de plek waar ze haar auto had geparkeerd. Ze had nog twee uur voor haar ver-gadering met de pr-afdeling van de Chinooks begon. Ze dacht erover om naar haar penthouse te rijden, waar ze in bed kon gaan liggen en het dekbed over haar hoofd kon trekken. Ze dacht aan haar moeder, die aan het douchen was toen ze weg-ging, en aan Pebbles, die hapte en blafte terwijl Faith probeerde om haar Valentino-peeptoe uit de hondenbek te trekken.

Ze had geen zin om haar moeder en die rot-Pebbles onder ogen te komen, dus liep ze doelloos een paar blokken. Ze dacht aan Tabby's gezicht en haar koude glimlach. Het sombere wol-kendek paste bij haar humeur, en ze dacht erover na of ze terug moest gaan naar de stichting om ze te vertellen wat een afgrijse-lijke, hooghartige, aanmatigende secreten ze waren. Plotseling stond ze echter voor restaurant Shuckers in het Fairmont Hotel en ze liep de vertrouwde hal in. Virgil en zij hadden altijd graag in de Shuckers-oesterbar geluncht. Ze werd naar een tafel ge-bracht, ging op een stoel zitten en probeerde troost te vinden in de vertrouwde omgeving.

Het was een verschrikkelijk vernederende ervaring om uit de Gloria Thornwell Stichting te worden gegooid. Ze hadden het bedoeld als een klap in haar gezicht, en die klap deed pijn, veel meer dan ze wilde toegeven. Vroeger zou ze zich daar niets van hebben aangetrokken, maar het leven met Virgil had haar zach-ter gemaakt.

Ze had altijd geweten dat die vrouwen haar vriendinnen niet waren – niet echt – maar ze had nooit gedacht dat ze haar twee weken na het overlijden van Virgil uit hun *liefdadigheids*vereni-ging zouden gooien. Ze wilde dolgraag dat Virgil thuis op haar wachtte, zodat ze met hem kon bespreken wat er was gebeurd. Maar als Virgil thuis was geweest, hadden ze haar er natuurlijk niet uit gegooid. Er was thuis niemand tegen wie ze tekeer kon gaan of bij wie ze haar hart kon luchten of met wie ze er gewoon over kon praten.

De serveerster verscheen met een menukaart en Faith sloeg hem open. Ze had geen honger, maar bestelde schelpdieren-soep, kreeft en een glas chardonnay, omdat ze dat altijd nam als ze bij Shuckers lunchte. Terwijl ze haar glas naar haar mond bracht, keek ze in het restaurant rond. Ze was zich er plotse-ling van bewust dat ze de enige was die alleen aan een tafeltje zat, wat haar gespannen zenuwen en het brandende gevoel van vernedering geen goed deed. Maar dit was haar leven gewor-den en ze kon er maar beter aan wennen. Als er één ding was dat Faith kon, dan was het zich aanpassen. Alleen zijn na een huwelijk van vijf jaar was gewoon een nieuwe situatie waaraan ze moest wennen.

Terwijl ze tussen de panelen met overdadig houtsnijwerk zat en haar soep at, deed ze net alsof ze belangstelling had voor het tinnen plafond. Het restaurant was vol gasten, maar ze had zich nog nooit zo alleen gevoeld. De laatste keer dat ze zich zo ongemakkelijk had gevoeld, was de eerste keer dat ze tot haar string had gestript. Hier alleen zitten leek een beetje op het gevoel om naakt in het openbaar te staan.

De afgelopen vijf jaar was ze met Virgils vrienden omgegaan. Terwijl ze van haar krab at en nog een glas wijn bestelde, vroeg ze zich af hoeveel van die vríénden haar nu zouden buitensluiten. Ze had zelf geen vriendinnen en ze wist niet goed hoe dat was gebeurd. Het leven van de vriendinnen die ze in Vegas in de tijd voor haar huwelijk had gehad, was een leven dat zij achter zich had gelaten. Sommigen van hen waren geweldige meiden geweest, maar ze kon zich niet meer voorstellen dat ze bessencocktails achteroversloeg en feestte tot de zon opkwam. En ze was het contact kwijtgeraakt met de paar vriendinnen die ze bij *Playboy* had gemaakt.

Ergens gedurende de afgelopen vijf jaar was ze zichzelf kwijtgeraakt, of in elk geval degene die ze was geweest. Ze was iemand anders geworden, maar als ze niet langer deel uitmaakte van de hogere kringen van Seattle, waar hoorde ze dan thuis? Ze was een voormalige stripper en playmate. Haar moeder was geschift, en haar vader had ze in 1988 voor het laatst gezien. De afgelopen vijf jaar had ze de rol van vrouw van een rijke man gespeeld, maar wie was ze nu hij er niet meer was?

Nadat haar bord was weggehaald, somde de serveerster het dessertmenu op. Het lag op het puntje van Faiths tong om te zeggen dat ze niet wilde, om weg te vluchten uit het restaurant en van de ongemakkelijke situatie. Maar net als de eerste keer dat ze een stripteasepaal had vastgepakt, dwong ze zichzelf om het vol te houden. Om door te gaan, in de wetenschap dat het de volgende keer gemakkelijker zou zijn.

Ze bestelde vanille-crème brûlée en nog een glas wijn. Dat was waarschijnlijk geen goed idee, omdat ze zo meteen een vergadering had, maar ze had een vreselijke ochtend achter de rug.

Ze was uit de liefdadigheidsstichting gegooid waarvan ze vijf jaar lid was geweest. Dat alleen al was voldoende om een paar glazen wijn te rechtvaardigen. Als ze daar haar plotselinge identiteitscrisis aan toevoegde, mocht ze verdomme de hele fles leegdrinken.

Na een paar minuten arriveerde het dessert en ze brak de harde suikerlaag met haar lepel. Als kind had ze gedroomd van crème brûlée. Voor een arm kind, dat opgroeide in het noordoosten van Reno, had het een rijke en exotische klank gehad.

Ze nam een hap. De romige custard was zacht op haar tong. Ze dacht aan haar vergadering met de pr-afdeling. Ze hadden gezegd dat ze een opwindend idee hadden om de kaartverkoop te stimuleren en ze vroeg zich af wat dat zou zijn.

'Savage,' riep coach Nystrom in de deuropening van de kleedkamer. 'Je wordt in de vergaderzaal verwacht.'

Ty trok zijn trainingsshirt over zijn hoofd. 'Waarom?'

'Ik weet het niet.' De coach keek op zijn klembord. 'De anderen gaan het ijs op.'

Ty stak zijn voeten in een paar Nike-slippers en liep uit de kleedkamer en door de spelerslounge. De rubberen zolen sloegen tegen zijn hielen terwijl hij naar de lift liep. Hij hoopte dat het belangrijk was. Hij vloog morgenochtend naar Vancouver voor de vijfde wedstrijd. De Chinooks stonden 3-1 voor in de serie, maar dat kon gemakkelijk veranderen en hij had trainingstijd op het ijs met zijn teamgenoten nodig.

Voordat hij op de knop kon drukken, schoven de deuren open en zag hij Faith Duffy in de lift staan. Een zonnebril verborg haar ogen en haar volle lippen waren rood gestift. Ty legde zijn hand op de deur om hem voor haar open te houden. 'Hallo, mevrouw Duffy.'

'Hallo.' Ze had een regenjas over haar arm en droeg een lelijke beige twinset en parels, alsof ze een societyvrouw van vijftigplus was die op weg was naar een 'red de hongerige wezen'-vergadering. En toch was ze ondanks haar bezadigde kleren ongelofelijk opwindend en sexy.

Ze bleef door haar zonnebril naar hem kijken. 'Wilde je er hier uit?' vroeg hij.

'Eigenlijk ben ik op weg naar boven.' Ze schoof haar zonnebril in haar door de wind verwaaide haar. 'Ik ben een beetje afwezig en drukte per ongeluk op de verkeerde knop.'

Ty liep naar binnen en de deur ging achter hem dicht. Hij drukte op de knop voor de tweede verdieping en de lift kwam in beweging. 'Heb je een lunch met flink wat drank gehad?'

Ze keek naar hem vanuit haar ooghoeken. 'Ik weet niet waarover je het hebt,' zei ze, waarna ze haar lippen verontwaardigd op elkaar perste.

Hij leunde met één schouder tegen de spiegelwand en legde het uit. 'Je ruikt naar drank.'

Ze sperde haar grote groene ogen open en begon in haar tas te zoeken. 'Ik heb een afschuwelijke ochtend gehad.' Ze haalde een stuk kaneelkauwgom tevoorschijn. 'Afschuwelijk.'

Ze bezat een ijshockeyteam dat ongeveer 200 miljoen waard was. Hoe slecht kon het zijn? 'Heb je een nagel gebroken?' Hij verwachtte half dat ze haar rode nagels zou inspecteren voordat ze de kauwgom in haar mond stopte.

'Mijn leven is ingewikkelder dan de zorg over een gebroken nagel.' Ze kauwde even en voegde er daarna aan toe: 'Erg ingewikkeld, en nu Virgil niet meer leeft is alles veranderd. Ik weet niet wat ik moet doen.'

Hij vroeg zich af of ze een van die vrouwen was die het prettig vonden om hun problemen met vreemden te bespreken. Jezus, hij hoopte van niet, en hij keek doelbewust naar het plafond om oogcontact te vermijden, zodat ze zich niet aangemoedigd voelde om haar hart uit te storten.

Gelukkig gingen de deuren van de lift open en Ty volgde Faith door de hal naar de vergaderzaal. Toen ze er waren liep hij voor haar uit en deed de deur voor haar open.

Ze keek in zijn ogen terwijl ze langsliep, zo dichtbij dat haar tas langs de voorkant van zijn shirt schoof. 'Dank je,' zei ze. Ze rook naar kaneel en bloemen.

'Geen dank.' Zijn blik ging van haar rug naar haar billen, die weggestopt waren in een saaie grijze broek. Hij moest toegeven dat het lichaam van deze vrouw een ongelofelijk effect had op haar saaie kleren. Toen hij de zaal in stapte, bleef hij plotseling staan. Hij legde zijn hand op zijn heup en staarde naar de billboardvoorbeelden die op ezels in de zaal stonden.

'Hallo allemaal,' zei Faith vrolijk terwijl ze haar jas over een stoel hing en naast haar assistent aan de vergadertafel ging zitten.

Bij Ty ontbrak alle vrolijkheid toen hij vroeg: 'Wat is dit, verdomme? Een grap?'

Een vrouw van de pr-afdeling, die Bo of zoiets heette, schudde haar hoofd. 'Nee, we moeten alle publiciteit en media-aandacht die we krijgen in geld omzetten.' Ze wees naar een tekening van twee mensen die met hun rug naar elkaar toe stonden, met de titel KAN DE BEAUTY HET SAVAGE-BEEST TEMMEN? 'De media lijken te denken dat er een probleem tussen jullie is, en dat willen we uitbuiten.'

De pr-manager, Tim Cummins, voegde eraan toe: 'Natuurlijk weten we dat er geen echt probleem is.'

Er was echter wel degelijk een probleem. Een heel groot probleem. Ty ging op de stoel tegenover Faith zitten en vouwde zijn armen over elkaar. Hij en zijn teamgenoten hadden zich de afgelopen vier wedstrijden kapot gewerkt en het enige waarover de pers had geschreven was 'de tastbare spanning' tussen hem en Faith Duffy. In het sportgedeelte van afgelopen zondag had *The Seattle Times* drie alinea's besteed aan de vermoede spanning, voordat ze zijn hattrick en de indrukwekkende zesendertig reddingen van doelverdediger Marty Darche noemden. Frankie Kawczynski had een vinger gebroken tijdens een knokpartij met Doug Weight, en het enige wat zij hoefde te doen was de spelerslounge binnenlopen met haar blonde haar en grote borsten en alle journalisten veranderden in idioten. Hij wilde dat ze minder zichtbaar was. Minder betrokken bij de pers, in plaats van meer.

Faith keek op van de krantenknipsels die voor haar lagen. 'Ik had er geen idee van dat ze het zo zouden opblazen.' Haar groene ogen keken naar hem. 'Jij wel?'

'Natuurlijk. Heb je de Chinooks-artikelen niet gelezen?' Wat had ze wel gedaan?

'Jules heeft ze aan me gegeven, maar ik heb het druk gehad.'

Waarmee? Een ontmoeting met de minnaar met wie ze had gepraat op de dag van Virgils rouwplechtigheid? Bedoelde ze dat met een slechte dag?

'We denken dat de tribunes hierdoor bomvol fans zullen zitten,' ging Tim verder. 'We zijn ons er allemaal van bewust dat de kaartverkoop het niveau van voor de uitsluiting nog steeds niet heeft bereikt. Als de fans denken dat er spanning is tussen de aanvoerder van het team en de eigenares, komen ze misschien naar het stadion om dat met eigen ogen te zien.'

'We denken dat het een goede invalshoek is,' voegde Bo-nogwat eraan toe. 'Het is sexy, en zoals iedereen weet verkopen zaken zoals seks en onenigheid.'

Ty leunde achterover in zijn stoel en fronste zijn voorhoofd. Hij vond het niets. Helemaal niets. Wat waren ze van plan? Faith Duffy sexyer maken? Daar had ze geen hulp bij nodig. Of hem? Sexyer dan een T-shirt en een spijkerbroek weigerde hij. Hij was gewoon niet het type dat haargel gebruikte en opzichtige sieraden droeg.

'Ik vind het een goed idee.' De koning van de gel en de opzichtige sieraden, Jules Garcia, wees naar het bord met de titel DE BEAUTY EN HET SAVAGE-BEEST. 'Ik vind het een goed idee dat Faith Ty's trainingsshirt draagt en hij een ontbloot bovenlijf heeft.'

Ty fronste zijn voorhoofd. De spelers zouden hem dat niet snel laten vergeten. 'No way. Ik ben niet van plan het Savage-beest te worden.'

'Ik geloof dat je het uitspreekt als het Sah-vahge-beest,' zei de dronken vrouw aan de overkant van de tafel theatraal.

Ty's blik ging van Tim naar Faith Duffy. 'Dat klopt, Miss Juli.'

Ze draaide de parels rond een lange vinger en Ty's gedachten gingen naar de foto waarop ze naakt op de deken lag met een snoer parels rond een van haar borsten. 'Misschien hebben de journalisten iets gezien wat ik heb gemist. Héb je soms een probleem met me, meneer Savage?'

Behalve het feit dat ze het verschil niet wist tussen een verdediger en een aanvaller, en de journalisten over hun voeten struikelden om bij haar in de buurt te komen? Behalve het feit dat hij haar naakt had gezien en dat beeld niet uit zijn hoofd kon krijgen? 'Nee, ik heb geen probleem.'

'Fantastisch.' Ze glimlachte terwijl haar vinger die verdomde parels bleef ronddraaien. Haar rode nagels waren een helder contrast met al het beige.

'Het idee is nog in het beginstadium,' verzekerde Tim hem. 'We willen dat je je er prettig bij voelt.'

Dat ging niet gebeuren. 'Tja, Tim, er is geen enkele kans dat ik me prettig voel als het Savage-beest in een ijshockeybroek.'

'Zou je je prettiger voelen als je een Savage-beest in een lendendoekje was?' Eén hoek van Faiths mond krulde omhoog en hij wist zeker dat ze hem gewoon zat te stangen.

'Jezus.' Ty stond op en liep naar de deur. 'Zoek maar een andere klootzak.'

'Ik denk dat ze een grapje maakte.' Tim keek naar Faith. 'Nietwaar?'

'Natuurlijk.'

'We kunnen iets bedenken waar je je prettiger bij voelt,' zei de pr-manager haastig. 'We hebben echt het gevoel dat het de verkoop zal stimuleren.'

Een grapje of niet, halfnaakt op een billboard verschijnen was zijn stijl niet. Zijn stijl was hard spelen en punten op het scorebord krijgen. Hij pakte de deurkruk. 'Vergeet het maar.'

'Watje.'

De aanwezigen ademden collectief scherp in terwijl hij stopte en zich langzaam omdraaide. 'Wat zei je?'

Jules boog zich naar haar toe en fluisterde iets in haar oor. Ze schudde haar hoofd. 'Ik vind het ook niets om net te doen of er spanning tussen ons is om kaartjes te verkopen, maar je ziet mij niet jammeren en als een watje naar buiten stormen.'

Dat was waarschijnlijk omdat zij haar shirt niet hoefde uit te trekken. Hoewel het beslist haar eerste keer niet zou zijn. 'Laat ik een aantal dingen heel duidelijk voor je maken, mevrouw Duffy. Ten eerste ben ik geen watje en ik jank nooit.' Zelfs niet als hij botten brak of pezen scheurde. Verdomme, hij had een wedstrijd tegen de Rangers uitgespeeld met een gebroken voet. 'Ten tweede speel ik ijshockey. Daar betaal je me voor. In mijn contract staat nergens vermeld dat ik zonder shirt op reclameborden en de zijkant van bussen moet verschijnen.'

'Als je je shirt niet wilt uittrekken, vind ik dat prima.' Ze haalde haar schouders op. 'Sommige mensen zijn nu eenmaal niet op hun gemak met hun eigen seksualiteit. Ik begrijp het, maar het minste wat je kunt doen is luisteren naar Tim en Bo. Ze hebben hier duidelijk veel tijd aan besteed, in een heel korte periode.' Ze richtte haar aandacht op de pr-manager en zijn assistente. 'Bedankt.'

'Natuurlijk.'

'Geen dank.'

'Meneer Savage gedraagt zich gewoon onredelijk,' voegde ze eraan toe.

Op zijn gemak met zijn seksualiteit? Had ze hem nou een homo genoemd?

'Tien minuten,' verzekerde Tim hem. 'Geef ons tien minuten om je van gedachten te laten veranderen.'

Om te bewijzen dat ze ongelijk had en dat hij níét onredelijk was, liep hij terug naar zijn stoel en ging zitten. 'Tien minuten.' Ze konden praten tot ze erbij neervielen, maar hij zou niet van mening veranderen.

6

'Doe je kin een stukje opzij, Faith, en kijk deze kant op.' Faith liet haar kin zakken en richtte haar blik op de hand van de fotograaf, die hij iets boven zijn hoofd hield. 'Hou je ogen op me gericht, Ty,' voegde hij eraan toe.

Faith stond in de spelerslounge in het midden van het grote Chinooks-logo een stukje achter de aanvoerder van haar hockeyteam. Er was bijna een week voorbijgegaan sinds Ty en zij bij de pr-vergadering aanwezig waren geweest, en vier dagen sinds de Chinooks Vancouver hadden verslagen in de zesde wedstrijd en naar de volgende ronde van de play-offs waren gegaan.

Het was zeven uur 's avonds en de rest van het team was naar huis. De spelerslounge was leeg, op de fotoapparatuur na. Faiths moeder maakte zich nuttig door een witte lichtreflector omhoog te houden. Voor één keer was het Faith gelukt om haar moeder over te halen haar hond thuis te laten, hoewel ze bang was dat Pebbles wraak zou nemen door op het meubilair te kauwen.

'Een stukje meer naar rechts, Faith.'

Voor de fotoshoot droeg ze een strakke zwarte kokerrok, een zwarte zijden Georgette-bloes met een zwart hemdje en rode krokodillenleren pumps. Het was een tijd geleden dat ze vanuit de schaduw in het licht van de schijnwerpers was gestapt, en dat haar haar en make-up professioneel werden gedaan, en ze voelde zich wat onwennig. Alles, van de boog van haar wenkbrauwen tot haar rode lippen, was perfect. Eigenlijk was alles in de lounge perfect, van de belichting tot de fotograaf. Alles, behalve de 100 kilo zware, ongelukkige man die vlak voor haar stond. De hitte van zijn ergernis rolde in golven van Ty af. Hij had zijn armen over elkaar geslagen; een houding die ze eerder bij hem had gezien als hij het ergens niet mee eens was. Vandaag was dat het feit dat er foto's van hen samen werden gemaakt.

Hij droeg een versleten Levi's en een eenvoudig T-shirt dat paste bij het donkerblauw van zijn ogen. Hij had geen make-up op zijn gezicht en zelfs geen gel in zijn haar gewild. Hij gedroeg zich volkomen afschuwelijk, maar hij rook wel heerlijk, naar zeep en huid, en Faith had de vreemde neiging om een stukje naar voren te buigen en aan zijn hals te ruiken.

De fotograaf nam een foto. 'Leg je hand op zijn schouder,' zei hij terwijl hij aan de lens draaide. 'Valerie, hou de reflector een stukje hoger. Zo is het goed.'

Behalve af en toe een hand geven, had Faith geen andere man aangeraakt sinds ze erin had toegestemd om met Virgil te trouwen. Ze legde haar hand licht op Ty's schouder. De warmte van zijn harde spieren verwarmde haar handpalm door het zachte blauwe katoen heen, en voor het eerst in een heel lange tijd was ze zich er scherp van bewust dat ze een vrouw was die heel dicht bij een man stond. Een jonge, gezonde man. Niet dat ze dat niet eerder had gemerkt. Het was onmogelijk om een man als Ty te negeren, maar ze had hem tot nu toe alleen gezien als de norse aanvoerder van de Chinooks.

'Laat je vingers naar voren glijden. Ik wil je rode nagels tegen het blauw van zijn shirt zien. Ja. Zo.'

Klik. Klik.

Ze liet haar hand langs haar zij vallen maar kon zijn hitte nog in haar handpalm voelen. Ze had zich al heel lang niet meer seksueel aangetrokken gevoeld tot een man. Ze betaalde Ty's salaris. Hij mocht haar niet eens. Dus waarom had ze dan het gevoel dat haar maag begon te zweven, alsof ze te veel lucht had binnengekregen?

'Gaat het goed, Ty?' vroeg Tim.

'Zijn we bijna klaar?'

'We zijn net begonnen.'

'Shit.'

De fotograaf liet zijn camera zakken. 'Faith, kun je een stukje naar voren komen?'

Faith ging zo staan dat Ty net achter haar linkerschouder stond. Ze haalde diep adem en probeerde alle feromonen die hij als een martelende fata morgana uitstraalde te negeren.

'Zet je voeten een stukje uit elkaar en leg je handen op je heupen.' Hij tilde de camera omhoog. 'En Ty, blijf gewoon nors kijken.'

'Ik kijk niet nors.'

'Ja. Perfect.' *Klik.*

Faith lachte en keek over haar schouder naar zijn gezicht en de rimpel tussen zijn donkere wenkbrauwen. 'Als dit niet nors is, wil ik niet weten hoe je kijkt als je een hekel aan iemand hebt.'

Hij keek met zijn intens blauwe ogen naar haar. 'Ik heb nooit een hekel aan iemand.'

Ze dacht aan de laatste wedstrijd tegen Vancouver en grinnikte. Hij had een Chanuck-speler in de boarding geduwd en hem een stoot met zijn elleboog gegeven. 'Je bent gewoon een schatje.'

Eén mondhoek ging omhoog en haar maag zweefde nog een stukje hoger. 'Zo ver zou ik niet gaan, mevrouw Duffy.'

'Faith. Je mag me best Faith noemen.'

Zijn glimlach verdween en hij keek weer naar de fotograaf. 'Dat lijkt me geen goed idee.'

'Perfect.' *Klik. Klik.* 'Laten we naar de kleedkamer gaan.'

'Faith, ik heb een ander kledingsetje voor je in de kamer van de trainers,' zei Bo Nelson. 'We willen jou in je spelerstenue, Ty.'

Terwijl Faith toekeek hoe Ty de spelerslounge uit liep, vroeg ze zich af waarom hij het een slecht idee vond om haar bij haar voornaam te noemen. Ze volgde samen met haar moeder de assistente van de pr-manager door de lounge en deed de deur achter hen dicht. Hij wilde waarschijnlijk gewoon op een professionele basis met haar omgaan. Wat natuurlijk altijd goed was, maar ze wist vrij zeker dat hij Virgil niet altijd meneer Duffy had genoemd.

In het midden van de kamer stond een rek met kleding. Ze keek ernaar en vroeg zich af waarom het anders was om haar voornaam te gebruiken dan die van Virgil. Was ze zich er soms niet van bewust dat ze een grens was gepasseerd?

'Hoe gaat het?' vroeg Bo terwijl ze de schoenen rechtzette. 'Vind je het leuk om te doen?'

Faith pakte een zwarte, nauwsluitende jurk, bekeek hem en hing hem weer terug. 'In het begin was het een beetje vreemd om voor de camera te staan, maar het begint te wennen.'

Haar moeder pakte een felroze Betsey Johnson-babydolljurk van het rek. 'Probeer deze eens.'

Faith schudde haar hoofd. 'Ik denk niet dat die geschikt is voor de eigenares van een ijshockeyteam.'

'Wij hadden deze in gedachten.' Bo pakte een felrode zijden jurk met een ronde halslijn en een wijde rok. Hij was mouwloos, en behalve de zilveren metallic leren riem zag hij eruit alsof hij afkomstig was uit de jaren vijftig.

'Die is wel erg fel.'

'De kleur zal je fantastisch staan.'

Ze had die kleur rood niet meer gedragen sinds ze met Virgil was getrouwd. 'Wie heeft de kleding uitgezocht?' vroeg ze aan Bo, die haar kastanjebruine haar uit haar gezicht hield met een korte, dikke paardenstaart.

'Jules heeft met een stylist samengewerkt, en ze hebben deze gekozen omdat het de nadruk zal leggen op het rood in Ty's trainingstenue.'

Júles? Ze wist dat hij druk had overlegd met de pr-afdeling, maar ze had er geen idee van gehad dat hij had geholpen met het uitzoeken van de kleding. Ondanks zijn ongelukkige liefde voor pastelkleuren en zijn spieren, had ze nog niet echt het gevoel gehad dat hij een homo was, maar nu vroeg ze zich dat opnieuw af.

'Ik vraag me af of hij homo is,' zei Valerie.

'Ik ook,' voegde Bo eraan toe terwijl ze tussen de kleren op het rek zocht. 'Hij is erg knap.'

Faith schopte haar pumps uit en knoopte haar bloes open. 'Knap zijn is geen aanwijzing dat een man homo is.' Een van de homoseksuele portiers in Aphrodite had eruitgezien als een verlopen motorrijder.

'Niet altijd.' Bo pakte de zwarte bloes van Faith aan. 'Ty Savage is een knappe man, maar je zou er nooit aan twijfelen waaraan hij de voorkeur geeft.'

'Of zijn vader,' zei Valerie.

Faith keek naar haar moeder. 'Ken je zijn vader?'

'Ik heb hem na de eerste wedstrijd ontmoet.'

'Dat heb je helemaal niet verteld.'

Valerie haalde haar schouders op. 'Ik was niet onder de indruk.'

Wat waarschijnlijk betekende dat hij haar niet mee uit had gevraagd. Met Bo's hulp trok ze de jurk over haar hoofd aan en haar moeder ritste hem aan de achterkant dicht. Hij liet meer decolleté zien dan ze gewend was, en de zoom eindigde een paar centimeter boven haar knieën.

'Ik vind deze práchtig.' Bo gaf haar een paar lakleren Versaceschoentjes met hakken van tien centimeter.

Faith zuchtte van verrukking toen ze ze zag. 'Kom maar snel bij mama.' Ze stak haar voeten erin en gespte de bandjes rond haar enkels vast. Daarna liep ze naar de spiegel, die een eind verderop stond, ging ervoor staan, schikte haar borsten in het strakke lijfje en gespte de riem rond haar middel vast.

'Perfect,' zei Bo tegen haar.

'Ik zie eruit als een advertentie uit de jaren vijftig. Alsof ik een martini in mijn hand heb en sta te wachten tot mijn echtgenoot door de deur naar binnen komt.'

'Een beetje *Leave It to Beaver*,' was Bo het met haar eens. 'June Cleaver, maar dan met meer decolleté. Ik vind dat je er vrolijk en geraffineerd uitziet.'

'Wat vind je hiervan?' Valerie hield een paar onyx kroonluchteroorbellen omhoog.

'Ik vind de oorbellen die ik draag mooi,' zei ze terwijl iemand haar haar en make-up bijwerkte. Voor haar negenentwintigste verjaardag had Virgil haar driekaraats diamanten oorknopjes gegeven die ze prachtig vond, omdat ze zo zuiver waren en elegantie uitstraalden. Ze keek een laatste keer naar haar spiegelbeeld. Het was een beetje schokkend om zichzelf in zo'n heldere kleur te zien. Ze wist niet meer wanneer ze was gestopt met het dragen van kleuren, en of het haar idee of dat van Virgil was geweest. Hoewel dat natuurlijk helemaal niet belangrijk was, besloot ze, terwijl ze de trainerskamer verliet en door de lege spelerslounge liep.

Ty zat op een bank voor een open kluisje gevuld met ijshockeysticks terwijl de fotograaf en zijn assistent het licht rondom hem opmaten. Zijn helm en gewone kleren hingen aan haakjes in het kluisje, en zijn naam stond op een blauw-rood bord boven zijn hoofd. Behalve de helm was hij in vol ornaat.

Faith was nog nooit in de kleedkamer geweest. Het rook een beetje vreemd; naar leer en zweet en chemische schoonmaakmiddelen. Elk open kluisje was gevuld met ijshockeyspullen en een bord met de naam van de speler erboven.

Ty keek op toen ze dichterbij kwam. 'Ik ben al een kwartier klaar.'

Hemel, wat een chagrijnige vent. 'Het kost niet zoveel tijd als je weigert om je haar door iemand te laten kammen,' zei ze tegen hem.

'Ik kan het zelf kammen.' Om zijn gelijk te bewijzen, ging hij met zijn vingers door zijn haren, maar één donkere lok ontsnapte en viel over zijn wenkbrauw.

Voordat ze erover had nagedacht, bracht Faith haar hand omhoog en duwde de lok op zijn plek. De lokken krulden over haar vingers en de muis van haar hand raakte zijn warme slaap. Hij keek in haar ogen en ze zag een flits sensueel verlangen dat de felblauwe kleur van zijn ogen donkerder maakte. Het was een tijd geleden, maar ze herkende de blik. Haar lippen gingen gealarmeerd en verward uiteen. Ze liet haar hand vallen en drukte hem tegen de vlinders in haar maag.

'Zijn jullie klaar?' vroeg de fotograaf.

Ty keek langs haar heen. 'Kunnen we dit zo snel mogelijk afmaken? Ik heb morgen een training en morgenavond moeten we de wedstrijd tegen San Jose winnen.' Hij keek weer naar Faith en nu was zijn blik helder. 'Daar betaal je me voor.'

'Inderdaad,' zei ze terwijl ze zich afvroeg of ze zich de wellustige interesse in zijn ogen had verbeeld.

'Hoe gaat het?' vroeg Jules, die de kleedkamer in liep.

Faith likte aan haar lippen en glimlachte naar haar assistent. 'Met mij gaat het geweldig,' verzekerde ze hem terwijl ze haar verwarring over wat er net was gebeurd zo ver mogelijk wegstopte. 'Het was eerst een beetje onwennig, maar het begint helemaal terug te komen. Het is net fietsen.'

Jules bekeek haar van top tot teen met een kritische blik. 'Je ziet er geweldig uit.'

'Dank je. Jij ook.' Als ze eerlijk was lukte dat wegstoppen niet zo. Dat was gewoon onmogelijk, nu Ty zo dicht bij haar zat. 'Ik vind je trui mooi,' voegde ze eraan toe terwijl ze haar hand uitstak om de grijze kabeltrui aan te raken. 'Mooie kleur. En zo lekker zacht, kasjmier?'

'Een mengsel van kasjmier en zijde.'

'Jezus,' vloekte Ty. 'Zijn de meiden klaar? Ik wil hier vanavond nog graag wegkomen.'

'Wat is er met hém aan de hand?' Jules gebaarde met zijn duim naar Ty. 'Nog steeds kwaad omdat hij de vijfde wedstrijd tegen Vancouver heeft verpest?'

Ty keek naar de assistent alsof hij hem met zijn grote handen wilde wurgen.

Faith sperde haar ogen open en schudde haar hoofd. 'Laat hem met rust, Jules.'

Jules lachte. 'Luister, de reden dat ik hier ben is omdat ik net een redacteur van *Sports Illustrated* aan de telefoon heb gehad. Ze willen je interviewen.'

De laatste keer dat ze in een tijdschrift had gestaan, was ze naakt geweest en waren de vragen eenvoudig. De gedachte om in *Sports Illustrated* te verschijnen en moeilijke vragen te krijgen zorgde ervoor dat ze wilde wegvluchten. Naïeve blunders maken in een vergaderzaal met personeel en managers was vernederend genoeg. Het laatste wat ze wilde was dat de hele wereld zou denken dat ze dom was.

'De pr-afdeling wil dat je ja zegt, maar ik denk dat je het pas moet doen als je in het openbaar gemakkelijker over het team praat,' stelde Jules voor. Ze had hem kunnen zoenen.

'Dank je, je hebt gelijk. Ik ben er nog niet klaar voor.'

'We kunnen aan de slag,' verkondigde de fotograaf terwijl hij Valerie de lichtreflector gaf. 'Faith, ik wil dat je recht voor Ty gaat staan. Misschien kun je één voet op de bank zetten.'

Ze keek naar Ty's brede benen in de blauw-groene ijshockeybroek. Lange witte sokken bedekten zijn dikke scheen- en kniebeschermers. De bovenranden waren rond zijn dijbenen getapet. 'Waar op de bank?'

'Tussen Ty's dijbenen.'

Ze keek naar zijn samengeknepen ogen en verwachtte dat hij luidkeels zou protesteren en vloeken. In plaats daarvan zei hij: 'Let je een beetje op met je voet? Ik draag geen toque.'

Voorzichtig zette ze de zool van haar Versace-schoentje op de bank tussen zijn wijd gespreide dijen. Ze staarde doelbewust naar zijn gezicht om te voorkomen dat haar blik naar zijn kruis afzakte. Ze wilde zelfs niet denken aan de nabijheid van zijn geslachtsdelen bij haar tenen. Natuurlijk zorgde haar poging om er niet aan te denken er alleen maar voor dat ze er nog meer aan dacht. 'Als je me niet zenuwachtig maakt, doe ik je geen pijn,' zei ze met een zenuwachtig lachje.

'Zorg er maar voor dat je niet zenuwachtig wordt, dan doe ik jóú geen pijn. Ik heb mijn gereedschap straks nog nodig.'

Ze draaide haar gezicht naar de fotograaf en krulde haar lippen in een glimlach. Ze mocht er dan een beetje uit zijn, maar ze wist hoe ze voor een foto moest poseren zonder haar echte gevoelens te tonen. 'Daarom heb je dus haast om weg te komen. Niet omdat je een vroege vlucht hebt.'

De fotograaf nam een paar foto's. 'Faith, draai je rechterschouder een stukje naar me toe. Zo, ja.'

'Heb je een hot date?' vroeg ze terwijl ze naar de camera glimlachte en de fotograaf daarna een enigszins andere hoek van haar gezicht liet zien.

'Zoiets.'

'Je vrouw?'

'Ik ben niet getrouwd.'

'Vriendin?'

'Niet precies.'

Een scharrel? Het was lang geleden dat ze een relatie voor de seks of een onenightstand had gehad. Nu ze hier met Ty was, gevangen in zijn bedwelmende testosteron, wist ze precies hoe lang dat geleden was. Alleen al de diepe klank van zijn stem streelde haar huid en maakte haar duidelijk hoe erg ze het miste om aangeraakt te worden door een sterke, gezonde man.

'Buig een klein stukje naar voren, Faith. Agressief, alsof je de baas bent.'

'Wil je dat ik mijn handen op mijn heupen leg?' Faith boog naar voren en de rok van haar jurk gleed langs haar dijbeen omhoog.

'Ja, dat is fantastisch. En Ty, blijf jij gewoon kwaad kijken.'

Ty richtte zijn donkere blik op de fotograaf. 'Ik kijk niet kwaad.' De intense blik die hij gewoonlijk reserveerde om tegenstanders mee te intimideren had geen effect op de fotograaf.

'Perfect. Dat is precies wat ik zoek.' Hij schoot nog een paar foto's. 'Faith, buig een stukje naar voren en draai je schouder iets meer naar me toe.' *Klik*. 'Mooi. Schud nu je haar uit. Dat is het. Prachtig.'

Ty wist niet wanneer hij ooit zo opgewonden was geweest. Zelfs niet als hitsige zestienjarige op de achterbank van zijn vaders Plymouth met een halfnaakt meisje dat Brigit heette.

Jezus. Hij stond onder de douche in de kleedkamer van de Chinooks en liet koud water over zijn nek, rug en billen stromen. Hij had een halfuur moeten wachten voordat iedereen uit de kleedkamer was vertrokken voordat hij zijn trainingskleren kon uittrekken en onder de douche kon. Hij wist niet of ze het vreemd vonden dat hij een douche nam, maar niemand zei er iets over.

Hij draaide zich om en het koude water raakte zijn borstkas en liep langs zijn maag naar zijn kruis. Hij had niet zo'n bonkende pijn gevoeld sinds hij vorig seizoen zijn duim op Hedicans helm had gebroken. Alleen zat de bonkende pijn dit keer lager en werd deze niet veroorzaakt doordat een agressieve verdediger bij de puck probeerde te komen. De pijn werd dit keer veroorzaakt door een tot leven gekomen centerfold die hem krankzinnig probeerde te maken met haar getuite mond, zachte handen en supersexy lichaam.

Het was een slecht idee geweest. Hij wist het toen hij eraan begon. In tegenstelling tot wat ze van hem dachten, was hij niet lastig, en hij had zich laten overhalen om de reclamecampagne te doen voor de bestwil van het team. Om fans op de tribunes te krijgen.

Hij zette zijn handen tegen de muur en hield zijn hoofd onder de waterstraal. Het was hem goed afgegaan om Faith Duffy te negeren. Hij had het parfum op haar warme huid, haar lach en haar intens rode lippen genegeerd tot ze hem aanraakte. Het gewicht van haar hand en vingers die over zijn schouder gleden had een vurige huivering langs zijn ruggengraat naar zijn kruis gestuurd.

Haar hand op zijn schouder was erg geweest, maar toen ze zijn haar en gezicht aanraakte, verkrampten zijn ingewanden en had hij moeten vechten om zijn mond niet naar haar handpalm te draaien en aan haar huid te zuigen. Ze had haar voet tegen zijn kruis gezet, had zich naar voren gebogen en had haar borsten in zijn gezicht geduwd. Daarna wilde hij alleen nog zijn handen over haar zachte dijbenen naar boven laten glijden en haar billen vastpakken. Haar dichter naar zich toe trekken en zijn gezicht in haar jurk begraven. Terwijl zij glimlachte en haar haar voor de camera uitschudde, had hij onbeheerste fantasieën over wat hij met haar kon doen. Hij wilde haar op zijn schoot trekken en haar rode lippen kussen. Hij wilde zijn handen in haar haar begraven terwijl zij hem bereed alsof hij Smarty Jones in volle galop was. En ja, daar was hij absoluut razend over geweest. Het laatste wat hij in zijn leven wilde en nodig had was een stijve voor de eigenares van het ijshockeyteam, maar om de een of andere raadselachtige reden kon het zijn lichaam niets schelen wat hij wilde of nodig had.

Ty ging rechtop staan en bewoog zijn handen over zijn gezicht. Ze was niet eens zo verschrikkelijk mooi. Hij wreef het water uit zijn ogen en schudde zijn hoofd. Oké, dat was niet waar. Alles aan haar was prachtig, maar hij had eerder prachtige vrouwen om zich heen gehad. Hij was een ijshockeyer en hij had bepaald niet te klagen over aandacht van mooie vrouwen.

Faith. Je mag me best Faith noemen, had ze gezegd, alsof dat een goed idee was en alsof dat ooit ging gebeuren. Hij had een voortdurende herinnering nodig aan wie ze was en wat ze van hem was. Een herinnering dat ze zijn lot in haar handen hield. Zelfs als ze zou willen, moest hij eraan blijven denken dat seks met de eigenares van de Chinooks een verschrikkelijk slecht idee was.

Hij kreeg kippenvel en probeerde Faith Duffy uit zijn hoofd te verbannen. Er waren een paar plekken waar hij naartoe kon voordat hij naar huis ging; clubs waar vrouwen waren die dolgraag wat exclusieve tijd met hem doorbrachten.

Hij bleef nog een paar minuten onder de douche staan, tot hij in staat was zich te beheersen en hij weer kon ademhalen. Hij zette het water uit en sloeg een handdoek rond zijn middel, pakte een tweede handdoek en droogde zijn haar. Zijn vader was nog steeds bij hem thuis. Misschien moest hij gewoon naar huis gaan en kijken wat hij aan het doen was.

Jules Garcia stond midden in de kleedkamer op hem te wachten. 'Wat wil je?' vroeg hij aan Faiths assistent.

'Vragen of je ermee ophoudt het Faith zo moeilijk te maken.' Hij sloeg zijn armen voor zijn brede borstkas over elkaar alsof Ty ernstig in de problemen zat.

Ty had daar respect voor. 'Wie zegt dat ik het Faith Duffy moeilijk maak?' Terwijl hij naar zijn kluisje liep, droogde hij zijn gezicht af en vroeg zich af of dit een geval was van een werknemer die voor zijn werkgever opkwam, of dat er meer aan de hand was. Sommige jongens van het team dachten dat Jules een homo was. Ty was daar niet van overtuigd.

'Ik.'

Ty zuchtte en ging op de bank zitten. Hij wilde het haar niet moeilijk maken. Hij wilde alleen zo weinig mogelijk in haar buurt zijn, en hij had niets te maken met haar relatie met haar assistent.

'Ze is niet gewoon maar een blondje van de straat. Ze is de eigenares van het team.'

'Dat klopt,' zei Ty terwijl hij de handdoek over zijn hoofd trok. 'En ze weet niets van ijshockey. Ik ben door Virgil gecontracteerd om de beker te winnen. Ik ben de aanvoerder van de Chinooks en het is mijn verantwoordelijkheid om ons in de finale te krijgen. Maar ik maak me er ernstig zorgen over hoe ik dat moet doen nu een vroegere playmate ons lot in haar handen houdt en ons voor gek zet in interviews.'

'Heb je het over *Sports Illustrated*?'

'Ja.'

'Ben je jaloers omdat ze haar op de cover willen?'

Ty sloeg zijn armen over elkaar. Hij wist niets over een cover. 'Ik heb drie keer op de cover gestaan, dat kan me verdomme helemaal niets schelen. Wat me wel iets kan schelen is dat ik, als ik in het tijdschrift blader, slappe vragen lees die ze niet kan beantwoorden. Of dat ik een opsomming lees van haar *Playboy*-jaren, waardoor de spelers van het team een stel idioten lijken.'

'Dat begrijp ik. Iedereen is bezorgd over het imago van het team. Vooral Faith.' Hij liet zijn handen zakken. 'Ik geef toe dat ik nieuwsgieriger was naar haar dan dat ik de baan wilde, toen ze belde om een afspraak met me te maken. Virgil heeft me vijf jaar geleden ontslagen omdat ik over haar roddelde.'

'Wat heb je gezegd?'

Jules keek in zijn ogen terwijl hij antwoord gaf. 'Virgil hoorde me tegen de hoofdscout zeggen dat hij met een stripper was getrouwd die jong genoeg was om zijn kleindochter te zijn.'

Ty liet de handdoek op de bank naast hem vallen. 'Dat klinkt niet als iets om ontslag voor te krijgen.'

'Dat was het ook niet, en als ik op dat moment was gestopt, had ik mijn baan gehouden. Maar ik had haar foto's gezien en beschreef haar tot in detail aan de spelers. Alles, van haar grote borsten tot haar geschoren… je weet wel.'

Ja, hij wist het.

Jules haalde zijn schouders op. 'Ik heb het haar jarenlang kwalijk genomen, maar het was haar schuld niet dat ik was ontslagen. Net zomin als het haar schuld is dat Virgil is overleden en het team aan haar heeft nagelaten. Ze heeft het in haar schoot geworpen gekregen en ze doet heel erg haar best om zo goed mogelijk met de situatie om te gaan.'

'Ik weet dat het haar fout niet is.' Hij greep in zijn kluisje en trok zijn sporttas eruit. Het was haar schuld niet dat ze het team had geërfd, en het was ook niet haar schuld dat hij een erectie had gekregen. Het eerste was Virgils schuld en het laatste kwam door zijn wellustige fantasie. Hij moest een betere manier bedenken om daarmee om te gaan. 'Ik zal proberen om…'

'Vriendelijker te zijn? Haar gelukkig te maken?'

'Haar met meer respect te behandelen. Het is jouw taak om haar gelukkig te maken. Misschien kunnen jullie samen gaan winkelen, bij elkaar passende truien kopen, of een meidenavond houden.'

'Wat?' Jules vouwde zijn armen weer over elkaar en zag er opnieuw uit alsof hij problemen zocht. 'Ik ben geen homo.'

Ty ging staan en liet zijn handdoek vallen. 'Het kan me geen donder schelen of je een homo of een hetero of iets daartussenin bent.' Hij kende meerdere homoseksuele spelers die klappen uitdeelden als goederentreinen.

'Waarom denk je dat ik een homo of een hetero of iets daartussenin ben?' Jules keek oprecht verbijsterd. 'Denken de andere spelers ook dat ik een homo ben?'

Ty haalde zijn schouders op.

'Omdat ik haarproducten gebruik?'

'Nee.' Hij trok zijn ondergoed aan. 'Omdat je haarproducten zégt.'

7

Een kakofonie van gejuich en koeienbellen steeg op uit de arena onder hen en botste met het klinken van wijnglazen in de sky-box van de Key Arena in Seattle. Faith pakte de leuningen van haar stoel vast en boog naar voren om naar de kluwen spelers voor het Chinooks-doel te kijken. Sticks en ellebogen vlogen in de doelcirkel in het rond, en natuurlijk bevond Ty Savage zich in het centrum van de actie. Doelverdediger Marty Darche liet zich op zijn knieën vallen en beschermde het doel, terwijl de spelers van beide teams in de tweede periode tegen elkaar streden.

'Werk de puck weg,' fluisterde ze. Vlak daarna begon het blauwe zwaailicht achter het doel te draaien om aan te geven dat de tegenpartij had gescoord.

'Shit,' vloekte Jules terwijl een kleine delegatie trouwe Sharks-fans begon te juichen. Uit de geluidsinstallatie dreunde 'Who Let the Dogs Out' en Faith legde een hand voor haar ogen. Nu ze zo betrokken was bij het spel, was het eng om ernaar te kijken. Het maakte haar zenuwachtig en bezorgde haar een knoop in haar maag. Ze wilde dat ze iets sterkers had dan de cola light die naast haar rechtervoet stond.

Alsof ze haar gedachten had gelezen, haalde Valerie Faiths hand van haar ogen en duwde een glas wijn in haar hand. 'Dit helpt.' Daarna liep ze terug naar het buffet dat in de skybox was opgesteld om met haar vriendin Sandy te praten, die een paar dagen uit Vegas was overgekomen. Valerie had niet eens gevraagd of Sandy welkom was voordat ze haar had uitgenodigd. Faith kende Sandy haar hele leven al en mocht haar graag, dus ze vond het niet erg, maar ze wilde dat haar moeder het had gevraagd.

Sandy en haar moeder waren van plan om na de wedstrijd naar een paar barretjes te gaan 'om de bloemetjes buiten te zetten'. Faith wist niet wie zieliger was. Valerie en Sandy, omdat ze op hun leeftijd spandex droegen en 'de bloemetjes buiten' wilden zetten, of zij, omdat ze straks naar huis vertrok en vroeg naar bed ging.

Faith nam een slok van haar chardonnay terwijl het doelpunt telkens opnieuw werd herhaald op het scherm dat in het midden van het stadion hing.

Op het ijs kwam Marty Darche langzaam overeind en pakte een fles water die boven in zijn doel hing. Ty stond voor hem terwijl de doelverdediger water in zijn mond goot. Marty knikte en Ty klopte met zijn grote gehandschoende hand op de helm van de doelverdediger, waarna hij naar de bank schaatste.

Op het grote sportscherm zoomde de camera in op Ty's brede schouders en de witte letters op het blauwe shirt, die SAVAGE vormden. De fans van San Jose joelden. De fans van de Chinooks juichten en Ty schaatste met gebogen hoofd over het ijs. Het haar in zijn nek krulde omhoog over zijn helm. Gisteravond in de kleedkamer van de Chinooks had ze haar vingers door zijn haar gehaald en had ze een warme kleine linteling in haar maag gevoeld. Iets wat al jarenlang niet meer was voorgekomen. Maar toen ze later die avond weer thuis was, was die kleine linteling veranderd in een brandend schuldgevoel. Virgil was minder dan een maand dood en ze zou geen warme gevoelens voor andere mannen mogen hebben, laat staan voor de aanvoerder van Virgils ijshockeyteam. Waarom Ty Savage? Natuurlijk, hij was mooi en had zelfvertrouwen en zijn mannelijkheid was in balans. Hij droeg het als een onweerstaanbare aura met zich mee, maar hij mocht haar niet. En zij was niet bepaald kapot van hem.

De camera zoomde in op het publiek en gleed over de rijen Chinooks-fans. Hij bleef hangen bij twee mannen met groenblauw geschilderde gezichten en de tintelingen stopten. Vanaf haar positie hoog boven het stadion richtte Faith haar blik op de bank van de Chinooks en de spelers die zich vanaf het begin van de play-offs niet meer schoren. Hun gezichtshaar varieerde van onregelmatig dons tot *Miami Vice*-stoppels. Ty was een van de weinige NHL-spelers die ervoor kozen om de traditie naast zich neer te leggen en zich wel schoren.

Ty ging naast Vlad Fetisov zitten. Hij pakte een fles van een wachtende trainer en spoot een stroom water in zijn mond. Hij spuugde het tussen zijn voeten uit en veegde zijn gezicht af met een handdoek.

'Wil jij iets hebben?' vroeg Jules terwijl hij opstond.

Ze schudde haar hoofd en keek naar haar assistent op. Hij droeg een rood-wit geruite trui die zo strak zat dat hij zijn brede spieren omsloot als een tweede huid. 'Nee, dank je.'

Faith leunde weer achterover in haar stoel en dacht aan de vlucht morgenochtend en de wedstrijd tegen San Jose diezelfde avond. Faith was nooit van plan geweest om met het team mee te reizen, maar vanochtend had Jules haar ervan overtuigd dat het een goed idee was en dat ze ermee aantoonde dat ze haar team steunde. Hij had gezegd dat het een goede manier voor haar was om de vierentwintig mannen die voor haar speelden te leren kennen. Als ze haar vaker zagen, voelden ze zich misschien meer op hun gemak met haar als eigenares. Ze wist alleen niet zeker of haar assistent het beste met haar voorhad of dat hij gewoon de wedstrijd wilde zien.

Als zijn gezondheid het toeliet, was Virgil soms met de Chinooks meegereisd, en dan had hij vaak een paar wedstrijden bijgewoond voordat hij weer naar huis kwam, maar Faith was nooit met hem mee geweest. En hoewel ze een beetje in de gaten begon te krijgen wat 'tegenpunten' en 'gemiddelden' inhielden, vroeg ze zich af of ze de regels ooit helemaal zou begrijpen. Het soort begrijpen dat ontstond door jarenlang ijshockey inademen en beleven en liefhebben.

Jules kwam terug met een Corona en een taquito en ging naast haar zitten. 'Ik wil je iets vragen,' zei hij met een stem die net luid genoeg was om verstaanbaar te zijn. 'Denk je automatisch dat een man homo is als hij "haarproduct" zegt?'

Faith keek in Jules' donkergroene ogen. 'Nee,' antwoordde ze voorzichtig. 'Heeft mijn moeder of Sandy gezegd dat je homo bent?'

'Nee.' Hij nam een hap van zijn taquito. 'Ik weet dat het je zal verbazen, maar een aantal spelers van het team denkt dat ik homo ben.'

'Echt?' Ze hield haar gezicht neutraal. 'Waarom?'

Hij haalde zijn brede schouders op en bracht het flesje naar zijn mond. 'Omdat ik mijn uiterlijk belangrijk vind.' Hij nam een slokje en voegde eraan toe: 'En blijkbaar gebruiken hetero's het woord "haarproduct" niet.'

'Dat is belachelijk.' Ze dachten dat hij homo was om de manier waarop hij zich kleedde en zijn twijfelachtige kleurkeuzes. Ze richtte haar aandacht op het ijs terwijl Walker Brookes naar de face-offcirkel schaatste en Ty vanaf de zijlijn toekeek. De camera filmde de Chinooks-bank. Sommige spelers waren ontspannen en waakzaam, zoals Ty, terwijl andere schreeuwden naar tegenstanders die langsschaatsten.

Walker schaatste de play-offcirkel binnen, stopte in het midden en wachtte met zijn stick op het ijs. De puck viel en de wedstrijd begon weer. 'Wie zegt dat je geen "haarproduct" mag zeggen?' vroeg ze.

'Ty Savage.'

Ze keek weer naar Jules. 'Je moet niet naar Ty luisteren.' Hij had te veel testosteron om daar een mening over te kunnen hebben. 'Hetero's zeggen voortdurend "haarproduct".'

'Noem er eens een.'

Ze moest er een paar seconden over denken. Toen knipte ze met haar vingers. 'Die man van *Blow Out*, Jonathan Antin.'

Jules kreunde alsof ze Ty's mening net had bevestigd. 'Volgens mij is dat niet eens meer op de televisie,' gromde hij. 'Die vent was een beetje nichterig. Ik ben geen homo.' Iets in haar gezicht verraadde haar, omdat hij zijn ogen samenkneep. 'Jij denkt het ook!'

Ze schudde haar hoofd en sperde haar ogen open.

'Ja, dat is wel zo.' Hij maakte een beweging met zijn hand. 'Waarom?'

'Het is niet belangrijk.'

'Ik wil het weten.'

Ze haalde haar schouders op. Op het ijs onder hen klonk een fluit en Sam Leclaire schaatste naar de strafbank. Sam was misschien geen geweldige vechter, maar dat weerhield hem er niet van zijn handschoenen op het ijs te gooien en een gemiddelde van zeven strafminuten per wedstrijd op de bank door te brengen.

'Het is de manier waarop je je kleedt. Je draagt alles heel strak en je kleurkeuzes zijn nogal gewaagd voor een hetero.'

Jules fronste zijn voorhoofd en sloeg zijn armen over elkaar. 'Ik ben in elk geval niet bang voor kleur. Jij draagt de hele tijd beige en zwart.' Hij keek naar de ijsvloer en daarna weer naar haar. 'Een paar jaar geleden was ik dik. Ik werd het heel erg zat om maat 58 te dragen, dus besloot ik mijn leven te veranderen. Ik werk hard aan mijn lichaam. Waarom zou ik dat dan niet laten zien?'

'Omdat minder soms beter is,' antwoordde ze. Net als minder huid tonen, en zij kon het weten. 'En soms flatteert wijd gewoon meer.'

Hij haalde zijn schouders op. 'Misschien, maar alles wat jij draagt is zo wijd dat het lijkt alsof je iets onder je kleren probeert te verbergen.'

Faith keek naar haar zwarte coltrui en zwarte broek. Voordat Virgil in haar leven kwam had ze strakke kleren met lage decolletés gedragen. Ze was van het ene uiterste naar het andere gegaan om te proberen in zijn wereld te passen. Nu hoorde ze in beide werelden niet meer thuis.

'Maar ik neem aan dat het niet uitmaakt wat je draagt. Je bent mooi en je hoeft je daar niet druk om te maken. Soms maak ik me zorgen dat een man zal denken dat ik je lijfwacht ben en met me wil vechten.'

Faith vond dat Jules zich vreemd en een beetje dramatisch gedroeg. 'Ik zorg ervoor dat niemand je pijn doet. Je kleedt je misschien alsof je een soort metroseksuele man bent, maar ik heb je nodig. Bovendien is je haar ontzettend gááf,' zei ze met een glimlach.

Hij keek even naar haar terwijl 'Are You Ready to Rock?' uit de geluidsinstallatie dreunde. 'Dat is de eerste echte glimlach die ik van je zie,' zei hij.

'Ik glimlach de hele tijd.'

Hij tilde zijn biertje op. 'Ja, maar je meent het niet.'

Faith richtte haar aandacht op de klok en de wedstrijd onder haar. Lang voordat ze Virgil had ontmoet, had ze geleerd te glimlachen als ze het niet meende. Lang voordat ze haar eerste stappen op naaldhakken op het podium zette en zichzelf in Layla veranderde, had ze geleerd om haar ware gevoelens te maskeren met een glimlach. Het leven was op die manier soms gemakkelijker.

Maar het leven gooide soms vreemde effectballen, of liever gezegd effectpucks. Ze zou nooit hebben gedacht dat ze ooit een ijshockeyteam zou bezitten. Het zou in haar wildste fantasie niet in haar zijn opgekomen, maar nu zat ze te kijken naar haar spelers, die pucks schoten en vuistslagen uitdeelden. Ze vroeg zich af wat ze zouden denken als ze morgen samen met hen in het vliegtuig stapte.

De volgende ochtend kwam ze daarachter toen ze achter coach Nystrom aan de BAC-111 in liep. Ze kon niet voorbij zijn brede schouders kijken, maar ze hoorde het zachte gebrom van mannenstemmen dat het vliegtuig vulde dat een capaciteit van veertig passagiers had. Het was halfacht en ze waren nog steeds opgewonden over hun overwinning op de Sharks de vorige avond.

Achter in het vliegtuig beklaagde iemand zich luidkeels. 'Die klootzak probeerde een stick in mijn reet te schuiven.'

'Het zou niet de eerste keer zijn dat je met een stick in je reet rondloopt,' zei iemand anders. Er volgde veel donker mannelijk gelach en ontelbare 'in je reet'-opmerkingen en speculaties.

'Luister, mannen,' zei coach Nystrom voor in het vliegtuig. 'Mevrouw Duffy reist met ons mee naar San Jose.' Alsof iemand op de pauzeknop had gedrukt, stopten het gelach en de grappen onmiddellijk. 'Hou het dus netjes.'

De coach ging zitten en Faith stond plotseling oog in oog met tientallen verbaasde mannen. Op een van de achterste rijen keek Ty Savage op van het sportgedeelte van de USA *Today* dat hij in zijn handen hield. Het licht boven zijn hoofd scheen in zijn donkere haar, en zijn diepblauwe ogen keken secondenlang in de hare voordat hij zijn aandacht weer op de krant richtte.

Jules hield een raamplaats op de derde rij voor haar vrij en ze ging naast hem zitten. 'Hoe lang duurt de vlucht?' vroeg ze.

'Minder dan een uur.'

Achter haar hoorde ze zacht gefluister en een paar keer diep gegrinnik. Ze deed haar gordel om. Op wat opmerkingen na, die Faith niet kon verstaan omdat ze te zacht waren, en het geritsel van Ty's krant, bleef het stil in het vliegtuig terwijl ze naar de startbaan taxieden en opstegen. Toen ze eenmaal door de dikke grijze wolken waren gebroken, stroomde brandend zonlicht door de ovale ramen naar binnen. De spelers trokken bijna als één man de rolgordijnen naar beneden.

Faith vroeg zich af of ze rustig waren omdat ze terugdachten aan de slopende wedstrijd die ze de vorige avond hadden gespeeld en die was geëindigd in een 3-4 winst in de verlenging, of dat het kwam doordat zij voor in het vliegtuig zat.

Toen de met sneeuw bedekte top van Mount Rainier eenmaal achter hen lag, boog Darby Hogue zich in het gangpad naar haar toe. 'Hoe is het met je?' vroeg hij.

'Goed. Zijn ze altijd zo rustig?'

Darby glimlachte. 'Nee.'

'Vinden ze het vervelend dat ik meevlieg?'

'Ze zijn gewoon een beetje bijgelovig als ze met een vrouw vliegen. Een paar jaar geleden reisde er een journaliste met het team mee. Dat vonden ze in het begin niet prettig, maar ze wenden aan haar. Ze raken aan jou ook wel gewend.' Hij draaide zich om en keek naar de stoel achter zich. 'Heb je die band, Dan?'

Hij kreeg een dvd overhandigd, die hij in zijn laptop schoof. Daarna zette hij het scherm zo dat Faith mee kon kijken. 'Dit is Jaroslav Kobasew. We willen dat hij het gat in onze tweedelijnsverdediging gaat opvullen. We moeten achterin meer kracht hebben, en hij is twee meter lang en weegt 105 kilo.'

Ze wist niet dat ze een gat in de tweede lijn of op een andere plek hadden. 'Ik dacht dat we geen spelers konden kopen.'

'Dat klopt, dat kan pas als het seizoen afgelopen is, maar we zijn altijd op zoek naar nieuw talent,' vertelde Darby.

Ze keek naar het scherm aan de overkant van het gangpad, waarop een enorme man in een rood shirt in de hoek vocht om het bezit van de puck. De kolos won door de andere speler van zijn schaatsen te gooien. 'Hemel.'

Jules boog zich naar haar toe. 'Hoe slaat hij?'

'Alsof hij cement in zijn handschoenen heeft,' antwoordde Darby. 'Hoe schaatst hij?'

'Alsof hij cement in zijn broek heeft.'

Normaal gesproken zou Faith denken dat cement in je broek slecht was. Maar dit was ijshockey en ze wist het niet. Misschien betekende het dat je een slag kon opvangen. 'En dat is niet goed. Toch?'

Jules knikte en leunde naar achteren.

'Hij is een van de spelers die we in onze gedachten hebben,' zei Darby terwijl hij zijn aandacht weer op het scherm richtte. 'Als ik eraan toe ben om keuzes te maken, laat ik het je weten.'

'Goed.' Ze draaide zich naar Jules. 'Moeten ze transfers met mij bespreken?' vroeg ze zachtjes.

Hij knikte en legde zijn aktetas op schoot. 'Ben ik vergeten je dat te vertellen?'

'Ja. Dat ben je.' Het was behoorlijk belangrijk, maar ze mocht niet klagen. Als ze Jules niet had gehad, was ze verloren geweest. Nog erger dan ze nu was.

Hij haalde een stapel *Hockey News*-tijdschriften uit de tas en gaf ze aan haar. 'Stort je daar maar in.'

Ze bekeek meerdere nummers en besloot het februarinummer te nemen, met Ty Savage op de cover; zijn gezicht was nat van het zweet terwijl zijn levendige blauwe ogen onder de witte helm in de camera keken. Hij zag er angstaanjagend en intens uit. De titel op de linkerbladzijde luidde: KAN TY SAVAGE LORD STANLEY NAAR SEATTLE KRIJGEN?

Het tijdschrift was een maand voor Virgils dood uitgekomen, en ze bladerde via een verhaal over Jeremy Roenick naar het midden van het blad. Op de rechterbladzijde prijkte een foto van Ty met ontbloot bovenlijf. Hij hield zijn handen achter zijn hoofd en op zijn borstkas tekenden de spieren zich duidelijk af. Zijn achternaam was in zwarte inkt van zijn oksel tot de band van zijn spijkerbroek op zijn zij getatoeëerd. Dat was nog eens wat anders dan de *Playboy*-bunny op haar onderrug. Dat had verschrikkelijk veel pijn gedaan, en ze moest er niet aan denken dat ze een tatoeage met de afmetingen van die van Ty kreeg.

Als ze niet beter wist, zou ze denken dat ze naar een 'kanjer van de maand'-kalender staarde als ze naar zijn foto keek. Ty was vanaf zijn middel afgebeeld en het begin van een glimlach krulde zijn mond. De linkerbladzijde onder de kop ENGEL OF VERRADER was gevuld met een indrukwekkende lijst wapenfeiten die terugging tot zijn tijd bij de junioren. Faith begon te lezen:

Ty Savage is zonder enige twijfel een van de beste en hardste spelers van de NHL. *Hij staat erom bekend dat hij harde klappen uitdeelt op het ijs. Het resultaat daarvan is dat tegenstanders hun hoofd omhooghouden en twee keer nadenken voordat ze het opnemen tegen deze Selke-winnaar.*

Hij is, zoals iedereen die het spel volgt weet, de zoon van hockey-gigant Pavel Savage. Een relatie waarover hij slechts met tegenzin praat.

'Mijn vader was een van de beste spelers in de geschiedenis van de NHL,' zegt hij op zijn norse Savage-toon.

Faith glimlachte. Ze wist precies waar de journalist het over had. Niemand kon norser zijn dan Ty.

'Maar ik ben mijn vader niet. We spelen een ander spel. Als ik mijn schaatsen voor de laatste keer opberg, wil ik beoordeeld worden op mijn talent op het ijs, en niet op mijn achternaam.'

Behalve als hij een onvergeeflijke zonde begaat, zal de ge-schiedenis deze Art Ross Trophy-winnaar met hetzelfde respect behandelen die spelers zoals Howe, Gretsky, Messier en, we dur-ven het bijna niet te zeggen, Pavel Savage verdienen.

Toch zijn er mensen in Canada die zouden willen dat de jonge Savage uit de nationale archieven wordt verwijderd. Dit is het gevolg van Ty's transfer van de Chanucks uit Vancouver naar de Chinooks uit Seattle afgelopen maand. Voor veel Canadezen is de naam Savage heilig, net als Macdonald, Trudeau en Molson. Het is misschien niet eerlijk dat deze speler, die ooit werd aanbe-den, nu wordt verguisd als een verrader. De afgelopen weken heb-ben de media in Vancouver hem neergesabeld, en ze gingen zelfs zo ver om hem in effigie te verbranden. Savage haalt hier zijn schouders over op. 'Ik begrijp hun gevoelens,' zegt hij. 'Canadezen zijn gepassioneerde ijshockeyliefhebbers. Dat vind ik geweldig, maar ik ben hun eigendom niet.'

Als hem wordt gevraagd naar zijn reputatie, dat hij een hard fysiek spel speelt, lacht hij en antwoordt: 'Dat is mijn taak ook.'

Faith keek op van het blad. Lachte Ty? Ze had hem de afgelo-pen weken een paar keer gezien, en de man had nauwelijks een poging gedaan om te glimlachen.

Ze richtte haar blik weer op de *Hockey News* op haar schoot, sloeg de bladzijde om en keek naar de foto's van Ty, waarop hij in de middencirkel botste met een Flyer, en een doelpunt tegen Pittsburgh maakte.

'Sommigen zouden zeggen dat je met je harde fysieke stijl mensen verwondt. Dat je geen aardig persoon bent.'

'Ik speel fysiek hard ijshockey. Dat is mijn taak, maar ik val nooit iemand aan die de puck niet heeft. Als dat betekent dat ik niet aardig word gevonden, dan kan ik daarmee leven. Ik ben nooit geïnteresseerd geweest in de Lady Byng Trofee, en ik ben niet van plan 's nachts wakker te liggen omdat ik me zorgen maak dat het publiek me niet "aardig" vindt. Als ik me soms als een klootzak gedraag, voorkom ik meteen dat ze me om geld vragen of mijn vrachtwagen willen lenen om hun rotzooi weg te brengen.'

'Gebeurt dat wel eens?'

'Tegenwoordig niet zo vaak.'

Over geld gesproken, de Chinooks hebben $30 miljoen voor hun aanvoerder betaald en er zijn veel mensen, ook binnen de Chinooks-organisatie, die vinden dat het geld beter aan de verdediging besteed had kunnen worden. Eigenaar Virgil Duffy vond het echter belangrijker om een speler van het kaliber van Savage aan te trekken.

'Telkens als hij op het ijs stapt,' heeft Duffy gezegd, 'vergroot hij de waarde van de Chinooks-consessies.'

Een paar rijen achter Faith hoorde ze geritsel van een krant vermengd met het lage gemompel van zware mannenstemmen. Als Virgil had gedacht dat Ty 30 miljoen waard was, dan was hij dat, en meer.

'Engel of verrader' betekent niet veel voor Ty Savage. Hij wil gewoon op zijn manier ijshockey blijven spelen en de beker win-

nen. 'Ik twijfel er niet aan dat we de finale bereiken. We hebben het talent om zo ver te komen. Daarnaast is belangrijk wie harder toeslaat en de meeste punten op het scorebord brengt.' Hij glimlacht een zeldzame glimlach. 'En op wat een man in zijn broek heeft.'

Faith sloeg het tijdschrift dicht. Op de een of andere manier had ze zo'n opmerking verwacht van Ty.

Er waaide een warme bries over de luchthaven van San Jose, die de geur van asfalt en vliegtuigmotoren meevoerde. Ty liep de trap van de BAC-111 af. Hij knoopte zijn teamcolbert los, stopte zijn handen in de zakken van zijn wollen broek en liep naar de gehuurde bus.

'Dat is mijn Louis-hoedendoos.'

Hij keek naar het bagageruim van het vliegtuig, waar mevrouw Duffy stond. De wind blies de panden van haar zwarte jas rond haar knieën.

'En dat is de bijpassende rolkoffer,' voegde ze eraan toe terwijl ze in het bagageruim wees.

Jules pakte een grote Louis Vuitton-koffer en een ronde koffer met een handvat aan van een van de werknemers die bij het bagageruim stonden en tassen en sportuitrusting uitlaadden.

Ty keek naar de gezichten om hem heen. Door de glazen van zijn zonnebril zag hij de verwarring van de man. Hij voelde het zelf ook. Waarom had je twee koffers nodig voor een reisje van twee dagen? En waarom een hoedendoos? Hoeveel hoeden kon een vrouw in achtenveertig uur dragen?

Hij stapte de bus in en ging voorin op een stoel aan het gangpad zitten. De spelers hadden niet geweten dat Faith Duffy met hen mee zou reizen voordat ze in Seattle het vliegtuig in stapte. Ty zag door het raam hoe ze over het asfalt naar Darby toe liep. De lus van haar hoedendoos hing rond haar pols en ze zette een grote zonnebril op haar neus. Haar blonde haar gleed over haar wang en ze bracht haar vrije hand omhoog om het achter een oor te duwen. De vlucht vanuit Washington was rustig geweest. Te rustig voor een groep mannen die uitblonken in onzin praten op een hoogte van tien kilometer. Als ze niet aan boord was geweest, hadden ze het vaderschap van verschillende San Jose-spelers in twijfel getrokken, en hadden ze de kaarten tevoorschijn gehaald voor een spelletje luchtpoker. Frankie had vijfhonderd dollar verloren, en Ty wist zeker dat de sluipschutter een kans wilde om er iets van terug te winnen. Toen Ty had voorgesteld dat ze zouden pokeren als een manier om een band te krijgen, had hij niet geweten dat het in een oneindig spel zou uitmonden.

'Ik zou er heel wat geld voor overhebben om haar aan een stripteasepaal te zien hangen,' zei Sam terwijl hij zich op de raamplaats naast Ty liet vallen. 'Misschien gekleed in een kort verpleegstersuniform.' Hij zuchtte alsof hij midden in een of andere pornografische fantasie zat. 'En van die plastic schoenen die ze allemaal dragen. En een enkelbandje. Ik hou van vrouwen met een enkelbandje.'

'Je moet die droom waarschijnlijk opgeven, Rocky,' zei Ty, Sams bijnaam gebruikend. 'Vooral omdat je haar eigendom bent, nietwaar?'

Sam knoopte zijn colbert open. 'Het kan me niet schelen dat we haar eigendom zijn. In tegenstelling tot sommige andere spelers. Ze wordt bijgestaan door veel slimme mensen die haar geen enorme fouten laten maken. Ik ken Jules nog van vijf jaar geleden. Hij weet veel over ijshockey. In die tijd was hij een dikke jongen met een matje in zijn nek. Hij is nog steeds niet uit de kast gekomen.'

Er stapten meer spelers in de bus. Ty keek uit het raam en zag dat Faith knikte om iets wat Jules tegen haar zei. 'Hij beweert dat hij geen homo is.'

'Echt?' Sam haalde zijn schouders op. 'Ik heb een neef die zich in de jaren negentig zo kleedde. Maar hij kwam uit Long Island,' voegde hij eraan toe, alsof dat alles verklaarde. Hij draaide zijn gezicht naar het raam en keek naar buiten. 'Wat denk je dat ze in die doos heeft? Handboeien? Zweepjes? Een Frans dienstmeisjesuniform?'

Ty grinnikte. 'Ik denk hoeden.'

'Waarvoor heeft een vrouw zoveel hoeden nodig?'

Nu was het Ty's beurt om zijn schouders op te halen. 'Ik ben nooit getrouwd geweest.' Om precies te zijn was hij er één keer in de buurt gekomen, toen zijn ex-vriendin LuAnn hém een aanzoek had gedaan. Hij wist alleen niet of die keer telde, omdat hij schreeuwend was weggerend. Hij was niet tegen het huwelijk. Voor andere mensen dan.

'Mijn ex-vrouw nam nooit een hoedendoos mee als ze op reis ging.'

'Ik wist helemaal niet dat je getrouwd bent geweest.' Hij keek op toen coach Nystrom en doelverdedigerscoach Don Boclair de bus in stapten.

'Ja. Ik ben vijf jaar geleden gescheiden. Ik heb een zoontje. Zijn moeder kon dit leven niet aan, snap je?'

Hij snapte het. Het scheidingspercentage onder ijshockeyers was hoog. Ze waren de helft van het lange seizoen onderweg, en alleen een sterke vrouw kon het aan om thuis te blijven terwijl haar man onderweg was om hard te werken, groots te leven en puckgroupies op een afstand te houden.

Of niet. Getrouwd zijn met een ijshockeyer had Ty's moeder krankzinnig gemaakt; tenminste, dat had ze beweerd. Maar misschien was ze altijd al krankzinnig geweest, zoals zijn vader verkondigde. Wie zou het zeggen? Het enige wat zeker was, was dat ze was gestorven aan een giftige combinatie van Klonopin, Xanax, Lexapro en Ambien. De dokters hadden het een toevallige overdosis genoemd. Ty was daar niet zo zeker van. Het leven van zijn moeder was altijd één lange emotionele achtbaan geweest, en of ze was geboren met een mentale ziekte of ertoe was gedreven, het resultaat was hetzelfde. Ty's moeder had gevochten tegen een depressie die haar het leven had gekost. Hij maakte zich geen zorgen dat hij net zo verdrietig en depressief zou eindigen als zijn moeder. Hij maakte zich zorgen dat hij te veel op zijn vader leek en zich nergens iets van aantrok.

Ty schoof de dikke mouw van zijn jas naar boven en keek op zijn horloge. In Seattle was het net acht uur geweest en hij vroeg zich af wat zijn vader ging doen in de tijd dat hij weg was. Behalve wat hij altijd deed: Ty's bier opdrinken en naar ESPN kijken. Pavel logeerde nu twee weken bij hem. Twee weken waarin zijn vader zijn backswing oefende en in stripclubs rondhing. Twee weken, en het leek er niet op dat hij van plan was om snel weg te gaan.

De deur van de bus ging open en Jules kwam binnen, gevolgd door Faith. De assistent ging bij het raam zitten, terwijl Faith een zitplaats aan de andere kant van het gangpad koos, twee rijen bij Ty vandaan. Ze zette haar hoedendoos op haar schoot en legde haar handen tegen de zijkanten. Het licht weerkaatste in haar platina trouwring met de enorme diamanten en scheen op haar rode nagels.

Net als daarstraks, toen ze het vliegtuig was binnengekomen, viel er een stilte als een zware stenen muur. Alle ijshockeyers in de bus werden omringd door veel mooie vrouwen, en door veel strippers. Sommige spelers waren zelfs naar feesten in de Playboy Mansion geweest. Maar om de een of andere reden stonden al die brutale ijshockeyers door deze voormalige playmate met hun mond vol tanden. Waarschijnlijk was dat omdat ze zoveel macht over hen had. Nog waarschijnlijker was het omdat ze ongelofelijk mooi was. Of misschien was het allebei.

'Luister, mannen,' zei coach Nystrom voor in de bus. 'We hebben vanmiddag een training en daarna zijn jullie op jezelf aangewezen. Morgenochtend volgt er dan nog een lichte training. We hebben morgenavond een belangrijke wedstrijd; ik hoef jullie niet te vertellen dat jullie je moeten gedragen.' Hij ging op de eerste rij zitten. 'Oké, chauffeur,' zei hij. 'We gaan.' De buschauffeur deed de deur dicht en de bus rolde over het asfalt.

Het San Jose Marriott-hotel lag midden in het centrum en niet ver van het HP Pavilion, het ijshockeystadion van San Jose. Tijdens de korte rit naar het hotel vouwde Ty zijn armen over elkaar en keek hij naar de zon die de gebouwen en de rijen palmbomen bescheen. Het was nog vroeg in de play-offs, maar het was heel belangrijk dat ze morgenavond van de Sharks wonnen. Na de training wilde hij wedstrijdbanden bekijken van de verdediging van San Jose en van hun doelverdediger, Evgeni Nabokov. In de wedstrijd van gisteravond had Nabokov drieëntwintig schoten op het doel gestopt. Als hij onder druk stond bleef hij kalm en consequent, maar ook kalme, consequente doelverdedigers hadden slechte avonden. Het was Ty's taak om ervoor te zorgen dat hij wenste dat ze een beginneling hadden gestuurd.

Een paar rijen verder liet Faith haar handen over de hoedendoos glijden; eerst over de bovenkant en daarna weer naar beneden. Haar lange slanke vingers streelden het Louis Vuitton-monogram alsof het een minnaar was. Haar glanzend rode nagels krasten over het oppervlak en Ty's hoofdhuid verstrakte alsof ze hem weer aanraakte.

'Jezus christus,' fluisterde Ty terwijl hij zijn hoofd tegen de rugleuning duwde. Hij was moe en zijn rechterenkel deed gemeen pijn. Hij moest zich concentreren op de wedstrijd tegen de Sharks en hij werd stapelgek van zijn vader, maar dankzij Sam kon hij maar aan één ding denken: wat zat er in die verdomde hoedendoos? Sam fantaseerde blijkbaar over verpleegsters, maar Ty was een lingerieman. Hij hield van kanten jarretels en dijhoge kousen aan zachte dijbenen.

8

Het was hard werken geweest om een trophy wife te zijn. Het betekende meer dan champagnewensen en kaviaardromen. Het betekende dat ze altijd een perfect uiterlijk moest hebben en dat ze naar societyclubs en feesten ging waarvan ze moest leren genieten. Het betekende dat ze soms moest omgaan met mensen die zij niet mocht en die haar niet mochten. Hoewel Virgil Faiths beste vriend was geworden, had hij altijd de baas over haar gespeeld. Daar was nooit enige twijfel over geweest, maar nadat ze zo lang verantwoordelijk was geweest voor haar eigen leven, was het heerlijk dat er iemand anders voor haar zorgde. Dat ze achterover kon leunen en zich geen zorgen hoefde te maken over het betalen van haar rekeningen. Dat haar grootste zorg was welke jurk ze naar de Rainier Club zou dragen.

Virgil had haar nooit tot iets gedwongen waar ze erg op tegen was, maar hij had de leiding gehad. Hij controleerde zijn eigen leven en tevens voor een groot deel dat van haar. Ze had zich gekleed om in zijn leven te passen, en ze had inzicht gekregen in imago en subtiliteit. Dat sexy meer te maken had met wat je verborg dan wat je onthulde. Het was meer dan strakke kleren en opzichtige make-up – iets wat haar moeder nog steeds moest leren.

Voor het eerst in jaren ging Faith die middag shoppen om zichzelf en niemand anders een plezier te doen. Ze vond de winkelstraten in het centrum van San Jose en winkelde bij Burberry en BCBG en Ferragamo. Ze kocht prachtige ontwerpen van Gucci en van een nieuwe Franse designer. Ze kocht vrijetijdskleding van Diesel in kleuren die ze jarenlang niet had gedragen. Ze kocht zachte katoenen T-shirts en spijkerbroeken. Ze kocht ca-puchonsweatshirts die ze van plan was te dragen tijdens andere gelegenheden dan een training. Tegen de tijd dat ze klaar was, was het zes uur later en deden haar voeten pijn.

De zon was ondergegaan en ze wachtte op de stoep voor Cole Haan op een taxi. Haar mobieltje ging over en ze diepte het uit haar Fendi-boodschappentas op.

'Er zitten wat spelers in een Ierse pub niet ver bij het hotel vandaan,' zei Jules in haar oor. 'Je moet daar naartoe gaan en een drankje met ze drinken.'

'Waarom?' Ze had 's ochtends samen met Jules gespioneerd bij een training van de Sharks en 's middags gewinkeld. 'Ik ben uitgeput.'

'Het is een goede manier voor de spelers om je te leren ken-nen. Misschien heb je het nog niet gemerkt, maar ze zijn nogal gespannen als jij in de buurt bent.'

Twee tienermeisjes met ingewikkelde kapsels, strakke zwarte broeken en dikke eyeliner liepen langs haar. Ze keken met som-bere emo-ogen naar haar tassen en schudden hun sombere emo-hoofden over deze walgelijke vertoning van consumentenheb-zucht. 'Ik heb het gemerkt, maar ik weet niet wat ik tegen ze moet zeggen.'

'Wees gewoon jezelf.'

Dat was het probleem. Ze wist helemaal niet meer wie ze was.

'Ik weet dat je grappig en charmant kunt zijn,' zei hij. Hij loog overduidelijk. 'Laat ze een stukje van jezelf zien. Iets anders dan de eigenares van het team en de voormalige playmate en Las Vegas-stripper. Zo zien ze je nu namelijk.' Hij wachtte even. 'Ik wil je niet beledigen,' voegde hij er snel aan toe.

Er reed een taxi langs en ze stak haar hand op om hem te laten stoppen. 'Dat weet ik.' Ze was nooit beledigd door de waarheid. En de waarheid was dat de laatste keer dat ze zoveel sportman-nen om zich heen had gehad, ze geld in haar string hadden ge-stopt en hadden geprobeerd haar aan te raken.

'Je moet een band met ze krijgen. Zorg ervoor dat ze zich prettig voelen als ze bij je in de buurt zijn, terwijl ze tegelijkertijd een gezond respect voor je houden als eigenares van de Chinooks.'

Dat klonk behoorlijk lastig. 'Kunt u de tassen in de kofferbak leggen?' vroeg ze aan de chauffeur. Ze haakte haar pink in de mouw van haar lichte wollen jasje en keek op haar horloge. 'Het is bijna zeven uur.'

'Ik weet het. Happy hour is bijna voorbij, dus haast je.'

Ze wilde niets liever dan heerlijk lang in het bubbelbad liggen, een donzige hotelbadjas aantrekken en iets van roomservice bestellen. 'Goed. Ik kom nu naar het hotel.' De chauffeur deed de deur voor haar open en ze ging zitten.

'Ik wacht in de foyer op je. We moeten wat dingen bespreken voordat we naar de pub gaan.'

'Wat? Waarom?'

'Terwijl jij vanmiddag hebt gewinkeld, ben ik naar de training van de Chinooks gegaan om aantekeningen te maken.'

'Ik ben moe. Ik kan niet meer. Ik kan niet nog meer informatie opnemen. Je moet een beetje gas terugnemen.' De taxichauffeur ging achter het stuur zitten en ze gaf hem het adres van het hotel. 'Ik betaal je niet per uur, Jules.'

'Je zei dat je niet stom wilde overkomen in het bijzijn van de spelers.'

'Goed,' kreunde Faith. 'Je kunt erover praten terwijl ik me omkleed.' Er viel een lange stilte. 'Ik moet me omkleden, Jules. Ik draag al vanaf vanochtend dezelfde kleren.'

'Ik heb je verteld dat ik geen homo ben.'

Ze fronste haar voorhoofd terwijl de taxi van het enorme parkeerterrein wegreed. 'Dat weet ik.'

'Je kunt je niet voor mijn ogen omkleden,' zei hij. Hij klonk een beetje verwijtend. 'Dat is niet professioneel.'

Ze rolde met haar ogen. 'Ik was van plan me in de badkamer om te kleden.'

De Ierse pub beweerde de meest authentieke in San Jose te zijn. Het kon Ty niet schelen of hij 'authentiek' was, zolang hij achterin kon zitten, *shepherd's pie* kon eten en een pint Guinness kon drinken. De play-offbaarden om hem heen varieerden van het haveloze Siberische randje van Vlad tot het babydons van Logan. Ty was soms bijgelovig, maar hij trok de grens bij kriebelbaarden.

'De aanvallen van de Sharks zijn snel, maar ze hebben er geen succes mee,' zei Ty terwijl U2's 'With or Without You' uit de geluidsinstallatie van de pub stroomde. Hij nam een slok van het donkere bier en likte daarna langs zijn lippen. Hij had de ochtend en een deel van de middagtraining doorgebracht met het bekijken van wedstrijdopnames van San Jose, en hij was bezorgder over hun verdediging dan over hun vermogen om te scoren. 'Het publiek vindt snelheid prachtig, maar het zorgt er niet voor dat de puck in het net eindigt. Clowe is hun topscorer, maar hij vestigt geen records met de punten en doelpunten die hij maakt.'

'De verdediging is goed.' Frankie 'de Sluipschutter' Kawczynski nam een hap van zijn lendenbiefstuk. 'Als Nabokov in vorm is, kan het lastig worden om te scoren.'

Sam grinnikte. 'Ik hou wel van een uitdaging.'

Ty nam een laatste hap en duwde zijn bord weg. 'Als Marty net zo speelt als gisteravond, is er geen enkele reden waarom we ze niet in de aanval én in de verdediging kunnen verslaan,' zei hij over hun eigen doelverdediger.

Alexander Deveraux stond op en gooide geld op tafel. 'Ik heb een afspraak met wat jongens in een bar aan de andere kant van de stad. Ik heb gehoord dat ze daar goede muziek draaien en dat er hete serveersters in kleine pakjes rondlopen.' Hij greep zijn leren jas, die over de rugleuning van zijn stoel hing. 'Wil er iemand een taxi met me delen?'

Ty schudde zijn hoofd. Ook als zijn enkel minder pijn had gedaan, was hij niet gegaan. Hij was in honderden barretjes in honderden steden geweest, en hij was er pasgeleden achter gekomen dat hij niets miste als hij niet ging.

Daniel en Logan stonden op en pakten hun portefeuilles. 'Wij gaan mee.'

'Ik ook.' Vlad gooide twee briefjes van twintig op tafel. 'De Californische meisjes ebben een beetje Vlad nodig.'

Ty lachte. 'Laat je broek niet zakken, anders maak je de Californische meisjes bang.' Meer dan één Amerikaanse vrouw was gillend weggerend voor Vlads enorme onbesneden penis.

'Dat doe iek niet meer.' Vlads diepe Russische lach vermengde zich met de laatste tonen van U2. Vladimir Fetisov speelde inmiddels tien jaar in de NHL en had flink wat actie gezien, zowel op als buiten het ijs. Een paar jaar geleden had hij een relatie gekregen met een kleine Servische kunstrijdster. Zij vond zijn enorme penis blijkbaar geen probleem.

'Doen jullie voorzichtig,' voelde Ty zich gedwongen te zeggen. Als aanvoerder moest hij voor zijn spelers zorgen. 'Ik wil niet dat jullie betrapt worden met een minderjarige schaatsgroupie. En kom niet slap naar de training omdat jullie te veel hebben gedronken en iemand in de bar hebben versierd. Daarmee kun je alles verknallen. Jullie kunnen je energie beter voor de wedstrijd bewaren.'

Ze liepen lachend weg. Twee serveersters ruimden de tafel af waaraan Ty en vijf andere spelers zaten en maakten hem schoon. Hij bestelde nog een Guinness en sloeg hem achterover terwijl Sam en Blake begonnen aan de eeuwenoude discussie wat de beste wedstrijd was die ooit in de NHL was gespeeld.

'1971,' zei Sam vastbesloten. 'De tweede wedstrijd van de eerste serie play-offs tussen Boston en Montreal.'

'De US die de Sovjets hun vet gaven tijdens de Olympische Spelen van 1980,' zei Blake, een boerenjongen uit Wisconsin.

'Dat was natuurlijk 1994,' zei Jules terwijl hij naar de tafel toe liep. 'New York tegen New Jersey. In de Eastern-bekerfinale. Messiers korteafstandsgoal met minder dan twee minuten op de klok was het mooiste moment in de geschiedenis van de NHL.'

Ty keek op. '1996,' zei hij. 'De vierde wedstrijd in de kwartfinale tussen Pittsburgh en Washington. Die wedstrijd werd vier keer verlengd, waarna de Pens na honderdveertig minuten niets-ontziend ijshockey eindelijk wonnen.' Zijn blik ging naar de vrouw die achter Jules liep. Een zwarte wollen broek omspande haar billen en viel losjes langs haar lange benen naar haar rode pumps. Het zwarte donzige vestje, dat haar grote borsten be-dekte, sloot met kleine parelknoopjes en haar goudblonde haar was achterovergekamd in een paardenstaart. Ze droeg enorme diamanten in haar oren en haar lippen waren dieprood gestift. Ze zag er fantastisch en elegant uit. Helemaal niet als een strip-per. Maar waarom zag hij dan voor zich dat ze de voorkant van haar vestje openrukte en het daarna naar hem toe gooide? Het waren die verdomde naaktfoto's van haar.

Ty stond op. 'Hallo, mevrouw Duffy.'

'Hallo, meneer Savage,' zei ze boven het lawaai en de muziek in de pub uit. Haar blik bleef even op hem rusten voordat ze haar aandacht richtte op de andere spelers, die ook opstonden. 'Goedenavond, heren. Mogen we erbij komen?'

Ty haalde zijn schouders op en ging weer zitten. De andere vijf spelers struikelden over hun woorden in hun pogingen om haar te verzekeren dat ze het geweldig vonden als ze erbij kwam. Ty wist absoluut zeker dat het grote onzin was.

'Wat hebt u de hele dag gedaan, mevrouw Duffy?' vroeg Blake in een poging om een gesprek met de eigenares te beginnen.

'Ik ben naar het centrum van San Jose gegaan en heb mijn creditcards leeggekocht.' Ze ging naast Ty zitten en pakte de menukaart. 'Ik heb gewinkeld tot ik erbij neerviel. Ik heb een prachtige trui gevonden bij BCBG. In fuchsia.' Twee slanke vin-gers met glanzend rode nagels gleden langs het menu. 'En een prachtige leren jas bij Gucci. In scharlakenrood. Normaal ge-sproken draag ik nooit zulke felle kleuren. Die zijn gewoon te opvallend en roepen "kijk naar me". Dat is net alsof je op- en neerspringt en zwaait in een menigte om aandacht te krijgen.' Haar vingers stopten onder aan het menu. 'En ik heb jarenlang geen leer gekocht... behalve schoenen en tassen. Maar...' Ze haalde haar schouders op. 'Ik heb besloten om gevaarlijker te gaan leven. Waarmee ik de dijhoge laarzen en bijpassende lamsleren hobotas waarschijnlijk kan verklaren. Het laatste wat ik nodig heb is nog een hobotas.' Ze keek naar de spelers, die met verschillende variaties van verbijstering op hun gezicht naar haar staarden. 'Ik neem de gegrilde zalm en een Guinness,' zei ze tegen de serveerster die tijdens haar monoloog naar hun tafel was gekomen. Ty wist niet of ze zenuwachtig of dronken of allebei was.

Jules, die aan de andere kant van de tafel zat, bestelde een biefstuk en een Harp. 'En die arme portier moest al je tassen naar je kamer sjouwen.'

'Hij heeft een flinke fooi van me gekregen.' Ze gaf de menukaart aan de serveerster. 'Maar pas toen ik alles in mijn kamer had uitgespreid, realiseerde ik me dat er misschien niet genoeg ruimte voor al mijn tassen is in de bagageruimte van het vliegtuig.'

'Eh, tja,' mompelde Johan Karlsson.

Ze keek hen om de beurt aan met glanzende ogen en een prachtige glimlach met rechte witte tanden en volle rode lippen. Ty kon de spelers bijna collectief naar adem horen snakken. 'Jullie vinden het toch niet erg om wat van jullie uitrusting achter te laten?'

'Zoals?' vroeg Sam terwijl hij zijn biertje oppakte. 'Wij reizen niet met onnodige bagage.' Hij nam een slok en voegde eraan toe: 'Behalve als je Jules meerekent. Die neemt veel ruimte in beslag.'

'Jouw ego neemt ook veel ruimte in beslag,' antwoordde Jules.

Faith keek op en leek erover na te denken. 'Nee, ik heb Jules nodig. Maar jullie hebben toch niet zoveel ijshockeysticks nodig?' Ze keek hen om de beurt aan. 'Volgens mij is één stick per persoon voldoende. Toch?'

De spelers hielden geschokt hun adem in. Iedereen wist dat de ijshockeysticks van de spelers, die urenlang waren geslepen tot de kromming precies goed was, heilig waren. Zelfs voor een voormalige Playmate van het Jaar die toevallig de eigenares van het team was lieten de spelers ze niet bereidwillig achter. Beschermers en helmen? Eventueel. Hun ijshockeysticks? Geen enkele kans.

De ijshockeyers aan de tafel keken onzeker naar Ty, alsof ze verwachtten dat hun aanvoerder zich ermee zou bemoeien en iets zou doen.

Faith lachte. "'t Was maar een grapje, jongens.' Ze maakte een handgebaar, waardoor de enorme briljant die ze nog steeds droeg fonkelde. 'Als er niet voldoende ruimte is, laat ik het hotel het transport verzorgen.'

Ty glimlachte bijna. Niemand kon zo raaskallen en mensen op stang jagen als een ijshockeyer. Faith Duffy was er niet heel erg goed in, maar voor een beginner was ze ook niet slecht.

'Jules en ik hebben naar de training van de Sharks gekeken,' zei ze toen haar bier was gebracht. 'We hebben met verrekijkers in de skybox gezeten. Het was allemaal heel stiekem en spionageachtig.' Ze nam een slok en likte het schuim van haar bovenlip. 'Ze lijken veel snelheid te hebben, maar ik ben er niet van overtuigd dat ze de puck net zo goed kunnen schieten als wij.'

Ty voelde zijn wenkbrauwen omhoogschieten.

'Ik denk dat we ze in de aanval moeten verslaan,' voegde ze eraan toe terwijl ze naar achteren leunde en haar armen over elkaar sloeg. 'Wij zijn beter in puckbezit en het profiteren van uitvallen.'

Sam keek naar Ty alsof er net een buitenaards wezen aan hun tafel was geland. Een verschrikkelijk sexy buitenaards wezen dat praatte over ijshockey en klonk alsof ze wist waar ze het over had. Nog maar een paar weken geleden had ze Terror Ted willen contracteren. Hij vroeg zich af of ze begreep wat ze zei.

'Eh, ja,' stamelde Sam. 'We hadden het er net over dat we ze in de aanval moeten verslaan en hun doelverdediger moeten bombarderen met schoten.'

Behalve de geur van voedsel en bier rook Ty haar parfum. Hij herkende de geur van de fotoshoot.

'Ik weet niet veel over hun doelverdediger.' Ze bracht een hand omhoog en speelde met het bovenste knoopje van haar vest. 'Maar ik heb gelezen dat hij niet consequent is.'

'Je moet niet alles geloven wat je leest,' zei Ty tegen haar. Ze keek met haar groene ogen over haar schouder naar hem. 'Die fout maken veel mensen.'

'Dat ze geloven wat ze lezen?'

'Ja.'

'Ik heb gelezen dat je niet meer welkom bent in Canada. Is dat waar?'

'Min of meer.'

'Ik heb ook gelezen dat je denkt dat de Stanley Cup wordt gewonnen door het team dat de beker het liefst wil.'

'Waar heb je dat gelezen?'

'*Hockey News.*'

'Ik herinner me niet dat ik dat heb gezegd.'

'Dat was niet het enige wat je hebt gezegd.' Ze liet haar stem iets dalen. 'Je exacte woorden waren dat het afhankelijk is van wat een man in zijn broek heeft.'

Dat klonk meer als een uitspraak van hem. 'Dat is iets anders dan het genoeg willen.' Hij nam een slok van zijn biertje en zette het daarna op tafel terug. Hij wilde niet over de inhoud van zijn broek praten. Niet met haar. Niet nu die inhoud in de gaten had hoe ze rook en hoe haar vestje over haar borsten spande.

'Op welke manier is het anders?'

Hij keek in haar grote groene ogen, die werden omringd door dikke zwarte wimpers. 'Dat is gewoon zo.' Haar wangen waren zacht en perfect gevormd. Hij liet zijn blik van haar volle mond, kin en fragiele hals naar de bovenste knoop van het vestje glijden. Hij wilde dingen met haar doen. Hete, zweterige dingen waarvan hun huid aan elkaar ging plakken. Hij wilde dingen die hem zwaar in de problemen zouden brengen.

'Op welke manier is het anders?' drong ze aan.

'Angel of Harlem' stroomde uit de geluidsinstallatie en hij vroeg zich af wat hij moest antwoorden. Als ze een man was, zou hij nu geen erectie hebben. 'Je kunt iets willen, mevrouw Duffy, maar dat betekent niet dat je het krijgt. Soms is willen niet voldoende.' En omdat ze aandrong, voegde hij eraan toe: 'Soms komt het inderdaad neer op instinct en de inhoud van je broek.'

Ze giechelde alsof ze helemaal niet geschokt was.

'Inhoud is altijd belangrijk,' ging Ty verder. 'Bijna net zo belangrijk als talent.' En omdat ze bespraken wat ze over hem had gelezen, boog hij een stukje naar haar toe en fluisterde: 'Ik heb ook iets over jou gelezen. Ik heb gelezen dat je hotdogs haat en gek bent op crème brûlée.'

Ze fronste haar wenkbrauwen verward. 'Hoe heb je…? Aha.' Haar verwarring verdween en ze glimlachte. 'Dat is waar. Waar heb je het blad vandaan?'

'Een van de spelers.'

'Natuurlijk.' Ze draaide haar gezicht naar hem toe en voor alle anderen leek het alsof ze dicht bij elkaar praatten om boven de muziek uit te komen. Haar mond was maar een paar centimeter van de zijne verwijderd. 'Ik neem aan dat het tijdschrift is rondgegaan.'

'Ik heb het een paar weken geleden gekregen.'

'Waarom heeft het zo lang geduurd?'

'Sam heeft er de tijd voor genomen.'

Ze pakte haar biertje en lachte, niet in het minst beschaamd. 'Die foto's zijn heel lang geleden genomen.'

Niet zó lang geleden. Hij dacht aan haar lichaam met de lange parelketting.

'Je denkt aan de foto's, hè?' vroeg ze achter haar glas.

Hij gaf geen antwoord.

Ze glimlachte. 'Dat lijkt me wel zo eerlijk.'

'Wat bedoel je?'

'Omdat ik, helemaal tegen mijn wil in, en ongeacht wat ik verder probeer in mijn hoofd te krijgen, niet kan stoppen met aan je "inhoud" te denken. Het is erg verontrustend.'

Hij grinnikte en ze keek naar hem alsof er een hoorn midden op zijn voorhoofd groeide. 'Wat is er?'

'Volgens mij heb ik je nog nooit horen lachen.'

Natuurlijk had hij gelachen.

'Hé, mevrouw Duffy,' riep Sam over de tafel. 'Kent u de meiden uit *The Girls of the Playboy Mansion*?'

'Ik denk niet dat dat een gepaste vraag is,' zei Jules waarschuwend. Ty moest toegeven dat de assistent waarschijnlijk gelijk had, wat betekende dat het gesprek dat hij net had gehad helemaal niet door de beugel kon.

Faith glimlachte. 'Het hindert niet, Jules. Ik heb Holly en Bridget in de Mansion ontmoet. Er waren ook andere meisjes, maar Kendra woonde er toen nog niet.'

'Hoe is Hef?'

'Hij is aardig.' Haar zalm arriveerde en ze legde haar servet op haar schoot.

Hij was ook oud. Net als Virgil. Wat was het met haar en oude mannen? O ja. Geld.

'Hij is ook een erg slimme zakenman,' ging ze verder.

'Ben je naar veel feesten geweest?'

'Als Playmate van het Jaar ben ik bij meerdere feesten gastvrouw geweest. Zo heb ik Virgil ontmoet.' Ze kneep citroen over haar vis en pakte haar vork. 'Hef en hij waren goed bevriend.'

'Word je nog steeds uitgenodigd?'

'Af en toe, maar de afgelopen jaren kon Virgil niet meer zulke verre reizen maken, dus gingen we niet meer.'

Om de een of andere onverklaarbare reden voelde Ty zich ongemakkelijk bij de gedachte aan Virgils oude handen op haar gladde, jonge lichaam. Hij had er geen flauw idee van waarom het hem iets kon schelen. Misschien was het de Guinness. Hij was gewend aan Canadees bier, en een paar zware biertjes hadden altijd een enorm effect op hem.

'Misschien kun je een uitnodiging voor de Mansion voor ons regelen,' hield Sam vol.

Ze keek op en glimlachte. 'Als jullie de Stanley Cup winnen, zal ik zien wat ik kan doen.'

De hakken van Faiths rode pumps klikten in de foyer terwijl ze naar de rij liften liep. Ze had Jules en Darby Hogue, die verdiept waren in een gesprek over ijshockey en transfers, in de pub achtergelaten. Het was even na tien uur en Ty en de andere hockeyers waren om negen uur uit de pub vertrokken. Ze wist niet waar ze naartoe waren gegaan. Ze hadden het niet gezegd, maar het was zaterdagavond en ze vermoedde dat ze wat barretjes in de stad onveilig gingen maken.

Ze drukte op de knop en de lege lift ging open. De achterwand bestond uit een spiegel en ze keek naar zichzelf terwijl de deuren dichtgingen. Ze trok het elastiek uit haar paardenstaart en krabde over haar hoofdhuid terwijl de lift naar boven gleed. Het was een lange, uitputtende dag geweest en ze was moe. Ze had een lichte hoofdpijn van het Ierse bier of de paardenstaart of allebei.

Een paar verdiepingen hoger stopte de lift en de deuren gleden langzaam open. Centimeter voor centimeter verscheen Ty Savage in de spiegelwand. Hun ogen ontmoetten elkaar in de spiegel en ze hielden elkaars blik vast terwijl hij instapte. Hij droeg nog steeds het diepblauwe overhemd en de spijkerbroek die hij eerder had gedragen, en ze voelde een zenuwachtige tinteling in haar maag. Ze draaide zich om en begon als eerste te praten om haar zenuwen te verbergen. 'We komen elkaar steeds in liften tegen.' Ze wist niet waarom hij haar zo zenuwachtig maakte. Misschien was het zijn lengte. Lange mannen hadden haar altijd al zenuwachtig gemaakt.

Hij knikte naar haar en drukte op de knop voor de verdieping boven die van haar.

'Ik dacht dat je was gaan stappen met de andere spelers.'

De deuren gingen dicht en hij leunde met zijn schouder tegen de spiegelwand. 'Ik ga niet stappen tijdens de play-offs. Ik was net in Sams kamer. Ik had zijn kind aan de telefoon.'

'Heeft Sam een kind?' Hij leek nog zo jong.

'Ja. Hij is vijf jaar.' Terwijl de lift naar boven gleed, ging Ty's blik naar beneden. Hij begon bij haar kruin, daalde af via haar gezicht en keel en bleef een paar hartslagen lang bij haar borsten hangen. 'Vind je het vervelend dat de spelers je naakt hebben gezien?' vroeg hij terwijl zijn blik langs haar buik en benen naar haar schoenen gleed.

Ze was eraan gewend dat mannen naar haar lichaam keken, maar met Ty was het anders. De warme kleine tinteling in haar maag werd duidelijker voelbaar. 'Ongeveer vierenhalf miljoen mannen wereldwijd hebben mijn foto's in *Playboy* gezien. Als ik het erg zou vinden dat ze me naakt hebben gezien, zou ik mijn huis niet meer uit komen.'

Zijn blik gleed langzaam langs haar lichaam omhoog en hij keek in haar ogen. 'Dat betekent dus nee?'

'Dat betekent nee.'

De deuren gingen open en ze stapte de lift uit.

'Hoe lang ben je met Virgil getrouwd geweest?' vroeg hij terwijl hij haar volgde.

'Vijf jaar.'

'En hoe oud ben je nu? Een jaar of dertig?'

'Ik ben net dertig geworden.' Ze keek naar hem op. 'Je hebt het recht niet om over me te oordelen. Je weet niets over mijn leven. Soms doe je wat je moet doen om te overleven.'

'Niet alle vrouwen kiezen ervoor om zich naakt te laten fotograferen of met een oude man te trouwen om te overleven.'

Hij klonk boos. Alsof het verdomme zijn zaak was. 'Niet alle vrouwen hebben mijn leven geleefd.' Pedante klootzak. Ze liep door de gang naar haar kamer terwijl hij naast haar bleef lopen. 'Is jouw kamer op deze verdieping?'

'Nee, maar die van jou wel.'

'Breng je me naar mijn kamer?' vroeg ze, terwijl ze geen moeite deed om haar irritatie te verbergen.

'Ja.' Hij klonk er niet bijzonder gelukkig over.

'Waarom? Je hoeft me niet naar mijn kamer te brengen.'

'Ik ben een aardige vent.'

Ze lachte zonder humor en keek naar hem vanuit haar ooghoeken. 'Als je dat gelooft, lijd je aan waanvoorstellingen. Misschien heb je iets te vaak een stomp tegen je hoofd gekregen.' Ze bleef staan bij haar deur aan het eind van de gang, zocht in haar grote tas en haalde de kaartsleutel eruit. 'Je bent niet aardig.'

'Er zijn vrouwen die me heel aardig vinden.'

'Er zijn heel veel woorden die ik zou kunnen gebruiken om jou mee te omschrijven, Ty Savage.' Ze schudde haar hoofd en tikte tegen zijn borstkas met haar kaart. '*Aardig* hoort daar niet bij.'

Hij pakte haar hand vast en duwde haar handpalm tegen zijn borstkas. 'En die zijn?'

Door de warmte van zijn aanraking kromden haar vingers tegen de harde spieren van zijn borstkas. Hij stond zo dicht bij haar dat ze de geur van zijn aftershave op zijn warme huid rook. 'Wat bedoel je?'

'Hoe zou je me dan omschrijven, mevrouw Duffy?'

Ze probeerde haar hand terug te trekken, maar zijn greep verstrakte. 'Het eerste woord dat me te binnen schiet is "onbeschoft".'

'En?'

Ze likte over haar lippen en staarde in zijn sexy diepblauwe ogen. 'Chagrijnig.'

'En?'

De warmte van zijn aanraking verspreidde zich via haar arm naar haar borstkas. Ze slikte moeizaam en plotseling kon ze niet meer denken. Ze wist niet of het door de Guinness of de feromonen kwam. 'Groot.'

Een lichte glimlach rimpelde zijn ooghoeken en zijn blik verplaatste zich naar haar mond. 'Waar?' vroeg hij met een lage stem.

Ze vroeg zich af hoe het zou zijn als hij haar zoende. Als hij zijn mond op de hare duwde. Als ze naar voren boog en zijn hals kuste en zijn huid tegen haar tong proefde. 'Wat bedoel je?'

'Maakt niet uit. Wat vind je nog meer van me?'

Ze haalde diep adem en vergat uit te ademen. Ze vroeg zich af hoe het zou voelen als ze aan een kant van zijn hals omhoog en aan de andere kant naar beneden likte.

'Waar denk je aan?'

Ze voelde zich plotseling warm en duizelig en liet per ongeluk Layla naar buiten. 'Dat ik je tatoeage wil likken,' fluisterde ze.

Zijn wenkbrauwen schoten omhoog. Ze had hem blijkbaar zo geschokt dat hij niet wist wat hij moest zeggen. Opnieuw probeerde ze haar hand van zijn borstkas weg te trekken, en opnieuw verstrakte zijn greep. *Dat ik je tatoeage wil likken?* Een hete golf van vernedering steeg op naar haar hals en verhitte wangen. Ze was moe en in de war, daarom was Layla naar buiten geglipt. Faith Duffy praatte er niet over dat ze dingen wilde likken. Vooral niet als het om tatoeages ging. 'Dat had ik niet moeten zeggen.' Ze deed een stap naar achteren en hij deed een stap naar voren. 'Dat was niet netjes. Ik neem het terug.'

Hij trok haar dichter naar zich toe terwijl zijn zachte lach haar wang kietelde. 'Je kunt het niet terugnemen. Je hebt het al gezegd.' Hij streelde met zijn vrije hand over haar arm naar boven en via haar schouder naar de zijkant van haar hals. 'Je hebt je haar los.'

'Ik heb hoofdpijn.'

'Ik vind het mooi als het loshangt.' Hij streelde met zijn duim over haar kaak en liet een warm spoor achter op haar huid terwijl hij haar gezicht omhoog hief. 'Dit mogen we niet doen, mevrouw Duffy.'

Ze wilde opnieuw een stap naar achteren doen, maar op de een of andere manier wankelde ze dichterbij. 'Wat niet?'

'Jij. Ik.' Hij bracht zijn gezicht naar beneden en streelde met zijn lippen over haar mond. 'Dit.' Hij verplaatste zijn zachte, vochtige mond naar haar hals en haar tenen in de rode pumps krulden. Ze kon niet slikken of ademhalen of verder denken dan het brandende verlangen naar meer. Ze stond doodstil, bang om te bewegen. Bang voor wat ze zou doen, maar vooral bang dat hij zou stoppen.

Het was zo lang geleden. Zijn mond was als een hete gloed op haar huid, een overbelasting van haar zintuigen waardoor alle eenzame plekken in haar binnenste die ze de afgelopen vijf jaar had genegeerd, ontwaakten. Hij likte met zijn tong over haar lippen, en haar borstkas verstrakte en deed pijn en haar knieën dreigden te bezwijken. Ze pakte zijn schouders vast om niet te vallen en hield haar hoofd schuin. Haar lippen gingen uit elkaar en de warme, zijdezachte aanraking van zijn tong veroorzaakte net zo'n steekvlam als een brandende lucifer die in een plas benzine valt. Ze wilde branden en hem laten branden. Hij smaakte naar bier en seks en ze wilde hem hebben. Een lage kreun ontsnapte aan haar keel, haar borsten voelden zwaar en haar tepels verstrakten tot harde genotspunten.

Ty legde zijn hand op haar onderrug. Hij gleed langs haar wervelkolom naar boven en trok haar dichter naar zich toe, tot haar borsten tegen de voorkant van zijn overhemd duwden. Ze liet één hand langs zijn nek omhoog glijden en woelde met haar vingers door zijn haar. Hij duwde de volle, hete lengte van zijn harde lichaam tegen haar aan en ze voelde zijn erectie tegen haar onderbuik. Zijn strakke spieren, de warme adem die zich met de hare vermengde en zijn lange, harde penis die tegen haar buik duwde, maakten de kwellende behoefte aan de aanraking van een man wakker. Ze wilde zijn handen en mond overal op haar lichaam. Ze was altijd gek geweest op dit gedeelte. Dit toewerken naar een redeloos verlangen, waardoor ze haar zelfbeheersing verloor en alles vergat, en waarin het alleen nog belangrijk was om zo lang mogelijk zo veel mogelijk te voelen. Het begerige vastklampen, vlak voordat je kleren uitgingen.

Hij trok zich terug, keek haar met zijn donkerblauwe ogen aan en hijgde alsof hij net een marathon had gelopen. Hij perste zijn mond weer op de hare en de zoen werd heter. Een diepe kreun vibreerde in zijn keel en ze kreeg het gevoel dat Ty het soort man was dat niet zou stoppen voor hij had afgemaakt waaraan hij was begonnen. Dat hij haar kon geven wat ze nodig had om het vuur te blussen dat over haar huid raasde en tussen haar dijbenen eindigde. Dat hij zou liefhebben alsof hij ijshockey speelde. Dat hij een man was die door bleef gaan tot zijn taak erop zat.

Er ging een deur open en weer dicht. Ty duwde haar weg. 'Dit mogen we niet doen,' zei hij naar adem snakkend.

Ze knikte, liet één hand naar zijn achterhoofd glijden en duwde haar open mond tegen zijn keel. 'Mmm,' kreunde ze terwijl ze aan zijn warme huid zoog. Hij smaakte heerlijk. Als een man. Als een man die ze overal wilde zoenen.

Hij legde zijn handen op haar schouders, maar duwde haar niet weg. Zijn vingers verkrampten in haar huid. 'Dit is niet goed, mevrouw Duffy.'

'Maar zo heerlijk.' Ze zoog harder.

'Luister naar me,' zei hij ademloos terwijl hij zijn vingers in haar huid begroef.

Ze beet in zijn oorlelletje en fluisterde: 'Niet stoppen. Raak me aan, Ty. Raak me overal aan.'

'O god,' kreunde hij alsof hij pijn had. 'Je bent een prater.'

'Alsjeblieft. Raak me aan. Ik wil je.'

Hij deed een stap naar achteren en hield haar op een armlengte afstand. 'Dit mogen we niet doen,' herhaalde hij, en dit keer klonk het alsof hij het meende.

Een gefrustreerde kreun ontsnapte aan haar lippen. 'Waarom niet?'

'Er staat te veel op het spel.' Hij liet zijn handen van haar schouders glijden en deed nog een stap naar achteren. 'Mijn carrière is me meer waard dan jij.'

9

Een gestage stortbui doorweekte Seattle terwijl de United-vlucht uit San Jose op Sea-Tac Airport landde en naar de gate taxiede. Faith zat in de toeristenklasse met haar Fendi-tas op schoot. Het was jaren geleden sinds ze toeristenklasse had gevlogen. Ze was vergeten hoe krap het was. Hoewel dat haar op dit moment niets uitmaakte. Als Jules geen vlucht voor haar had kunnen boeken, had ze vleugels laten groeien en was ze zelf naar huis gevlogen. Of ze had een auto gehuurd en was gereden. Jezus, ze had zelfs willen lopen. Het had haar niet uitgemaakt wat het kostte; ze moest weg uit California.

Ze was een lafaard. Wegrennen alsof ze schuldig was aan een misdaad en niet onder ogen willen zien wat ze had gedaan. Misschien zou ze Ty op een bepaald moment weer onder ogen kunnen komen. Misschien zou ze volgende week, of volgende maand, of volgend jaar, in staat zijn om zich met hem in één ruimte te bevinden zonder dat ze terugdacht aan de ondraaglijk pijnlijke situatie waarin ze hem zoende en aanraakte en hem meer wilde dan ze een man ooit had gewild. Hij had haar weggeduwd en ze had zijn brede schouders en donkere hoofd zien verdwijnen toen hij haar alleen en verward achterliet in de gang.

Ze zou hem natuurlijk weer onder ogen moeten komen, maar niet vandaag. Ze kon het gewoon niet verdragen om hem tijdens de terugvlucht uit San Jose te zien. Waarschijnlijk morgen ook niet, zolang haar gedrag en zijn afwijzing nog zo vers in haar geheugen stonden.

Ze was een lafaard, maar het gevoel dat ze een lafaard was viel in het niet bij het gevoel dat ze haar echtgenoot had bedrogen.

Nadat ze Ty had gezoend en zichzelf belachelijk had gemaakt, was ze naar bed gegaan en had ze de hele nacht wakker gelegen, omdat er een vreselijk schuldgevoel was opgelaaid, dat een gat in haar maag brandde. Virgil was dood, maar ze voelde zich nog steeds getrouwd. Ze had het gevoel dat de zoen – die hete, alles-verterende zoen die ze met Ty had gedeeld – een mes in de rug van haar dode echtgenoot was. Juist omdat het zo heerlijk was geweest. Zo heerlijk dat ze alles had willen doen om het te laten voortduren. Om het heter en langer te laten branden. Om hem op te drinken en op te zuigen en dingen voor hem te voelen die ze nooit voor Virgil had gevoeld. Hete, wellustige dingen die ze wilde doen met een man die hete, wellustige dingen met haar deed.

Ze pakte haar jasje en hoedendoos uit het bagagecompartiment en liep door het gangpad. Het was vroeg in de middag, maar ze voelde zich nog net zo vernederd en verward als op het moment dat ze voor haar hotelkamer stond en Ty zag weglopen. Hoe had hij haar zo kunnen achterlaten? Hij was net zo opgewonden geweest als zij was. Ze had zijn keiharde erectie tegen haar lichaam gevoeld, en toch was hij in staat geweest om weg te lopen. God-zijdank had hij dat gedaan, hoe vernederend het ook was geweest. Naakt wakker worden met een van haar ijshockeyers was zo verschrikkelijk verkeerd. Ver voorbij acceptabel. Hij werkte voor haar. Hemel, hij kon haar waarschijnlijk laten vervolgen voor seksuele intimidatie of zoiets. Wat een ramp.

Ze stak haar armen in de mouwen van haar jasje en hing haar tas over haar schouder. Hoe had het zover kunnen komen? Uitgerekend met hem? Er was maar één verklaring voor.

Layla.

De vrouw die ze had gecreëerd om te kunnen omgaan met de harde realiteit van haar leven als stripper. De vrouw die het niet erg vond om een lapdance te doen omdat het goed verdiende. De vrouw die had gefeest tot de zon opkwam en dol was op een shot goede tequila. De vrouw die gek was op lekkere, hete, zweterige seks met een mooie man.

Ze was nu Faith Duffy. Ze had Layla niet meer nodig. Layla veroorzaakte alleen problemen.

Haar Louis Vuitton-rolkoffer stond bij de bagageband op haar te wachten en ze trok hem naar het terrein voor lang parkeren. Haar nek en schouders deden pijn van de vlucht en het kostte haar moeite om de koffer in de kofferbak van haar Bentley te tillen. Tegen de tijd dat ze bij het penthouse was, wilde ze alleen nog in bed kruipen en het dekbed over haar hoofd trekken.

Pebbles' gekef begroette haar toen ze de deur van haar appartement opendeed. Ze pakte haar hoedendoos en reed de koffer naar binnen. De gordijnen waren dichtgetrokken voor de immense ramen die uitkeken op Elliot Bay, en de grote zitkamer lag in een inktachtige schaduw. De vlammen van de gashaard likten aan de namaakhoutblokken en 'Let's Get It On' van Marvin Gaye stroomde uit de speakers van haar geluidsinstallatie.

'Mam?' riep ze terwijl ze het licht aandeed.

'Faith!' Haar moeder zat op handen en knieën in het midden van de zitkamer. Achter haar knielde een man, en behalve de geschokte uitdrukking op hun gezicht waren ze allebei helemaal naakt.

'O!' Ze draaide zich om en keek naar de kale muur terwijl háár geschoktheid in haar vermoeide brein gonsde. 'O mijn god!'

'Wat doe jíj hier?' riep Valerie.

'Ik woon hier!' Terwijl Marvin zong, brandden haar wangen van afgrijzen over wat ze net had gezien. Haar moeder betrappen was nog net zo afschuwelijk als toen ze veertien was geweest. Of tien. Of zeven. Jezus, het was gewoon elk jaar afschuwelijk. Ze wees achter zich. 'Wie is dat in vredesnaam?'

'Ik ben Pavel Savage,' zei de man.

Haar mond viel open terwijl ze naar de ruwe, crèmekleurige muur voor zich keek. 'Ty's vader?'

'Je zou morgenavond pas terugkomen,' zei haar moeder beschuldigend.

'Wat heeft dat ermee te maken? Je hebt seks. In mijn zitkamer.'
O god. 'Wat is er mís met je?'

'Er is niets mis met me.'

'Met de vader van een van mijn ijshockeyers!' ging ze verder terwijl ze een hand op haar gloeiende wang legde. En niet gewoon een vader, maar de vader van de ijshockeyer met wie ze gisteravond had gezoend.

'We zijn volwassen, Faith.'

'Dat kan me niet schelen.'

'Je kunt je omdraaien.'

Terwijl Marvin verder zong draaide ze zich langzaam om, alsof ze er niet op vertrouwde wat ze te zien zou krijgen. Haar moeder had een rode zijden ochtendjas aangetrokken terwijl Pavel zijn spijkerbroek dicht ritste.

'Ik dacht dat Sandy bij je logeerde.'

'Die is weer naar huis.'

Pavel liep naar haar toe en stak zijn hand uit. 'Het is een genoegen je te ontmoeten, Faith.'

Ze deed haar handen achter haar rug en schudde haar hoofd. 'Misschien een andere keer. Je hebt je handen net... je weet wel.'

'Faith!' Haar moeders adem stokte alsof haar dochter iets had gedaan om geschokt over te zijn.

Er verschenen rimpels rond Pavels blauwe ogen en hij gooide zijn donkere hoofd bulderend van de lach achterover. Op de rimpels en het lachen na leek hij veel op zijn zoon. 'Ik begrijp het.' Hij pakte het zwarte overhemd dat over de rug van de bank lag. 'Hoe was de reis?'

'Wat?' Wilde hij weten hoe haar reis was geweest? Jezus, deze mensen waren niet goed bij hun hoofd.

'Hoe gaat het met zijn enkel?'

'Wat?' vroeg ze opnieuw. Haar moeder was nog geen twee weken in de stad en ze had al seks in Faiths huis. Faith had nog nooit seks gehad in het penthouse.

'Hoe gaat het met Ty's enkel?'

'O. Eh… ik weet het niet. Ik ben voor de wedstrijd vertrokken. Ik voelde me niet goed en ben naar huis gegaan.'

'Wat is er dan met je?' wilde haar moeder weten.

'Ik heb iets opgelopen.'

Pavel knoopte zijn overhemd dicht. 'Ik hoor dat er griep heerst. Misschien moet je rusten en veel drinken.'

Stond ze hier echt met Ty's vader over griep te praten? Terwijl hij zich aankleedde?

'Je moet even gaan zitten.' Haar moeder legde een hand op Faiths voorhoofd. 'Je voelt warm.'

Dat kwam doordat het bloed naar haar hoofd was gestegen. Ze sloeg haar moeders hand weg. 'Het is prima met me.' Of dat zou in elk geval zo zijn als ze de afgelopen vierentwintig uur kon vergeten.

'Het spijt me, Pavel,' zei Valerie terwijl ze naar de geluids-installatie liep en Marvin afzette.

Het spijt me, Pável? Faith had haar moeder net naakt op han-den en knieën betrapt. Iets wat een kind niet hoorde te zien, en als ze het beeld ermee kwijt kon raken, zou ze haar ogen uit-steken. Wat dacht ze van 'het spijt me, Fáíth'?

'Het hindert niet, Val.' Hij stopte zijn overhemd in zijn broek. 'We gaan nog heel wat prettige momenten met elkaar beleven.' Hij stopte zijn voeten in een paar laarzen en pakte zijn leren jas.

'De volgende keer nemen we een hotel,' beloofde Valerie ter-wijl ze met Pavel naar de deur liep.

'Doe dat alsjeblieft.' Faith pakte haar hoedendoos en rolde de koffer door de hal naar haar slaapkamer. Ze kon zweren dat ze haar moeder en Pavel hoorde zoenen op het moment dat ze de deur van haar slaapkamer dichtdeed. Ze gooide haar hoeden-doos op het bed, ritste hem open en haalde haar schone onder-goed eruit. Jaren geleden was ze haar bagage verloren en nu had ze haar sieraden en andere benodigdheden altijd bij zich tijdens commerciële vluchten.

'Echt ongelofelijk dat je dat hebt gedaan,' zei haar moeder terwijl ze de deur opendeed en haar slaapkamer in liep. 'Je vernedert me waar Pavel bij is.'

Faith keek over haar schouder terwijl ze naar de mahoniehouten commode liep. 'Je had seks in mijn zitkamer, alsof je een tiener bent,' zei ze tegen haar moeder. 'Je moet je schamen. Jezus, je bent vijftig.'

'Mensen van vijftig genieten ook van seks.'

Dat was het punt helemaal niet. Ze trok een la open en legde haar ondergoed erin. 'Niet met een vreemde in het huis van hun dochter.'

'Jij was er niet en Pavel is geen vreemde.'

'Ik weet het.' Ze deed de la dicht en liep naar haar bed, dat was opgemaakt met een rood zijden dekbed. Haar moeder en Pavel waren gewoon een ramp die op het punt stond plaats te vinden. Dat was onoverkomelijk, zoals altijd. 'Hij is de vader van Ty Savage. Had je niet iemand anders kunnen nemen dan de vader van mijn aanvoerder?'

'Je hebt toch gezien hoe Pavel eruitziet?' vroeg ze, alsof dat alles verklaarde.

'Ja. Ik heb meer van hem gezien dan ik wilde.'

Valerie sloeg haar armen onder haar grote borsten over elkaar. 'Ik heb nooit begrepen hoe je een stripper en een playmate kunt zijn, en toch zo preuts kunt zijn als het om seks gaat.'

Ze was nooit preuts geweest. Verre van dat. Ze was alleen geen nymfomane, zoals haar moeder. In tegenstelling tot wat mensen van haar dachten, om het werk dat ze destijds deed en de manier waarop ze zich kleedde, was ze seksueel nooit bijzonder actief geweest. Bovendien was ze altijd in staat geweest om zich te beheersen. Behalve gisteravond natuurlijk. Ze had het idee dat dat niet zozeer seks was geweest, maar het bevredigen van een behoefte die in vijf jaar was opgebouwd. Het was alleen heel erg dat die behoefte in het bijzijn van Ty Savage naar buiten was gekomen.

'Hoe kun je in de *Playboy* gestaan hebben en tegelijkertijd willen leven als een non? Dat snap ik niet.'

Strippen en in de *Playboy* staan had nooit iets met seks te maken gehad. Dat was om geld gegaan. Faith had die twee dingen altijd gescheiden gehouden. Ze had eerder geprobeerd dat aan haar moeder uit te leggen en ze had er geen behoefte aan om dat nog een keer te doen. Voor haar moeder waren seks en sexy zijn hetzelfde, en ze zou het nooit begrijpen. Zelfs niet als ze haar best daarvoor deed. Wat ze niet zou doen. 'En ik heb nooit begrepen dat je naar bed kunt gaan met mensen die je nauwelijks kent.'

'Ik ken Pavel.'

'Je bent hier pas twee weken!'

'Het kostte maar één seconde om de chemie te voelen.' Haar moeder zat op de rand van het bed en Pebbles sprong naast haar op en neer. Valerie knipte met haar vingers. 'Het is een vonk die overslaat.'

'Maar daar hoef je toch niet altijd iets mee te doen,' zei Faith terwijl Pebbles in de hoedendoos sprong, een paar rondjes draaide en gemakkelijk ging liggen.

'Als je dat soort hartstocht onderdrukt, explodeer je op een gegeven moment en doe je ondoordachte dingen. Voordat je het weet, lig je naakt en met handboeien om op het bed van de een of andere man die Dirk heet en een liniaal op zijn penis heeft getatoeëerd.'

Faith stak een hand op om haar moeder de mond te snoeren. 'Oké, laten we erover ophouden. Ik wil het niet weten.' Ze zat absoluut niet te wachten op verhalen over haar moeders exploderende hartstocht. Hoewel ze na gisteravond, toen ze zelf min of meer was 'geëxplodeerd' in de gang van het Marriott, eigenlijk niet in een positie was om er iets over te zeggen. Als ze eerlijk was moest ze toegeven dat ze al heel lang niet op zo'n manier was geëxplodeerd. De laatste keer die ze zich kon herinneren was met een ex-vriendje op zijn Harley. Of liever gezegd, ze hadden geprobéérd om op zijn Harley te vrijen en dat was niet echt gelukt.

'Ik begrijp je niet,' zei Valerie.

'Ik weet het. En ik begrijp jou niet. Ik begrijp niet hoe je dezelfde fouten met mannen kunt blijven maken. Toen ik vijftien was, ben ik gestopt met het tellen van de mannen die ons leven binnenkwamen en er weer uit wandelden.'

'Ik weet dat ik fouten heb gemaakt,' zuchtte Valerie, alsof dat helemaal niet erg was. 'Elke ouder maakt wel eens een fout.'

Wel eens? Valerie was zeven keer getrouwd en minstens tien keer verloofd geweest.

Faith stak haar hand in de hoedendoos en tastte onder Pebbles' lange vacht naar haar sieradenetui. De hond gromde en ontblootte zijn witte tanden. 'Als je me bijt, schop ik je van het balkon af,' waarschuwde ze.

'Luister maar niet naar haar, Pebs,' zei Valerie terwijl ze haar hand uitstak om de hondenkop te krabben. 'Ze is gewoon jaloers.'

'Op een hond!'

'Jij niet. Pebbles natuurlijk. Dat wordt zusterlijke rivaliteit genoemd. Ze beschouwt je als een zus en denkt dat ze met je moet concurreren om mijn aandacht. Ik heb erover gelezen in een boek.'

Omdat Valerie geen boeken las, nam Faith aan dat ze het verzon. Ze pakte het sieradenetui en trok het onder de hond vandaan.

'Ik denk niet dat Pebbles het prettig vindt dat je haar mama de les leest.'

Haar mama. Faith kokhalsde bijna. 'Ik lees je niet de les. Ik vind alleen dat je meer respect voor jezelf moet hebben.'

'Ik heb respect voor mezelf.' Haar moeder knoopte de ceintuur van haar ochtendjas dicht en streek de zijde glad over haar benen. 'Je bent de fatsoenspolitie niet, Faith. Je bent met een oude man getrouwd om zijn geld. Het is bepaald niet aan jou om me de les te lezen over fatsoen.'

In het begin van haar huwelijk was dat absoluut waar geweest. 'Jij voelt je alleen veilig als er een man in je leven is.' Ze rolde het zijden etui uit en liet haar diamanten in haar handpalm rollen. 'Ik zoek mijn veiligheid in geld. We kunnen geen van beiden claimen dat we erg veel fatsoen hebben.'

'Geld is een armzalige plaatsvervanger voor liefde.'

'Ik had allebei met Virgil.'

Haar moeder zuchtte en rolde met haar ogen.

'Het was een goed huwelijk.'

'Het was een passieloos, seksloos huwelijk met een man die oud genoeg was om je opa te zijn.'

Faith liep de grote inloopkast in, die volhing met kleren in verschillende tinten beige, wit en zwart. 'Je zult mijn relatie met Virgil nooit begrijpen. Hij heeft me een fantastisch leven gegeven,' zei ze terwijl ze de cijfers van de kluis intoetste en hem opende.

'Hij heeft je geld gegeven in ruil voor vijf jaar van je leven. Vijf jaar van je jeugd die je nooit terugkrijgt,' riep Valerie haar na. Faith zag ervan af Valerie erop te wijzen dat Virgil haar óók geld had gegeven. Voldoende om niet te hoeven werken. 'Je kunt geen gelukkig leven hebben zonder passie,' voegde haar moeder eraan toe.

Faith haalde een blauw fluwelen blad vol Tiffany- en Cartier-oorbellen uit de kluis. Met passie kon je geen schoenen voor je kinderen kopen als de zolen versleten waren of eten om hun maag te vullen. Passie voorkwam niet dat de deurwaarder de auto van je moeder aan zijn kraanwagen haakte en hem bij de caravan vandaan sleepte terwijl de andere kinderen op het caravanterrein wezen en lachten omdat zij beter af waren dan jij.

Faith keek naar de glinsterende stenen in allerlei vormen en kleuren. Passie haalde het misselijkmakende gevoel niet uit je maag dat je maar één maandsalaris verwijderd was van een leven in een steeg naast een afvalcontainer achter het Hard Rock Hotel.

'Die houden je 's nachts niet warm.'

Ze keek naar haar moeder, die een paar meter bij haar vandaan stond. Ze bestudeerde de rimpels bij haar ooghoeken en het Farrah Fawcett-kapsel dat in de war zat door de handen van een man. Faith sliep onder een dekbed dat was gevuld met het dons van Hongaarse witte ganzen om haar 's nachts warm te houden. Daar had ze geen man voor nodig.

Ze legde haar diamanten op het blauwe fluwelen blad. Ze had geen man nodig voor warmte of geld. Passie werd overschat en was bovendien niet blijvend. Haar moeder was daar absoluut een voorbeeld van.

Faith had alles wat ze nodig had. Ze had nergens een man voor nodig. En ja, ze wist dat de mensen zeiden dat ze haar lichaam in plaats van haar hersenen had gebruikt om te krijgen wat ze wilde.

En wat dan nog? Het kon haar niet schelen. Het enige wat belangrijk was, was dat het allemaal van haar was en dat niemand het van haar af kon pakken.

10

Op maandagmiddag zat Faith in een vergadering met de coach, Darby Hogue en de scouts om over het aankopen van spelers te praten. Ze had een knoop in haar maag van de zenuwen. Er stond een televisiescherm in de vergaderruimte en ze bekeken film na film met vrije spelers en mogelijke junioren-kandidaten. Hoewel alle transfers tot het eind van het seizoen waren bevroren, was de transferafdeling nog steeds op zoek naar nieuw talent, en Jules had het belangrijk gevonden dat Faith aanwezig was bij de vergadering. Terwijl de mannen in de zaal discussieerden over de spelers op het scherm, voelde ze zich net zo zenuwachtig als een zondaar in een kerk. Ze vroeg zich af of Ty nonchalant binnen zou komen lopen, met zijn koele en tegelijkertijd sexy uiterlijk. Ze vroeg zich af of er mannen in de kamer waren die wisten dat ze had geprobeerd om de aanvoerder van het ijshockeyteam met haar mond te verleiden. Ze was er vrij zeker van dat Ty niet het type was om zoiets rond te bazuinen en dat hij ook niet zou willen dat zo'n verhaal de ronde deed. Ze kende hem echter niet goed genoeg om zeker te weten of hij niet over haar zou praten met de andere spelers, die het op hun beurt weer konden doorvertellen.

Ja, hij had haar eerst gezoend, maar zij was degene die was doorgegaan en niet meer wilde stoppen. Die wilde verdergaan tot ze allebei naakt waren.

'Kan ik iets voor u halen, mevrouw Duffy?' vroeg de assistent van de coach terwijl hij een andere band in de recorder stopte.

Een Xanax. Ze glimlachte en schudde haar hoofd. 'Nee, dank je.' Haar handen lagen losjes in haar schoot, schijnbaar ontspannen en kalm terwijl de zenuwen door haar lijf gierden en ze elke keer schrok als er iemand langs het kantoor van coach Nystrom liep. Ty liet zich echter niet zien en niemand begon over de ongelukkige gebeurtenis in San Jose.

Die avond wonnen de Chinooks hun tweede wedstrijd van de drie die ze tegen de Sharks moesten spelen. Faith koos ervoor om in plaats van de wedstrijd een liefdadigheidsbijeenkomst bij te wonen. Virgil en zij hadden de afgelopen zomer kaartjes voor het diner gekocht, voor duizend dollar per couvert. Ze besloot om in haar eentje te gaan en mee te doen aan de veiling, die bedoeld was om geld in te zamelen voor Artsen zonder Grenzen.

Ze trok haar strakke zwarte Donna Karan-jurk aan en deed een snoer parels met drie rijen rond haar hals. Toen ze de danszaal van het Four Seasons in liep, zag ze verschillende vrouwen die ze van de Gloria Thornwell Stichting kende. Ze draaiden hun hoofd van haar af alsof ze haar niet kenden. De glinsterende kandelaars schenen op de elite van Seattle terwijl ze een glas Moët van het blad van een passerende ober pakte. Aan het begin van de zaal stonden Landon en zijn vrouw met een aantal van Virgils beste vrienden. Ze feliciteerden elkaar met de een of andere aankoop. Ze bracht het glas naar haar lippen en haar blik bleef rusten op de leden van de Seattle Symphony, die op een verhoogd podium speelden. Toen ze naar het bord liep waarop de artikelen stonden vermeld die werden geveild, zag ze de blikken van de trophy wifes met wie ze vijf jaar lang was omgegaan. Ze zag medelijden en angst in hun ogen, waarna ze zich van haar af draaiden, bang om oogcontact te maken met iemand die hun toekomst vertegenwoordigde.

'Hallo, Faith.'

Ze keek over haar schouder naar de vrouw van Bruce Parsons, Jennifer Parsons, een trophy wife die maar een jaar ouder was dan Faith.

'Hallo, Jennifer. Ik zie dat je het gepeupel trotseert.'

Jennifer glimlachte gespannen. 'Hoe is het met je?'

'Iets beter. Ik mis Virgil nog steeds.'

Ze praatten een paar minuten en beloofden aan het eind van het gesprek om elkaar te bellen om een afspraak te maken voor een lunch die nooit zou plaatsvinden.

Toen de bel voor het diner ging, bleek ze naast Virgils lege stoel te zitten. Het verdriet om zijn afwezigheid nestelde zich in haar hart. Hij was een sterke, stabiliserende invloed in haar leven geweest en ze miste hem. Nu hij er niet meer was, moest ze zelf sterk zijn.

Aan de andere kant van de tafel negeerden Landon en zijn vrouw Ester haar volkomen, terwijl ze hun minachting zwijgend in venijnige golven overbrachten. Als Virgil nog had geleefd, had hij van haar verwacht dat ze een glimlach op haar gezicht plakte en hen allemaal zou dwingen om beleefd tegen haar te zijn. Eerlijk gezegd was ze het echter zat om beleefd gedrag af te dwingen van Landon en Ester als ze in hun gezelschap was. Voor sommigen in de zaal was ze voor altijd de vrouw die haar kleren had uitgetrokken voor geld. Ze had echter een vrijheid in dat leven gehad die níéts te maken had met naakt zijn en álles met je er niets van aantrekken wat andere mensen dachten. Er waren maar een paar lagere treden op de sociale ladder dan stripper.

Terwijl ze een vijfgangendiner at dat begon met gesmoorde ribbetjes en rodekoolsalade, praatte ze met de gasten die in haar buurt zaten. Tegen de tijd dat de borden van de vierde gang van de tafel waren gehaald, realiseerde ze zich dat ze er gewoon klaar mee was. Met Landon, zijn vrouw en de mensen die haar nooit zouden accepteren nu Virgil er niet meer was. Na de begrafenis was haar leven in één maand drastisch veranderd.

'Ik heb gehoord dat de Chinooks nog steeds in de play-offs zitten,' zei een van Virgils zakenrelaties, die links van Faith zat. Ze boog een stukje naar voren en keek in Jerome Robinsons vriendelijke bruine ogen. 'Hoe staat het team ervoor?' vroeg hij.

'We doen het goed,' antwoordde ze terwijl er panna cotta met verse bessen voor haar werd neergezet. 'Natuurlijk was iedereen enorm bezorgd toen Bressler uitgeschakeld was, maar Savage heeft het overgenomen en hij levert fantastisch werk. Hij weet het team geconcentreerd te houden. We waren van plan om de spelers voor de play-offs een paar wedstrijden te laten spelen zodat ze het wedstrijdritme in hun benen zouden krijgen en ze zich konden aanpassen voordat we het team gingen samenstellen, maar alles liep zo goed dat er niet veel aangepast hoefde te worden.' Dat had coach Nystrom gisteren gezegd. Ze haalde haar schouders op en pakte haar dessertlepel. 'Onze aanvalslinie heeft tot nu toe een score van drieëntwintig doelpunten en negenentachtig punten in de play-offs gehaald. Ik denk dat we dit jaar een heel goede kans op de beker maken.' Die had ze zelf bedacht.

Jerome glimlachte. 'Virgil zou trots op je zijn.'

Dat hoopte ze, maar het was veel belangrijker dat ze voor het eerst in haar leven trots op zichzelf was.

'Mijn vader was een seniele oude man,' zei Landon aan de overkant van de tafel.

'Je vader was veel dingen,' zei Jerome tegen Landon. 'Seniel hoorde daar niet bij.'

Faith glimlachte en nam een slok van haar dessertwijn. Toen de tafel was leeggeruimd, bleef ze net lang genoeg om een paar keer een anoniem bod te doen. In de garderobe realiseerde ze zich dat ze zich in de korte maand na Virgils dood meer op haar gemak was gaan voelen in een Ierse pub met een stel ijshockeyers dan bij de mensen met wie ze de afgelopen vijf jaar was omgegaan. Niet alle leden van de elite van Seattle waren verwaande snobs. Velen waren als Jerome. Aardige mensen die toevallig meer geld hadden dan God. Het was eerder dat Faith veranderd was; ze was iemand anders geworden. Iemand die ze zelf niet kende. Ze was geen stripper of playmate of de vrouw van een rijke man meer. Het vreemde daaraan was dat ze de nieuwe Faith graag mocht, ook al kende ze haar nog niet goed.

Toen Faith thuiskwam, was Valerie terug van de ijshockeywedstrijd. Ze had samen met Pavel in de skybox gezien hoe de dominantie van de Chinooks resulteerde in een 2-0 overwinning op de Sharks. De wedstrijd van woensdagavond zou in San Jose plaatsvinden en als de Chinooks wonnen waren ze door naar de volgende ronde. Zo niet, dan kwamen de Sharks voor de zesde wedstrijd naar Seattle.

'Pavel wilde dat ik je bedankte voor het gebruik van de skybox.'

'Als je hem weer ziet, mag je hem vertellen dat hij altijd welkom is,' zei Faith, waarna ze naar haar slaapkamer vertrok. Ze ging meteen naar bed en voelde zich vreemd tevreden over haar leven. Ze sliep als een blok, tot ze rond één uur 's nachts voelde dat Pebbles op haar bed sprong en tegen haar buik aan ging liggen.

'Wat doe je?' vroeg ze met een slaapdronken stem aan de hond. 'Ga weg.' Pebbles keek in het donker naar haar met haar kraaloogjes terwijl een gedempt gekreun tot in Faiths slaapkamer doordrong. Faith herkende het gekreun. Valerie en Pavel hadden blijkbaar geen hotel genomen.

De volgende ochtend was Pavel er niet meer en gedroeg Valerie zich alsof hij er nooit was geweest. Toen Faith haar moeder ermee confronteerde, beloofde Valerie om 'stiller' te zijn.

'Ik dacht dat je had gezegd dat je naar een hotel zou gaan,' herinnerde ze haar moeder.

'Elke avond? Dat wordt veel te duur.'

Elke avond? 'Je zou naar zijn huis kunnen gaan.'

Valerie schudde haar hoofd. 'Ik weet het niet. Hij logeert bij Ty. Misschien als Ty weg is. Ik zal het morgen met hem bespreken.' Ze deed haar brede armbanden af. 'Je vindt het toch geen probleem als hij woensdagavond hiernaartoe komt om de wedstrijd samen met ons te zien? Ik vind het een vreselijk idee dat hij helemaal alleen in Ty's huis zit te kijken.'

Ze vroeg zich af waarom haar moeder niet naar hém toe kon gaan. 'Ik vind het niet erg. Zolang jullie niet als een stel tieners aan elkaar zitten en "Sexual Healing" opzetten.'

Valerie wuifde haar bezorgdheid weg. 'Pavel is te veel in beslag genomen door de wedstrijd en kan zich er niet van losmaken.'

De volgende avond vertrokken ze tijdens de eerste pauze echter samen naar Valeries slaapkamer.

'Wat gaan die doen?' vroeg Jules terwijl hij de keuken in liep om een stuk af te snijden van de een meter lange sandwiches die Faith in een plaatselijke delicatessenwinkel had gekocht.

Er klonk een harde bonk tegen de muur, gevolgd door laag gelach en gegiechel. 'Dat wil je niet weten.' Faith schudde haar hoofd en beet in een augurk. 'Mijn moeder en ik hebben afgesproken dat we het er niet over hebben.' Ze nam een slok van haar margarita en liep terug naar de zitkamer. 'Ik probéér ervoor te zorgen dat ze zich eraan houdt.' Pebbles lag op Faiths plek op de bank met haar pootjes rechtop in de lucht. 'Helaas is ze net als haar hond niet erg goed in het opvolgen van commando's.

Jules ging naast Pebbles zitten en krabde met zijn vrije hand over de buik van de hond. 'Je hebt gisteravond een mooie wedstrijd gemist.'

Faith ging op de leuning van de bank zitten en keek over haar schouder in zijn groene ogen. 'Ik was bij een liefdadigheidsfeest.' Ze dacht aan Landon en fronste haar voorhoofd. 'Helaas was dit waarschijnlijk de laatste liefdadigheidsbijeenkomst. Landon en zijn vrienden hebben ervoor gezorgd dat ik een persona non grata ben.'

'Ik weet wel iets als je wilt deelnemen aan een liefdadigheidsevenement,' zei Jules tussen twee happen van zijn sandwich door. 'Je kunt van de zomer meespelen in de golfwedstrijd die de Chinooks Foundation organiseert.'

'Ik heb nog nooit van de Chinooks Foundation gehoord.'

'Ze organiseren elk jaar een golfwedstrijd om geld bijeen te brengen. Ik weet zeker dat je welkom bent en het zou leuk voor je zijn.'

Grote borsten en golf gingen niet samen. 'Nee, dank je. Ik ben beter in het organiseren van bijeenkomsten en het uitschrijven van cheques.'

'Ik weet dat de stichting ook andere dingen doet om geld bij-een te krijgen. Ik kan me erin verdiepen als je dat wilt.'

Dat zou ze inderdaad leuk vinden. In elk geval was het iets waar ze vertrouwd mee was. 'Graag.'

'Heeft Darby met je gepraat?'

'Nee.' Faith keek naar de televisie en de laatste vijf minuten van de tweede periode. Na de eerste twee periodes van de wed-strijd stonden de Chinooks met één doelpunt aan de leiding, maar ze moesten nog een periode en er kon dus nog van alles ge-beuren. 'Waarom?'

'Hij wil je laten interviewen door een plaatselijke journaliste, Jane Martineau,' zei hij.

Faith had over Jane gehoord. Ze had haar columns in het Life-deel van de *Post Intelligencer* gelezen. 'Ze schrijft toch over het leven in Seattle?'

'Ja, maar ze is sportjournaliste voor *The Seattle Times* ge-weest. Op die manier heeft ze haar echtgenoot ontmoet, Luc Martineau. Ik weet niet of je het je kunt herinneren, maar Luc was de doelverdediger van de Chinooks tot hij een paar jaar ge-leden afscheid van de sport heeft genomen.'

Faith had maar één vraag. 'Wanneer?'

'Zodra Darby het kan regelen. Waarschijnlijk in de loop van de volgende week, zodat het samenvalt met de nieuwe reclame-borden van Ty en jou.'

'Welke foto gaan ze gebruiken?'

'Ik weet het niet zeker, maar dat horen we morgen tijdens de pr-vergadering.'

Pavel en Valerie kwamen de zitkamer weer in en om de pijn-lijke stilte te vullen, vroeg Jules: 'Wat denk je van Dominik Pisani?'

'De verdediger van Pittsburgh? Hij is snel en weet hoe hij een puck moet opvangen.' Pavel en Valerie gingen op het tweezits-bankje zitten en Pavel legde zijn hand op de rugleuning en streel-de Valeries haar. 'Waarom vraag je dat?'

'Als we in de laatste ronde tegen Pittsburgh spelen, zal hij onze aanvallers hard aanpakken.'

'Dat is waar. Hoe voel je je eigenlijk, Faith?' vroeg Pavel, terwijl hij haar aankeek met de blauwe ogen die zoveel op die van Ty leken.

'Hoe bedoel je dat?' vroeg Faith verward.

'De laatste keer dat ik je zag, was je voortijdig uit San Jose teruggekomen omdat je je niet goed voelde.'

Juist, ja. De dag dat ze hem naakt had gezien. De ochtend nadat ze met zijn zoon in het Marriott had gezoend. 'Een stuk beter. Dank je.'

'Who Let the Dogs Out' dreunde uit de geluidsinstallatie en Faith richtte haar aandacht op de spelers die uit de tunnel kwamen sjokken. Hun onhandige bewegingen werden soepel en gracieus zodra hun schaatsen het ijs raakten.

Ty was een van de laatste spelers die het ijs op stapten. Dit was de eerste keer dat ze hem zag sinds hij haar had gezoend, en ze voelde een vreemde beklemming in haar borstkas en een rusteloos fladderen in haar maag. Op het scherm zoomde de camera in op Ty, die tegenover de aanvoerder van de Sharks op de middenstip stond.

De twee mannen staarden vanonder hun helm naar elkaar en gingen met hun sticks op hun knieën in positie staan. Hun monden bewogen. Ze glimlachten en knikten, maar op de een of andere manier betwijfelde Faith dat ze over het weer praatten.

Ze bracht haar glas naar haar lippen. 'Wat denk je dat ze tegen elkaar zeggen?'

'Ze wisselen gewoon wat beleefdheden uit,' antwoordde Pavel. Jules lachte.

'Wat is er met je?' vroeg Ty aan de Sharks-aanvoerder terwijl hij in zijn ogen keek. 'Menstruatiepijn?'

De andere man lachte. 'Hou je kop. Ik pak je, Savage.'

'Grappig. Dat zei ik ook tegen je zus, de laatste keer dat ik haar zag.'

De scheidsrechter schaatste naar de cirkel en Ty richtte zijn aandacht op de puck die de man in zijn hand hield.

'Ik hoor dat jullie nieuwe eigenares jullie allemaal in watjes heeft veranderd,' zei de Sharks-aanvoerder treiterig.

Nu was het Ty's beurt om te lachen. De scheidsrechter liet de puck vallen, de twee aanvoerders vochten erom en de derde periode begon met een sprint naar het Sharks-doel.

Ty speelde drie minuten, waarna hij naar de bank schaatste en zijn waterfles pakte, terwijl zijn blik naar de eigenarenbox ging. Faith was godzijdank niet met de ploeg meegereisd.

Hij droogde zijn gezicht af met een handdoek en sloeg hem rond zijn nek. Vier dagen geleden had hij Faith gezoend en hij kon niet ophouden met aan haar te denken. Hij wist elk detail nog. Hij herinnerde zich de druk van haar zachte lippen en de smaak van haar mond. Ze had heerlijk gesmaakt, naar bier en hete passie en heerlijke seks. Hij had haar lichaam tegen zich aan getrokken, had haar borsten tegen zijn borstkas geperst en was bijna krankzinnig geworden. Dat was voor haar waarschijnlijk ook zo geweest, want ze had niet bepaald geprotesteerd. Ze had zijn hals gezoend en had hem gevraagd haar overal aan te raken en jezus, wat had hij dat graag gewild. Alles binnen in hem had erop aangedrongen om de kaartsleutel uit haar hand te pakken en haar de hotelkamer in te trekken. Om haar op het bed te duwen en zijn gezicht in haar decolleté te begraven. *Dat ik je tatoeage wil likken*, had ze gefluisterd en verdomme, wat had hij graag gewild dat ze met haar warme mond over zijn huid was gegleden.

Ze was mooi en hij had haar gewild. Hij was eerlijk genoeg om toe te geven dat hij haar nog steeds wilde. Weglopen was een van de moeilijkste dingen geweest die hij ooit had gedaan.

Er klonk een fluitsignaal en Ty richtte zijn aandacht op de wedstrijd in de ijshal. Hij nam zijn aanvoerderschap van de Chinooks serieus. De vierentwintig mannen van het team keken naar hem op. Hij was een voorbeeld en een leider, zowel op als buiten het ijs, en hij wilde niet eens denken aan hun reactie als

ze er ooit achter kwamen dat Faith degene was die hem die zuigzoen in zijn hals had gegeven. Hij wist niet eens dat hij die had,
tot Sam er zondagochtend tijdens de training naar had gewezen.
Hij had het een of andere onzinnige verhaal bedacht over het
versieren van een serveerster in San Jose. Jezus. Dat was natuurlijk eerder gebeurd, maar niet als hij aanvoerder was en de spelers net een preek had gegeven over het versieren van vrouwen.

Walker Brookes schaatste naar de face-offcirkel in het verdedi-
gingsgebied van de Chinooks en wachtte tot de puck zou vallen.

De spelers hadden hem ermee gepest dat hij een serveerster
had versierd en hadden gezegd dat hij vast dronken was geweest,
maar ze hadden hem wel geloofd. Natuurlijk hadden ze hem geloofd. Het zou nooit bij hen zijn opgekomen dat de eigenares
van het team haar hete mond tegen zijn hals had gedrukt en een
zuigzoen op zijn huid had achtergelaten. Hij vond het zelf nog
steeds moeilijk te geloven.

De eigenares zoenen kon een ernstige invloed hebben op zijn
kansen om de Stanley Cup te winnen, en hij vond het ongelofelijk dat hij zo stom had gedaan voor een vrouw. Vooral voor die
vrouw. Hoe graag hij haar ook wilde zoenen en aanraken en
door haar gezoend wilde worden.

De puck viel en Walker vocht erom tot de puck achter hem
schoot, in de wachtende linie van de Sharks-verdediging. San
Jose sloeg de puck over het ijs, en coach Nystrom gebaarde naar
Ty dat hij terug moest komen. Hij stopte de rubberen mondbe-
schermer in zijn mond en trok zijn handschoenen aan.

Pavel Savage was berucht geweest omdat hij met zijn pik dacht
en daardoor fouten maakte. Hij had er gezinnen mee verwoest
en zijn kans om zijn naam op de Cup te krijgen.

Ty pakte zijn ijshockeystick, sprong over de rand en schaatste
naar het midden van het ijs terwijl Walker op de bank ging zitten. Ty was anders dan zijn vader. Faith Duffy zoenen was een
enorme blunder geweest, maar het was een blunder die niet meer
zou voorkomen.

Hij zou niets tussen hem en zijn poging om de Cup te winnen laten komen: geen andere teams die om dezelfde prijs streden; geen verdediging die nog iets meer volume en snelheid moest krijgen; en vooral geen voormalige playmate met grote borsten en zachte lippen.

11

Faith bracht de ochtend voor de pr-vergadering door met haar kleerkast reorganiseren en alle kleren weggooien waarvan ze aannam dat ze ze nooit meer zou dragen. Ze stopte al haar kasjmier twinsets en bezadigde pakjes in dozen en belde de Goodwill.

Ze stond op het punt om te exploderen, of in te storten, of iets anders te doen van irritatie en slaapgebrek. Niet alleen hadden de Chinooks gisteravond in de verlenging verloren, maar ze had haar moeder de hele nacht horen vrijen. Om de zaak nog erger te maken, had Pebbles haar bed in beslag genomen. Hoe kon een kleine hond zo veel ruimte opeisen? Telkens als ze probeerde Pebbles te verschuiven, leek de hond tien kilo aan dood gewicht zwaarder te worden.

En waarom vond ze dat goed, vroeg ze zich af terwijl ze zich aankleedde voor de pr-vergadering. Waarom vond ze alles goed? Haar moeder had blijkbaar besloten om bij haar te komen wonen zonder het aan haar te vragen en smokkelde haar vriend 's nachts naar binnen alsof ze zestien was. De hond die Faith haatte sliep de meeste nachten opgerold bij haar in bed. Ze herkende haar leven niet meer. Het was niet het leven dat ze in Vegas of met Virgil had gehad. Ze stopte haar hoofd vol met ijshockey en probeerde er zo veel mogelijk over te leren. Ze wilde geen fouten maken en mislukken, maar er was nog zoveel wat ze niet wist. En als ze eerlijk was, wist ze niet zo zeker of er ooit een moment kwam waarop ze meer wél dan níét wist.

De kleren die uit California waren nagestuurd, waren gisteren gearriveerd, en ze trok een spijkerbroek en een roze Ed Hardy-T-shirt met een rood hart met vleugels aan. Ze had een schattig paar Uggs gevonden die tot haar knieën kwamen en ze stopte de rechte pijpen van haar spijkerbroek in de laarzen. Het was eind april en nog steeds koud en nat in 'Emerald City'.

Het was druk in de richting van de Key Arena en het kostte haar tien minuten langer dan ze had verwacht om er te komen.

'Deze vinden we leuk,' zei Bo terwijl Faith naast Jules ging zitten. Ze wees naar een van de foto's van Faith en Ty. 'Hij is speels, maar heeft ook spanning.'

Faith keek naar de foto waarop ze met haar voet tussen Ty's dijbenen stond. Haar gezicht was naar de camera gericht en ze glimlachte vrolijk terwijl Ty naar haar keek alsof hij zich kapot ergerde. Wat hij inderdaad had gedaan. Het blauw van zijn trainingsshirt benadrukte de kleur van zijn ogen en de strak op elkaar geklemde kaken accentueerden het dunne witte litteken op zijn kin. Hij was prachtig en heerlijk, en dat alles was verpakt in een chagrijnig omhulsel. Hij liet haar naar adem snakken, liet haar hart overslaan, bezorgde haar vlinders in haar maag. Hij had geen poster of reclamebord of zilveren lijstje nodig. Het enige wat hij hoefde te doen was ademhalen.

De laatste keer dat ze Ty had gezien was op de televisie geweest, toen het publiek in San Jose hem uitjouwde omdat hij hun doelverdediger hinderde. Hij had gediscussieerd met de scheidsrechter en met zijn stick op het ijs geslagen, maar toen hij naar de strafbank schaatste, veranderde het boegeroep van het publiek in gejuich en krulde een kleine glimlach zijn mondhoeken. Wat voor Ty hetzelfde was als een schaterlach.

'Ik vind de linkerfoto beter,' zei Jules. In tegenstelling tot Faith, die zich nonchalant had gekleed voor de vergadering, droeg Jules een feloranje overhemd met zwarte strepen. Hij leek een beetje op een pompoen. 'Dat Faith voor Ty staat geeft de foto diepte. En voor een reclamebord wil je iets met een beetje meer dimensie.' Hij haalde zijn schouders op. 'En de Engel geeft nooit toestemming voor die andere foto.'

'Hoe weet je aan welke foto Ty de voorkeur geeft?' vroeg Faith.

Hadden die twee een band gekregen terwijl zij niet in de buurt was?

'Het is net alsof je je voet op zijn ballen hebt gezet.'

O. Dat was waarschijnlijk niet goed.

'Tja, als grafisch ontwerper die is afgestudeerd in reclame denk ik dat deze een beter verhaal vertelt.' Bo wees naar haar favoriet.

Faith keek naar haar assistent en daarna naar Bo. Die twee wisselden een agressieve blik en Faith vroeg zich af of ze iets had gemist.

Tim, de pr-manager, bemoeide zich ermee. 'Ik ben geneigd om te kiezen voor de foto met de meest speelse uitstraling. Als er goed op gereageerd wordt, houden we de vaart erin en hangen we de andere over een maand op.'

Faith was geen grafisch ontwerper, en ze was nergens in afgestudeerd, maar ze was het met Jules eens. 'Als we deze twee met een tussenpoos van een paar weken ophangen, is het verstandig om te beginnen met de foto waarop ik voor Ty sta en Ty kwaad en uitdagend kijkt.'

'Ik was niet kwaad,' zei Ty terwijl hij binnen kwam lopen. De vergaderzaal leek plotseling een stuk kleiner. Hij droeg een spijkerbroek en een zwarte coltrui met Nike-logo. In tegenstelling tot de andere spelers van het team, die er haveloos uitzagen door de baarden die geluk moesten brengen, schoor Ty zijn gezicht nog steeds. Zijn haar was nat, alsof hij net onder de douche vandaan kwam. Ze had niet verwacht hem hier te zien. Ze had gehoord dat het team aan het trainen was, en ze had aangenomen dat Ty niet bij de vergadering aanwezig zou zijn.

Zijn elektriserende blauwe blik ontmoette haar groene ogen een paar hartslagen lang, waarna hij naar de voorbeeldfoto's toe liep. Hij vouwde zijn armen over elkaar en ging met zijn voeten op schouderbreedte staan. Zijn trui viel losjes rond zijn brede rug en hij droeg een Levi's die zo versleten was dat de achterzakken zijn gespierde billen soepel omvatten. Hij wees naar de foto met haar voet tussen zijn dijbenen. 'Deze ziet eruit alsof mevrouw Duffy haar stiletto op mijn ballen heeft gezet.'

Jules lachte en Faith moest op haar bovenlip bijten om niet hetzelfde te doen.

Bo haalde het elastiekje uit haar weerbarstige paardenstaart. 'Hij vertelt een verhaal.'

'Ja,' beaamde Ty. 'Het verhaal van haar voet die mijn ballen verplettert.'

Bo keek alsof ze Ty met haar lompe Doc Martens wilde verpletteren.

'Dat is absoluut niet het beeld dat we willen uitdragen,' verzekerde Tim de Chinooks-aanvoerder.

'O, ik weet het niet,' zei Faith terwijl Ty zich naar haar omdraaide. 'Ik denk dat er waarschijnlijk heel wat vrouwen zijn die dat wel een aantrekkelijk idee zouden vinden.' Ze keek naar zijn platte buik en de bult achter de vijf knopen van zijn gulp. Ze liet haar blik via de harde spieren op zijn borstkas en het litteken op zijn kin naar zijn blauwe ogen gaan. Ze dacht aan de wedstrijd van gisteravond en de tijd die hij op de strafbank had doorgebracht. 'En ook heel wat mannen.'

'Dat kan wel zijn,' bemoeide Jules zich ermee. 'Maar dat is het thema van deze campagne niet. We willen het idee van een conflict creëren, maar we willen niet dat het erop lijkt alsof Faith de ballen van de Engel verplettert.'

'Dank je, Jules.'

'Graag gedaan, Engel.'

Faith boog haar hoofd om een glimlach te verbergen. Mannen waren zo gevoelig als het om hun ballen ging.

'De foto is te sensueel en speels om dat uit te stralen,' argumenteerde Bo. Ze verzamelde het korte kastanjebruine haar en maakte er weer een paardenstaart van. Terwijl Bo en Jules ruzieden over de foto en Ty's ballen, boorden zijn ogen zich in de hare. Fijne lijntjes rimpelden zijn ooghoeken en ze kreeg het gevoel dat er elk moment een brede glimlach kon doorbreken.

Dat gebeurde natuurlijk niet, maar dat voorkwam niet dat er een hete, sensuele rilling langs haar ruggengraat trok en zich over haar huid verspreidde. 'Ik neem aan dat ik de ballen van de Engel beter niet kan verpletteren. In elk geval niet vandaag,' zei ze. 'Hij moet de beker voor me winnen.'

Eerst de inhoud van zijn broek en nu zijn ballen. Hij moest echt stoppen met dit soort gesprekken met Faith, vooral als er anderen bij waren. Op een bepaalde, zieke manier wond het hem op.

'Ik denk dat we met deze moeten beginnen,' zei Tim terwijl hij naar de foto wees waarop Faith voor Ty stond. 'Dan gebruiken we de foto in de kleedkamer een andere keer. Of we kiezen een andere foto van die shoot,' voegde hij er plotseling uitgeput aan toe terwijl hij naar de deur liep. 'Ik heb een Tylenol nodig.'

'Tim, wacht!' riep Bo hem na terwijl ze hem naar buiten volgde. 'Je hebt mijn ideeën voor de begeleidende tekst nog niet gehoord.'

'Ik heb medelijden met die man,' zei Jules terwijl hij opstond. 'Ik vind haar aardig.'

'Ze is net een agressieve chihuahua die denkt dat ze een pitbull is.'

'Dat vind ik juist leuk aan haar.' Faith stond op en Ty ging met zijn ogen van haar lippen naar het T-shirt met lange mouwen en het hart met engelenvleugels dat haar borsten bedekte. De zwarte broeken en losse beige rokken waren verdwenen. Ze droeg een strakke spijkerbroek en een paar zachte Pocahontas-laarzen. Zonder haar wijde, donkere kleren leek ze jonger, zachter en absoluut minder gespannen.

'Ze is een bitch.'

Faith pakte haar grote leren tas met gouden riemketting. 'Ze is pittig en komt voor zichzelf op.'

'Je moeder komt ook voor zichzelf op, maar ik heb nog niet gemerkt dat je háár pittigheid omarmt.'

'Mijn moeder is niet pittig. Ze heeft problemen.' Faith keek snel naar Ty voordat ze naar de deur liep. 'Het grootste probleem is dat ze zich gedraagt alsof ze zestien is.'

'Mevrouw Duffy!' riep Ty haar na. 'Kun je nog even blijven?' Hij moest wat dingen tussen hen rechtzetten.

'Natuurlijk,' zei ze over haar schouder terwijl ze bij de deur stopte. 'Ik kom zo bij je.' Terwijl ze met haar assistent praatte, keek Ty naar haar blonde haar, haar rug en de metalen knopen op de zakken van haar spijkerbroek. Het was een enorme miskleun geweest om haar te zoenen. Hij kon net doen alsof het niet was gebeurd, maar Ty hield ervan om potentiële kwesties aan te pakken voordat het grote problemen werden.

Faith draaide zich om en liet de deur een stukje openstaan. 'Gaat dit over laatst?' vroeg ze terwijl ze naar hem toe liep.

'Ja.'

'Goed. Dan weet je het dus.'

Natuurlijk wist hij het. Hij was erbij geweest toen ze aan zijn hals zoog.

'Ik ben er de hele week verschrikkelijk door van slag geweest,' ging Faith verder.

Ty leunde met zijn billen tegen de rand van de tafel en vouwde zijn armen over elkaar. De klank van wat ze zei beviel hem niet.

'In eerste instantie was ik geschokt.' Ze schudde haar hoofd, waardoor haar haar achter een oor vandaan gleed. 'Het was gewoon zo... walgelijk.' Ze vouwde haar armen onder haar borsten over elkaar. 'Ik stond er als verlamd bij.'

Wálgelijk? Ze had zich niet gedragen alsof ze het walgelijk vond toen ze hem zoende alsof het haar werk was en ze er een vette bonus mee verdiende. Hij fronste zijn wenkbrauwen geïrriteerd. 'Je deed wel iets meer dan verlamd zijn.'

'Misschien heb ik iets gezegd. Ik weet het niet, ik was volkomen in shock.' Ze keek naar de neuzen van haar laarzen en het haar dat over haar wangen viel verborg haar gezicht. 'Het staat voor altijd in mijn geheugen gegrift.'

In het zijne ook. Dat was het probleem.

'Hemel, ik zou gewoon een ijspriem willen pakken om het eruit te graven.'

Zijn irritatie veranderde in boosheid en nestelde zich in zijn buik, naast het vernederende deel van hem dat genoot van de aanblik die haar billen in de spijkerbroek boden. 'Misschien had je daaraan moeten denken voordat je me een zuigzoen gaf en me smeekte om je overal aan te raken.'

'Wat?' Ze keek op. 'Waar heb je het over?'

Hij trok een kant van zijn col naar beneden en ontblootte de kleine paarse vlek die ze op zijn hals had achtergelaten. 'Dit.' Hij liet zijn handen zakken en pakte de tafel beet. 'Ik heb het pas de volgende ochtend gemerkt, toen Sam er na de training over begon.'

Ze liet haar tas op een stoel vallen en liep naar hem toe. De koele toppen van haar vingers gleden langs zijn hals terwijl ze zijn col naar beneden trok. De aanraking verspreidde een hitte die zich rechtstreeks van zijn borstkas naar zijn kruis verspreidde. 'Je ziet hem nauwelijks.'

'Hij is al niet zo duidelijk meer.' Hij keek naar haar gezicht en zijn blik ging naar haar mond, die maar een paar decimeter bij hem vandaan was. 'Ik moest een verhaal over een serveerster verzinnen.'

Ze keek in zijn ogen. 'Geloofden ze je?'

De laatste keer dat ze zo dichtbij was geweest, had ze aan zijn hals gezogen en in zijn oorlelletje gebeten. *Raak me aan*, had ze gefluisterd. Jezus, hij wilde haar aanraken, en veel meer dan dat. 'Ja, natuurlijk.'

'Het spijt me.' Ze fronste haar voorhoofd en deed een stap naar achteren. Haar wangen werden rood en ze haalde haar schouders op. 'Ik ben bang dat ik me heb laten meeslepen.'

'Ook al was je geschokt en met walging vervuld?'

'Wat? O. Ik had het niet dáárover.' Ze gebaarde naar zijn hals. 'Ik had het erover dat ik mijn appartement binnenkwam en je

vader op zijn knieën achter mijn moeder vond. Naakt. Vrijend.'
Ze wees naar de grond. 'Op de vloer voor de open haard.'

Nu was het zijn beurt. 'Wat?'

'Jouw vader en mijn moeder... Ik heb ze betrapt.'

'Wacht.' Hij stak een hand omhoog. 'Kent mijn vader jouw moeder?'

'Blijkbaar.'

Hij dacht aan de vrouw die hij de avond van de fotoshoot had ontmoet. Ze had er niet slecht uitgezien, alleen overdreven en een beetje ordinair. Precies het type waar zijn vader op viel. 'En je hebt ze betrapt terwijl ze seks hadden?'

'Ja, het was walgelijk. Ze...' Ze stak haar hand op alsof ze de pijnlijke herinnering wilde tegenhouden. '... deden het op z'n hondjes. Denk ik.'

'Je maakt een grapje!'

'Was het maar waar!'

Hoewel het feit dat zijn vader een relatie had met haar moeder alleen in een complete ramp kon eindigen, leek Faith zo van streek dat hij moest lachen.

'O.' Ze wees naar hem. Haar korte nagels waren lichtroze gelakt. 'Vind je dat grappig? De man die nooit lacht?'

'Ik lach wel.'

Ze wees met haar slanke vinger naar zichzelf. 'Om mij!'

'Maar je ziet er zó geschokt uit dat het leuk is.' Ze zag er ook verontwaardigd en schattig en sexy uit, zoals ze in haar roze shirt en laarzen voor hem stond.

'Als jij had gezien wat ik heb gezien, zou je ook geschokt zijn.'

'Geloof me, ik heb het gezien.' Pavel had nooit expres gepronkt met zijn seksuele escapades, maar hij was ook niet bijzonder discreet geweest. 'De eerste keer was ik een jaar of zeven.' Hij was de zitkamer in gelopen en zag dat zijn vader seks had op het antieke dressoir. Zijn moeder was op dat moment niet thuis geweest.

Haar roze lippen gingen uit elkaar en ze snakte naar adem. 'Ik was vijf! En ze smokkelt hem 's nachts naar binnen en hij verdwijnt voordat ik 's ochtends opsta. Hij is net een geest. Als ze niet zoveel lawaai maakten, zou ik niet eens weten dat hij er was.'

Aha. Dat verklaarde zijn vaders plotselinge verdwijnen en terugkeren. Ty had niet veel van zijn vader gezien, en had al vermoed dat het iets te maken had met een vrouw.

'En ze schoppen Pebbles eruit, die dan bij mij slaapt.'

'Pebbles?'

'De hond van mijn moeder.' Ze duwde haar haar achter haar oren en liet haar armen langs haar zij vallen. 'Pebbles haat me en dat gevoel is wederzijds. Ze bijt en gromt de hele tijd naar me. Behalve als ze iets nodig heeft, zoals een plek om te slapen.'

Hij hield zijn hoofd scheef en keek naar haar. 'Waarom gooi je haar er dan niet uit?'

'Ik heb het geprobeerd,' zei ze met een zucht. 'Maar dan kijkt ze naar me met haar kleine kraaloogjes en dan kan ik gewoon niet zo gemeen zijn. Elke keer dat Pebbles op mijn bed springt, weet ik dat Pavel en mijn moeder naakt in de andere kamer zijn.' Ze trok een gezicht en schudde haar hoofd. 'Het zou me waarschijnlijk niet zoveel uitmaken als mijn moeder niet kreunde en klonk alsof ze wordt vermoord.'

Het was geen reactie die hij zou verwachten van een voormalige stripper en playmate. Vooral een stripper en playmate zonder spijt. Hij had niet echt geweten wat hij had verwacht. Misschien iemand die dacht dat seks geen probleem was, tussen wie het ook was. Dat was in elk geval de houding geweest van de strippers die hij had gekend. 'Hm.'

'Hm wat?'

'Voor iemand die ooit voor geld uit de kleren ging, lijk je niet erg ontspannen met seks om te gaan.'

'Dat was werk.' Ze schudde haar hoofd terwijl ze in zijn ogen keek. 'Strippen heeft niets met seks te maken.'

Dat vond hij onbegrijpelijk. Een naakte vrouw had altijd met seks te maken.

'En dat had de *Playboy* ook niet,' voegde ze eraan toe.

Dat moest ze vertellen aan alle mannen die naar haar foto's keken, omdat het verdomd veel op seks leek. In elk geval voor hem. Hij had het gevoeld. Hij dacht aan de foto met de parels en voelde zijn onderbuik verstrakken. 'Onzin. Je verkocht seks.'

Ze haalde haar schouders op. 'Dat was toneelspel.'

Hij geloofde haar niet, maar al dit gepraat over seks gaf hem het gevoel dat hij zijn handen langs haar dijbenen omhoog wilde laten glijden en haar soepele blote billen wilde omvatten terwijl ze haar hete, vochtige mond weer tegen zijn hals drukte. Hij moest bij haar vandaan, maar hij wilde niet opstaan en weglopen. Zijn spijkerbroek zat los, maar niet zo los. 'Ik bied er opnieuw mijn verontschuldigingen voor aan dat ik je die avond heb gezoend.' Hij keek op zijn Rolex alsof hij ergens naartoe moest. 'Ik had wat te veel bier gedronken. Dat is geen excuus en het spijt me.'

Ze begreep de hint – godzijdank – en pakte haar tas van de stoel naast haar. 'Het was ongepast van ons allebei,' zei ze.

'Laten we de schuld gewoon aan de alcohol geven en vergeten dat het is gebeurd.'

'Dat kan ik wel.' Ze hing de gouden riem over een schouder. 'En jij?'

Hij zou zijn uiterste best ervoor doen. 'Absoluut. Je hebt mijn woord dat het niet meer zal gebeuren.' Ze stond voor hem als een seksueel buffet waar hij roekeloos een duik in wilde nemen. 'Je zou naakt voor mijn ogen rond kunnen rennen en ik zou niets doen.'

Ze trok sceptisch een wenkbrauw op. 'Echt?'

'Ja.' Hij keek naar de volle rondingen onder haar shirt en daarna weer naar boven. 'Je zou dat shirt kunnen uittrekken en ik zou hier gewoon verveeld blijven zitten.'

'Je zou geen spier vertrekken?'

Hij haalde zijn schouders op. 'Ik zou waarschijnlijk gapen.'

Ze liet haar tas op de vloer vallen, kruiste haar armen over elkaar en pakte de onderkant van haar shirt met twee handen vast. 'Weet je zeker dat je niets zou voelen?'

Jezus. 'Ja.'

Ze trok de rand van het shirt omhoog tot er een reep zachte witte huid zichtbaar werd boven de spijkerbroek die op haar heupen rustte. 'Voel je nog steeds niets?'

Ty speelde al langer dan vijftien jaar in de NHL. Hij wist hoe hij een pokerface moest opzetten. 'Niets.' Om zijn gelijk te bewijzen, gaapte hij. Wat moeilijk was, als je bedacht dat hij moeite had met ademhalen.

Ze lachte, een zachte, verleidelijke lach terwijl ze haar shirt omhoogtrok tot boven haar kleine navel, waarin een roze sieraad prijkte. 'Nog steeds niets?'

Het bloed schoot van zijn hoofd naar zijn kruis en hij vocht tegen de verleiding om op zijn knieën te vallen en zijn open mond tegen haar zachte buik te duwen. 'Het spijt me, mevrouw Duffy.' Daarna vertelde hij de grootste leugen van de dag. 'Je bent gewoon niet zo aantrekkelijk.'

Ze trok de rand van het T-shirt nog verder over haar ribben omhoog. 'Vind je?'

'Ja.'

'Veel mannen hebben me verteld dat ik mooi ben.'

'Veel mannen liegen om een vrouw naakt in bed te krijgen.' Het shirt ging nog een paar centimeter omhoog.

'Zelfs vrouwen tot wie ze zich niet aangetrokken voelen?'

Hij keek naar haar zachte buik terwijl ze het shirt omhoogtrok tot net voorbij het roze satijn dat haar borsten omsloot. 'Dat hangt ervan af.'

'Waarvan?'

'Als het na middernacht is en de bar op het punt staat dicht te gaan.' Hij hield zijn adem in en wachtte op meer. 'Veel mensen worden aantrekkelijker naarmate de sluitingstijd nadert. Maar ik ben nooit het soort man geweest dat leugens vertelt om iemand in bed te krijgen. Je kunt waarschijnlijk naar me toe komen en me een lapdance geven en ik zou gewoon in slaap vallen.'

Haar lach werd dieper, alsof ze zijn gedachten kon lezen en

wist dat hij loog. 'Ik heb geen lapdance gegeven sinds ik jaren geleden bij Aphrodite ben weggegaan, maar ik denk dat het net zoiets is als fietsen.' Ze liet het shirt met één hand los en streelde langzaam en doelbewust over haar buik. 'Ik verzeker je dat je niet in slaap zou vallen.' Er was iets heel zondigs en wellustigs aan een vrouw die zichzelf aanraakte. 'Binnen seconden zou je jammeren als een baby en om genade smeken.'

'Dat is een gedurfde bewering, mevrouw Duffy.'

'Ik stel gewoon een feit vast, meneer Savage.' Haar pink gleed naar de rand van haar spijkerbroek en verdween achter de bovenste knoop. 'Krijg je al slaap?'

'Ga door. Ik laat het je weten.'

De top van haar ringvinger volgde haar pink onder de band. 'Verveeld?'

'Behoorlijk.'

'Wacht.' Haar hand stopte, net als zijn hart. 'Valt een lapdance niet onder ongepast gedrag?'

Jezus, nee!

Ze lachte en liet haar shirt los. 'En dat net nadat we elkaar hebben beloofd dat het niet meer zou gebeuren.'

Zijn handen grepen de rand van de tafel om zichzelf ervan te weerhouden de band van haar spijkerbroek vast te pakken en haar naar zich toe te trekken tot ze tussen zijn dijbenen stond, dichtbij genoeg om haar aan te raken. Hij wilde haar vertellen dat ze zich net zo ongepast mocht gedragen als ze wilde. Overal. Zijn bed kwam in zijn gedachten, maar de blik in haar heldere, bijna berekenende ogen hield hem tegen. Terwijl zij hem binnenstebuiten en ondersteboven had gekeerd, voelde ze zelf niets.

Ze pakte haar tas. 'Kunnen we ook vergeten dat dit is gebeurd?'

'Geen enkel probleem. Ik ben het al vergeten,' zei hij terwijl zijn penis tegen zijn buik klopte.

Ze liep naar de deur, maar draaide zich om en keek hem over haar schouder aan. 'Ik ook. Je bent niet de enige die zich verveelde.' De deur zwaaide open voordat ze er was en haar assistent liep naar binnen. 'Wat is er, Jules?' vroeg ze.

Jules keek van haar naar Ty. 'Ik wilde je vertellen dat ik voor volgende week een afspraak heb gemaakt met de manager van de Chinooks Foundation.'

'Dat klinkt goed.' Ze hing haar tas recht en keek nog een laatste keer naar Ty. 'We zien elkaar binnenkort weer, meneer Savage.'

Jules keek haar na. 'Is er iets gaande tussen Faith en jou?' vroeg hij toen ze weg was.

'Nee,' antwoordde hij naar waarheid. Er was niets en er zou ook nooit iets kunnen zijn.

'Het leek erop.'

'Ik ben de aanvoerder van haar ijshockeyteam.' Hij hief zijn handen omhoog en wreef over zijn gezicht. Wat was er verdomme net gebeurd? 'Dat is alles.'

'Ik hoop dat dat waar is. Ze is mijn baas en ik sta mezelf niet toe om zo over haar te denken,' zei Jules.

Ty liet zijn handen zakken. 'Hoe?'

'De manier waarop je naar haar keek. Alsof ze naakt voor je stond.'

Het was zo dicht bij de waarheid dat Ty naar Jules staarde. 'Zelfs al was het waar, dan gaat dat jou niets aan.'

'Haar echtgenoot is net overleden en ze is eenzaam. Ik zou het verschrikkelijk vinden als ze gekwetst raakt.'

Ty vouwde zijn armen over elkaar. 'Je lijkt overbezorgd voor haar gevoelens.'

'Ik maak me inderdaad zorgen over haar, maar ze is een overlever. Ik ben bezorgder over de Chinooks.' Nu was het Jules' beurt om zijn armen te vouwen. 'Wat denk je dat de andere spelers zullen zeggen als jij iets begint met de eigenares van het team?'

'Jij lijkt het te weten, dus waarom vertel je het me niet?'

Jules schudde zijn hoofd en staarde hem aan. Hoe graag Ty hem ook een stomp wilde geven, hij had altijd waardering gehad voor een man die niet achteruitdeinsde als hij wist dat hij gelijk had. En hoe erg Ty het ook vond om het toe te geven, Jules had gelijk. 'Ik denk niet dat ik alle redenen waarom dat enorm stom zou zijn hoef op te noemen. Er is niets wat ons weerhoudt om de Sharks in de volgende wedstrijd te verslaan en naar de derde ronde te gaan. Dan zijn we nog maar twee teams verwijderd van het winnen van de beker. En ik denk dat ik je niet hoef te vertellen hoe het jou en de anderen zou afleiden.'

'Je hebt gelijk. Dat hoef je niet te doen.' Ty stond op. 'Daarom hadden we het erover dat mijn vader een relatie met haar moeder heeft.' Dat was waar. Voordat hij naar haar had gekeken alsof ze naakt was. 'Ik mag je graag, Jules. Als ik je niet mocht, zou ik je gewoon vertellen dat je je niet met mijn zaken moet bemoeien.' Hij liep naar de deur, bleef daar staan en keek hem aan. 'Ik zal dus eerlijk tegen je zijn. Alle spelers van het team hebben die foto's in de *Playboy* gezien. Het heeft geen nut om dat te ontkennen. Jezus, jij hebt ze ook gezien, en Faith lijkt daar helemaal niet mee te zitten. Maar er is een wereld van verschil tussen denken aan haar foto's en een stap verder gaan. Ik kan je verzekeren dat ik niets in de weg laat komen van het winnen van de Cup. Daar hunker ik al vijftien jaar naar. Ik ben er maar één schot in de verlenging van verwijderd dat mijn naam op die beker wordt gegraveerd, en het laatste wat ik van plan ben is dat verpesten.' Hij keek Jules nog even strak aan en liep de kamer uit.

Terwijl hij naar huis reed, dacht hij erover na wat hij moest doen in de wedstrijd van de volgende dag. Ze moesten de verdediging van San Jose opengooien, de tweede ronde beslissen en overgaan naar de derde ronde. Hij dacht aan Faith en Jules. En hij dacht aan zijn vader en Faiths moeder. Waarom moest zijn vader het van alle vrouwen in Seattle juist met haar aanleggen? Ty snapte het niet. Het was alsof Pavel de rattenvanger van Hamelen was en alle vrouwen hem overal volgden.

Hij reed over de drijvende brug van Lake Washington naar

Mercer Island en parkeerde zijn BMW tussen zijn Bugatti Veyron en de Cadillac van zijn vader.

'Jezus, pa,' zei Ty toen hij de keuken binnenliep en zijn sleutels op het donkerbruine granieten aanrecht gooide. 'Je hebt me niet verteld dat Faith Duffy je heeft betrapt terwijl je seks had met haar moeder.'

Pavel draaide zich om en deed de deur van de koelkast dicht. 'Ze zat in California.' Hij maakte een blikje Molson open en haalde zijn schouders op alsof daarmee alles was gezegd. 'Maar ze werd ziek en kwam eerder naar huis.'

Ty betwijfelde of ze ziek was geweest en verdacht haar ervan dat haar plotselinge vertrek uit San Jose meer te maken had met hun zoen in de gang dan met bedorven eten of een griepvirus. 'Waarom heb je me dat niet verteld?'

'Omdat jij altijd je oordeel klaar hebt.' Pavel bracht het blikje naar zijn lippen en nam een slok.

'Nee, je hebt het me niet verteld omdat je wist dat ik het er niet mee eens zou zijn.' Hij zuchtte en schudde zijn hoofd. 'Seattle is een grote stad, pa. Kon je geen andere vrouw dan Faith Duffy's moeder vinden om te neuken?'

Pavel liet zijn biertje langzaam zakken. 'Je praat respectloos, Tyson.'

Dat was een vreemde paradox aan Pavel. Je mocht vrouwen verschrikkelijk slecht behandelen, maar je mocht niet respectloos over ze praten. 'Wat gaat er gebeuren als je haar aan de kant zet?' Ty twijfelde er geen moment aan dat hij dat zou doen. 'Ik wil niet dat er hier straks een hysterische vrouw op de stoep staat.' Zoals alle vrouwen deden als ze ontdekten dat Pavel getrouwd was, of niet van plan was met hen te trouwen, of ze had gedumpt voor iemand anders.

'Val is het type niet om te zeer gehecht te raken. Ze is maar voor korte tijd in de stad, om haar dochter door een moeilijke periode te helpen. Ze is een liefhebbende moeder.'

Daarmee werd een onderwerp aangeroerd waarover Ty had

willen praten. Hij kon niet vanuit het niets aan zijn vader vragen wanneer hij naar zijn eigen huis terugging. 'Wat zijn jouw plannen eigenlijk?' vroeg hij terwijl hij naar de koelkast liep en de roestvrijstalen deur opentrok.

Pavel haalde zijn schouders op en pakte zijn biertje. 'Ik drink een biertje. Valerie heeft me uitgenodigd voor het avondeten. Ik weet zeker dat de twee dames het niet erg vinden als je meegaat.'

Na zijn laatste gesprek met Faith en de enorme erectie die ze hem had bezorgd, ging dat niet gebeuren. 'Ik heb met een paar van de spelers in Conté afgesproken voor een spelletje poker en sigaren.' Hij was absoluut in de stemming om ze een lesje te leren aan de pokertafel.

'Je brengt te veel tijd door in het gezelschap van mannen. Daar krijg je een slecht humeur van.'

'Ik heb geen slecht humeur! Jezus, ik wou dat mensen daarover ophielden.'

Pavel schudde zijn hoofd. 'Je bent altijd veel te gevoelig geweest. Net je moeder.'

Zijn vader kletste weer uit zijn nek. Gevoelig? Net zijn moeder? Ty leek helemaal niet op zijn moeder. Zijn moeder had haar hele leven van de verkeerde man gehouden. Ty had nog nooit van een vrouw gehouden.

'Je moet een vrouw vinden,' stelde Pavel voor. 'Een vrouw die voor je kan zorgen.'

Dat bewees hoe goed zijn vader hem kende. Het laatste wat Ty nodig had was een vrouw in zijn leven. Een vrouw voor even versieren was een ander verhaal, maar zelfs dat was een te grote afleiding. Op dit moment kon hij zich geen afleiding in de vorm van een snelle wip veroorloven.

12

Op maandagochtend liep Jane Martineau Faiths kantoor in de Key binnen. Ze was een kleine vrouw met donker haar en een bril. Jane droeg heel weinig make-up en was van top tot teen in het zwart gekleed. Ze was eerder schattig dan knap, en helemaal niet wat Faith had verwacht van een lifestylejournaliste of de vrouw van de voormalige doelverdediger Luc Martineau.

'Fijn dat je me wilde ontmoeten,' zei ze terwijl ze Faith een hand gaf. Ze legde een zwarte leren aktetas op het bureau en zocht erin. 'Ik heb Darby met fysiek letsel moeten dreigen als hij je niet op zijn minst zou vragen of je geïnterviewd wilde worden. En ik heb zijn vrouw op hem afgestuurd.'

'Ik wist niet dat hij getrouwd was.' Faith had niet geweten wat ze moest dragen voor het interview en had gekozen voor een witte bloes, een zwarte kokerrok en zwarte lakleren pumps met T-bandjes. Ze was duidelijk te formeel gekleed.

Jane pakte een schrijfblok en een pen. 'Met mijn hartsvriendin sinds de basisschool, Caroline. Ik heb ze aan elkaar voorgesteld.'

'Wow. Je ziet je vriendin van de basisschool dus nog steeds?' Faith wist niet waarom ze dat ongewoon vond, behalve dat ze haar vriendinnen van de basisschool al een jaar of vijftien niet had gezien.

'Ik spreek haar bijna iedere dag.'

'Dat lijkt me leuk, om zo lang een vriendin te hebben.' Ze schudde haar hoofd. 'Het was niet mijn bedoeling om zielig te klinken.'

Jane keek door haar bril naar haar terwijl ze in de tas zocht. 'Dat is niet zo. Mensen komen en gaan. Caroline en ik hebben geluk dat we nog steeds in elkaars leven zijn.'

Faith keek naar de kleine cassetterecorder die Jane uit de aktetas haalde. 'Moeten we die gebruiken?' vroeg ze. Stel je voor dat ze iets belachelijks zei en dat dat in de krant terechtkwam.

'Het is net zo goed voor jouw bescherming als de mijne.' Ze zette hem op het bureau en plaatste de tas daarna op de grond. 'Maak je geen zorgen. Ik stel geen pijnlijke vragen. Dit is geen ontmaskering of een artikel om je te beschadigen. De ijshockeyfans van Seattle zijn opgewonden over de play-offs en nieuwsgierig naar jou. Ze willen het een en ander weten over Faith Duffy. Je hoeft geen vragen te beantwoorden die je niet prettig vindt. Klinkt dat redelijk?'

Faith ontspande een beetje. 'Jawel.'

Jane begon het interview met simpele vragen, zoals waar Faith was geboren en hoe ze Virgil had ontmoet. Daarna kwam de volgende vraag: 'Je bent nog maar dertig jaar. Hoe voelt het om een NHL-ijshockeyteam te bezitten?'

'Schokkend. Absurd. Ik kan het nog steeds niet geloven.'

'Wist je niet dat je het team zou erven?'

'Nee. Virgil heeft er nooit iets over gezegd. Ik ontdekte het op de dag dat zijn testament werd voorgelezen.'

'Dat is nog eens een erfenis.' Jane keek naar haar. 'Er zijn waarschijnlijk heel wat vrouwen die dolgraag in je schoenen willen staan.'

Dat was waar. Ze had een fantastisch leven. 'Er zit veel werk aan vast.'

'Wat weet je over het leiden van een organisatie zoals de Chinooks?'

'Ik moet toegeven dat dat niet veel is, maar ik leer er elke dag iets bij. Ik krijg mijn training in de praktijk, en ik begin inmiddels door te krijgen hoe ijshockey in elkaar zit en hoe de organisatie wordt geleid. Het is niet meer zo angstig als het een paar weken geleden was. Natuurlijk was Virgil slim genoeg om goede mensen aan te nemen en ze hun werk te laten doen. Dat maakt mijn taak gemakkelijker.'

Jane vroeg naar goals en punten en hoe groot de kans was dat de Chinooks de Stanley Cup zouden winnen. De Chinooks hadden de Sharks de afgelopen zaterdag in de zesde wedstrijd met 4-2 verslagen en moesten nu donderdag in de derde ronde tegen de Red Wings in Detroit spelen. 'Zetterberg en Datsyuk zijn in de gewone competitie allebei topscorers,' zei Jane over de twee spelers van Detroit. 'Hoe gaan de Chinooks de kracht van die twee breken?'

'We moeten gewoon ijshockey blijven spelen zoals we het graag willen spelen. We hebben afgelopen zaterdagavond tweeëndertig schoten op het doel gelost, terwijl de Sharks maar tot zeventien kwamen.'

Na het interview gingen ze naar de ijsbaan, waar het team aan het trainen was. 'Iedereen denkt dat we bang moeten zijn voor Detroit,' zei Faith. Hoe dichter ze bij de tunnel kwamen, des te meer testosteron er in de lucht kwam. 'Ze hebben veel talent in het team, maar dat hebben wij ook. Ik denk dat het neerkomt op...' Ze dacht aan Ty en glimlachte. '... de inhoud van de spelers.'

'Hallo, mevrouw Duffy,' riep Frankie 'de sluipschutter' Kawczynski toen Faith en Jane dichterbij kwamen. Hij stond in de tunnel voor een brander waarmee hij de kromming van zijn ijshockeystick verwarmde.

'Hallo, meneer Kawczynski,' zei ze terwijl haar hakken in de dikke matten wegzakten. Frankie was achter in de twintig en gebouwd als een tank. Op het moment droeg hij een joggingbroek, die laag op zijn heupen hing, en slippers. Hij had een tatoeage van een pitbull op zijn rug. Haar aandacht werd getrokken naar het spel van zijn spieren terwijl hij zijn stick verhitte. 'Hoe is het met je?'

'Fantastisch.' Zijn donkere baard leek op die van een pelsjager, en hij glimlachte brutaal. Faith was zich er plotseling erg van bewust dat ze omringd was door mannen. Grote, stoere mannen die boven haar en Jane uittorenden. Sommigen waren halfnaakt. 'Doet u vanochtend mee aan de training?' vroeg Frankie.

Walker Brookes liep de kleedkamer uit en pakte zijn geslepen schaatsen van het rek. Ze vocht tegen de verleiding om haar hoofd om te draaien om hem beter te kunnen zien. 'Ik ben mijn uitrusting vergeten.' In haar binnenste vocht Layla om naar buiten te komen. Ze schopte en schreeuwde omdat ze een kijkje wilde nemen. Maar één, maar Faith Duffy staarde niet naar het achterwerk van mannen. In elk geval niet als er een journaliste in de buurt was. 'Misschien een andere keer.' Ze hield haar blik strak op Frankies gezicht gericht.

Vlad Fetisov liep de kleedkamer uit met zijn helm in een hand en zijn stick in de andere. Een brede glimlach krulde zijn mond terwijl hij op zijn schaatsen naar hen toe kwam.

'Allo, Sharky,' zei de Rus tegen Jane.

'Hallo, Vlad,' zei Jane. 'Hoe gaat het met je?'

'Et leven ies mooi. Oe ies et met Lucky?' vroeg hij, waarmee hij Janes echtgenoot bedoelde.

'Goed.'

Zodra Vlad het ijs op stapte vroeg Faith: 'Waarom noemt hij je Sharky?'

'Die naam hebben de jongens me gegeven omdat ik ze allemaal versla met darts. Ze zijn erg prestatiegericht in alles wat ze doen.'

Ze stopten aan het eind van de tunnel en Faith keek naar de ijspiste. De mannen op het ijs waren in twee groepen verdeeld. Aanval werd aan één kant getraind, verdediging aan de andere kant. Ze leken nog havelozer dan anders, maar ze schaatsten met goed getimede precisie en vaardigheid en oefenden in het vasthouden en afgeven van de puck. Er waren ongeveer vijftien spelers op het ijs, die allemaal donkerblauwe trainingsshirts en witte helmen droegen, maar alsof een onzichtbare kracht haar in zijn macht had, werd haar blik getrokken naar twee brede schouders en donker haar dat opkrulde onder de witte helm van de man die met zijn rug naar haar toe op de middenstip stond. Ze hoefde zijn gezicht niet te zien om te weten dat het Ty was. Een warm gevoel diep in haar maag herkende hem.

'Vlad is een beetje gestoord,' zei Jane, waarmee ze Faiths aandacht gelukkig van de middenstip haalde.

Faith had de Rus nooit eng gevonden. Toch vroeg ze: 'Is hij een viezerik?'

'Nee. Hij is alleen nooit te verlegen om zijn handdoek in het bijzijn van vrouwen te laten vallen. Ik denk dat hij het grappig vond om me te shockeren. Ze vonden het allemaal leuk om me te shockeren.' Jane schudde haar hoofd en verschoof de riem van haar aktetas. 'Ze wilden niet dat ik met het team meereisde. Een vrouw in het vliegtuig brengt ongeluk.'

Misschien waren ze daarom zo stil geweest toen ze met hen was meegevlogen. 'Dat is belachelijk en seksistisch.'

'Precies.' Jane lachte. 'Het zijn ijshockeyers.' Ze keken naar de assistent-coach, die een serie pucks op de rode lijn legde. 'Vertel me eens over Ty Savage,' zei Jane.

Ze dacht aan de ochtend in de vergaderzaal toen ze haar shirt omhoog had getrokken. Aan zijn hete blauwe ogen op de dag dat ze zo stom was geweest om Layla voor de tweede keer naar buiten te laten. De dag waarop ze haar shirt omhoog had getrokken als een stripper, langzaam en doelbewust, alleen om te bewijzen dat hij het mis had. De dag dat ze haar hand over haar buik naar het knoopje van haar jeans had laten glijden, alleen om de hartstocht in zijn ogen nog wat vuriger te zien branden. 'Wat wil je weten?'

'Denk je dat hij heeft wat nodig is om zijn team naar de finale te leiden?'

'Tja, ik denk dat de cijfers waarmee we winnen voor zich spreken.' Ze zag Ty aan het eind van de ijsbaan starten. Hij schaatste alsof hij in brand stond. De wind plakte het Chinooks-logo op zijn shirt tegen zijn borstkas terwijl hij naar de rode lijn racete. Met het blad van zijn stick op het ijs draaide hij bij de rode lijn en schoot de rij pucks een voor een naar de doelverdediger. De doelverdediger draaide en wrong zich in allerlei bochten om de schoten te stoppen. Hij ving één puck terwijl de anderen zijn beschermingen met doffe tikken raakten. Een van de pucks kwam erdoor en raakte de binnenkant van het net. 'Hij is een bijzonder intense, serieuze man.' Behalve als hij probeerde omgekeerde psychologie te gebruiken om ervoor te zorgen dat ze hem een lapdance gaf. 'Erg gedisciplineerd en beheerst. Ik vraag me af hoe het is als hij zich ooit laat gaan.' Wat ze die dag in de vergaderzaal niet had voorzien, terwijl hij net deed alsof hij zich verveelde, was dat zijn hete, sensuele blik op haar lichaam haar zo hartstochtelijk en opgewonden zou maken.

Terwijl de wind zijn shirt nog steeds tegen zijn borstkas plakte, duwde hij zijn stick onder een arm en keek naar de veters op zijn handschoenen. 'Als hij zich echt laat gaan,' voegde ze eraan toe, terwijl ze eraan dacht hoe hij in het Marriott bij haar was weggelopen. 'Misschien zou hij dan niet zo onbeleefd en chagrijnig zijn.'

'Hij maakt onbeleefd en chagrijnig aantrekkelijk,' zei Jane.

Dat was een understatement.

'Hij is heel knap.'

Faith glimlachte. 'Dat was me nog niet opgevallen.'

Alsof hij hen had gehoord, keek Ty op terwijl hij een hockeystop naast de goal maakte. Zijn blik was net zo koud als het ijs waarop hij stond. Ze vroor ervan aan haar plek vast, hoewel het haar vanbinnen verwarmde.

'Er wordt beweerd dat je een gespannen verhouding met je aanvoerder hebt. Is dat waar?'

Terwijl zijn ogen in de hare staarden, pakte hij de waterfles die boven in het net hing en bracht hem naar zijn mond. Het water stroomde tussen zijn lippen. Hij slikte en wreef met een handschoen over zijn mond. De afgelopen maand was een wervelwind van activiteiten en veranderingen geweest. Soms kon ze zich niet herinneren wat ze van dag tot dag had gedaan, maar ze herinnerde zich elk heet detail van Ty's mond op de hare. 'Ik zou het niet gespannen willen noemen.'

'Hoe zou jij het dan noemen?'

Hoe noemde je een hete, overweldigende aantrekkingskracht voor de enige man op de planeet naar wie je onmogelijk kon verlangen? 'Ingewikkeld.' Onmogelijk. Een ramp die op het punt stond te gebeuren.

'Daar ben je,' zei Jules terwijl hij door de tunnel naar Faith toe liep. Een man met rood haar en een snor liep naast hem.

'We willen een foto van Faith met het team,' zei Jane.

'Nu?' Ze keek naar de kleinere vrouw.

'Ja.'

'We hebben een hele pr-campagne met Ty, dus waarom maken we niet een paar foto's met de andere spelers?' stelde Jules voor.

'Faith, dit is Brad Marsh,' stelde Jane de onbekende man voor. 'Redactiefotograaf voor de *Post Intelligencer*. Brad, dit is Faith Duffy.'

'Leuk om je te ontmoeten, Faith.' Hij pakte haar hand in de zijne. 'Ik ben een enorme Chinooks-fan.'

'Ik vind het fantastisch om je te ontmoeten. Vooral omdat je van mijn team houdt.'

Jules stapte op het ijs en wees naar de verdedigers. 'Ik wil dat een paar van jullie je vrijwillig aanbieden voor een foto met mevrouw Duffy voor de *Post Intelligencer*.'

Sam en Alexander Deveraux waren de eersten die naar haar toe schaatsten, maar de rest volgde vlak daarna.

'Ik wil wel.'

'Ik doe mee.'

Al snel hadden acht grote verdedigers, onder wie Vlad, zich vrijwillig gemeld.

'Laten we een foto op de middenstip maken,' stelde Brad voor. 'Ik zal proberen het logo in beeld te krijgen.'

Faith stapte voorzichtig op het ijs, en Blake Conte bood haar zijn arm aan. 'Voorzichtig, mevrouw Duffy,' zei hij. 'U wilt niet vallen en u bezeren.'

Sam bood zijn arm aan de andere kant aan. 'Dan zou iemand mond-op-mondbeademing moeten geven.'

'Ik weet hoe dat moet,' voegde Blake eraan toe, en Faith hoopte heel erg dat ze nooit zou hoeven ingaan op zijn aanbod. Om de een of andere bizarre reden had hij zijn play-offsbaard geschoren in een rood-blonde streep onder zijn neus, die doorliep over zijn kin. Het was een beetje alsof hij een 'landingsbaan' op zijn gezicht had laten harsen.

'En hartmassage,' zei Sam, die een play-offsbaard had die blond en een beetje onregelmatig was.

Faith legde haar handen op hun onderarmen en glimlachte. 'Het is prettig om te weten dat jullie meer kunnen dan alleen mooi zijn, pucks schieten en spugen.' Het had een paar fijne voordelen om de eigenares van een ijshockeyteam te zijn, zoals te worden begeleid door twee erg lekkere ijshockeyers.

'Kijk die klootzakken eens,' zei Ty vanaf zijn plek aan het eind van de ijsbaan. 'Je zou denken dat ze nog nooit in de buurt van een vrouw zijn geweest.' De laatste keer dat hij Faith had gezien, had ze haar shirt omhooggetrokken en hem daarna verteld dat ze zich verveelde. Natuurlijk, hij had het eerst gezegd, maar hij had gelogen.

Doelverdediger Marty Darche duwde de voorkant van zijn helm omhoog en onthulde zijn indrukwekkende gezichtsbeharing. 'Je moet toegeven, Engel, dat er niet veel vrouwen rondlopen met zo'n uiterlijk.' Hij leunde tegen de doelstangen en schudde zijn hoofd. 'Jezus.'

De fotograaf wees naar een paar van de mannen en riep: 'Kan een van jullie mevrouw Duffy zijn stick geven?' De hele blauwe rij schoot naar voren.

'Ik zou haar mijn stick dolgraag willen geven,' zei Marty grinnikend.

Ty mocht Marty graag. Gewoonlijk lachte hij om de stomme grapjes die uit Marty's mond kwamen. Meestal voegde hij er zijn eigen stomme grapjes aan toe en zei hij iets over een snoeiharde erectie van twintig tot vijfentwintig centimeter. Vandaag vond hij het om de een of andere reden helemaal niet grappig. Misschien was hij moe of uitgedroogd of zo. Hij had de neiging zijn gevoel voor humor te verliezen als hij moe of uitgedroogd was.

'Heb je haar foto's gezien?'

'Ja.' Die verdomde foto's. Maar vandaag zag hij de foto's niet als hij naar haar keek. Hij zag haar plagerige glimlach en haar zachte buik. Hij zag haar ogen toen ze over haar schouder naar hem keek en zei dat ze zich verveelde.

De verdediging drong om haar heen voor de foto en ze lachte. Het geluid golfde over het ijs, streelde zijn huid en verkrampte zijn borstkas. Omringd door grote, lompe mannen met schaatsen en schouderbeschermers zag ze er klein en heerlijk vrouwelijk uit.

Nu hij naar haar keek zag hij de playmate niet. Hij zag de vrouw die hij in een hotel in San Jose had gekust. Hij kon haar sexy mond onder de zijne en haar handen in zijn haar bijna voelen. Hij kon het verlangen in haar ogen zien en de hartstocht in haar kus voelen. Hij was al door veel vrouwen in zijn leven gekust, maar hij was nog nooit op die manier gekust. In een uitbarsting van allesverterende wanhoop die zo heet was, dat zijn ingewanden ervan verzengden.

'Als een paar spelers een stukje naar voren komen...' zei de fotograaf. 'Zo is het goed.'

Pavel wilde absoluut dat Ty Valerie ontmoette, maar Ty had geen zin in een ontmoeting met zijn vaders laatste verovering. Vooral als er alle kans op was dat hij over een maand of twee een nieuwe vriendin zou hebben. Vooral als het betekende dat hij moest omgaan met de vrouw aan de andere kant van het ijs, die zich uitstekend vermaakte en lachte en giechelde met een stel ijshockeyers die door haar aanwezigheid veranderden in kwijlende idioten.

Dan kreeg hij nog liever een pak slaag van een 125 kilo zware ijshockeymannetjesputter die iets te bewijzen had. Aan die ontmoeting hield hij misschien blauwe plekken en open wonden over, maar een paar sneden en een blauw oog waren heel wat beter dan opnieuw een paar pijnlijke blauwe ballen.

'Oesters zijn een natuurlijk afrodisiacum van de goden.' Valerie pakte een oester van het blad met ijs in het midden van de tafel en slurpte hem naar binnen. 'Je moet er in elk geval een proberen, Faith. Dat kan geen kwaad. Misschien is het zelfs wel goed voor je.'

'Nee dank je, mam. Wil je nog brood?' Ze pakte het witte bord en hield het haar voor. Kon haar moeder zich nog gênanter gedragen? Helaas was het antwoord bevestigend.

'Nee dank je.'

'Pavel?' Ze zaten in het Brooklyn Seafood Steak and Oyster House in het centrum van Seattle, en Faiths maag draaide om terwijl ze het bord naar haar moeders vriend uitstak.

'Nee dank je,' antwoordde hij terwijl hij een ruwe schelp bij zijn mond hield. Hij hield hem schuin en de oester gleed in zijn mond en door zijn keel.

Faith draaide haar gezicht weg en slikte.

'Niet alleen je ogen zijn groen,' zei Ty naast haar.

Ze zette het blad op de tafel, die was gedekt met wit linnen. 'Ik haat oesters.'

'Waarom zijn we dan hier?'

'Omdat mijn moeder dat wilde.' Het was Valeries idee geweest om met z'n vieren uit eten te gaan en Faith had met tegenzin toegestemd. Als ze had geweten dat ze moest toekijken hoe haar moeder en Pavel oesters naar binnen slurpten, was ze thuisgebleven. Zelfs als dat betekende dat ze tijd moest doorbrengen met de verschrikkelijke Pebbles.

'Ik zie dat je niets eet,' zei Valerie tegen Ty.

'Ik eet niets wat er zo uitziet.' Eén mondhoek ging omhoog in een glimlach. Hij liet zijn stem dalen en zei vlak bij Faiths oor: 'In elk geval niet in het openbaar.'

'Was dat een ongepaste seksistische opmerking?'

Hun ogen ontmoetten elkaar. 'Dat hangt ervan af. Heb ik je beledigd?'

'Dat zou waarschijnlijk wel moeten.'

Hij liet zijn ogen langzaam van haar gezicht en haar hals naar de bovenste knoop van haar roze overhemdjurk gaan. 'Maar het lijkt er niet op.'

'Nee. Je lijkt ongepast gedrag in me aan te moedigen.' Ze likte over haar lippen en schudde haar hoofd. 'We moeten het op veilige onderwerpen houden.'

'Te laat.' Hij keek weer in haar ogen. 'Ik heb ongepaste gedachten.'

'Is dat zo?'

'Inderdaad.'

'Zoals?'

'Ik wil je op je mond zoenen zoals een paar weken geleden en dan naar beneden werken.'

Dacht hij dat allemaal? Ze perste haar benen tegen elkaar in een poging om het kwellende gevoel dat zich tussen haar dijbenen samenbundelde te doen verdwijnen.

'Waar hebben jullie het over?' wilde haar moeder weten.

'Het weer.' Faith keek naar de ober, die het blad oesters weghaalde. 'Ik vroeg Ty net hoe Seattle hem bevalt.'

Hij pakte zijn glas wijn en de mouw van zijn donkerblauwe overhemd streelde langs haar blote arm. 'Het verschilt niet zoveel van Vancouver.' Hij nam een slok en zette het glas op tafel terug. 'Een rondje golf plannen is riskant.'

'Ik speel geen golf, maar 's zomers is het veel droger,' antwoordde ze terwijl ze haar uiterste best deed om de stroom warme begeerte die haar huid verwarmde te negeren. 'Jules heeft me verteld dat de Chinooks in de zomer een liefdadigheidsgolftoernooi organiseren. Het geld gaat naar hulp aan gewonde spelers, zoals Mark Bressler.'

'Dat was tragisch.' Pavel schudde zijn hoofd. 'Een enorm verlies voor het team. Een aanvoerder kwijtraken is alsof je het hart uit het team snijdt.'

Ty's kaken verstrakten. 'Aanvoerders worden voortdurend gekocht en verkocht, pa. Het is anders dan toen jij speelde.'

Er daalde een bijna onmerkbare spanning boven de tafel neer. 'Dat is waar,' gaf Pavel toe. 'Er is geen enkele loyaliteit meer.'

De salade arriveerde en Faith wachtte tot er verse peper op ieders salade was gemalen voordat ze zei: 'Ik weet dat iedereen in de organisatie van de Chinooks dolblij is dat we Ty hebben. Als dat onze noorderburen overstuur maakt...' Ze haalde haar schouders op en probeerde niet aan de man naast haar te denken. 'Ze komen er wel overheen. Ik bedoel, ze hebben tenslotte ook het overlopen van Jim Carrey overleefd.' Ze pakte het linnen servet dat op haar schoot lag. 'Hoewel de Canadezen ons waarschijnlijk innig dankbaar moeten zijn omdat we Jim van ze hebben overgenomen. Hebben jullie *The Cable Guy* gezien?' Ze prikte wat geroosterde rode biet en botersla op haar vork en keek over haar schouder naar Ty, die bijna glimlachte. 'Wat?'

'*Cable Guy*?'

'Dat was een verschrikkelijke film.'

Hij schudde zijn hoofd. 'Niet erger dan *Me, Myself and Irene*.'

'Misschien is dat net zo erg.'

'Ik ben gek op Jim Carrey,' bekende haar moeder. 'Hij zat in *In Living Color*, met J.Lo.'

'Ik vond *The Rockford Files* geweldig,' voegde Pavel eraan toe.

'O, *The Rockford Files*,' kirde Valerie. 'Ik vond Jim Rockfords Firebird prachtig. Mijn derde echtgenoot had een Firebird. Herinner je je Merlyn, Faith?'

'Hij reed te snel.'

'Ben je drie keer getrouwd geweest?' vroeg Ty terwijl hij zijn servet op zijn schoot legde. De achterkant van zijn hand streelde langs Faiths heup en ze zou opgeschoven zijn als er ruimte was geweest.

Valerie bleef met een hap salade halverwege haar mond zitten. Ze keek naar Faith en daarna naar haar vriend. 'Vijf keer, maar alleen omdat ik jong en kwetsbaar was.'

Het was zeven keer geweest, maar wie kon dat iets schelen? Valerie, blijkbaar. 'Hou je ons morgenavond gezelschap in de skybox voor de wedstrijd tegen Detroit?' vroeg Faith om van onderwerp te veranderen.

'Dat zou ik heerlijk vinden. Dank je, Faith.' Pavel nam een paar happen. 'De Chinooks beginnen de wedstrijd als de under-dog, maar soms is dat de beste positie. Als onze spelers ervoor kunnen zorgen dat Detroit veel strafminuten krijgt, denk ik dat er een heel goede kans is dat we naar de finale gaan. En ik voor-spel dat die tegen Pittsburgh is,' zei Pavel.

'Ik weet het niet, pa.' Ty pakte zijn vork en legde zijn vrije hand op de stoel naast Faiths dijbeen. 'Pittsburgh mist twee van zijn aanvallers.'

Vader en zoon praatten over van alles, van aanvaltechnieken tot het voorkomen van strafminuten. Tegen de tijd dat ze bezig waren aan hun hoofdgerecht, praatten ze over de beste wedstrij-den die ooit waren gespeeld en de gloriedagen van Pavel. Tijdens het gesprek kwam Ty's hand verschillende keren per ongeluk tegen haar heup aan. Zijn aanraking verspreidde donzige tinte-lingen naar de achterkant van haar knieën en verstrakte de hete, vloeibare knoop in haar maag.

'Toen ik die puck tussen de spelers had geschoten, zag ik hem niet meer,' zei Pavel terwijl hij een stuk steak afsneed. 'Ik wist niet dat ik had gescoord tot ik hoorde dat hij de achterbuis raakte.'

'Ik wilde dat ik je had zien spelen. Ik wed dat je geweldig was,' dweepte Valerie, waarna ze een hap kip nam.

'Mijn moeder vond het heerlijk om mijn vader te zien spelen.' Ty bracht zijn glas wijn naar zijn lippen en zijn vrije hand gleed naar de bovenkant van Faiths dijbeen. 'Ze kocht altijd hotdogs voor me, en we zaten op de middelste rij achter het doel omdat ze dacht dat dat de beste stoelen waren. Het oude Montreal Forum had de lekkerste hotdogs.'

Faith sperde haar ogen open en hield haar adem in toen ze voelde hoe de hitte van zijn hand zich over haar dijbeen naar haar schoot verspreidde. Dit keer was zijn aanraking geen toeval. 'Ik haat hotdogs,' zei ze.

Hij keek naar haar en zijn greep verstrakte een beetje. 'Hoe kun je hotdogs haten? Je bent een Amerikaanse.'

'Ik heb ze in mijn jeugd te vaak gegeten.'

'Faith vond hotdogs vroeger heerlijk.'

Faiths ademhaling bleef steken in haar borstkas en ze kon geen antwoord geven. Ze nam een hap zalm, maar kon hem alleen met heel veel moeite doorslikken. Vooral nu zijn duim over haar been streelde. Ze gaf haar poging om te eten op en pakte haar wijn.

'Is er iets mis met je eten?' vroeg Ty aan haar.

'Nee.' Ze keek in zijn ogen, naar de vurige blauwe begeerte en het verlangen die naar haar terugstaarden, en ze wilde meer. Meer van de hete gloed en warmte in haar maag. Ze wilde halsoverkop in meer duiken. In hem. Ze was een dertigjarige vrouw die de onweerstaanbare combinatie van lust en verlangen die aan haar trokken al heel lang niet had gevoeld en ze wilde meer. Ze wilde dat hij haar meenam naar die plek en ze liet haar hand onder de tafel glippen. Ze gleed met haar vingers over zijn onderarm en zijn opgerolde mouw tot haar hand op de rug van zijn hand rustte. Zijn greep verstrakte, maar in plaats van haar hand weg te halen, likte ze haar droge lippen en duwde zijn hand tussen haar dijbenen.

'Ik vind dat we na het diner moeten gaan dansen,' stelde haar moeder voor. 'Faith is altijd een goede danseres geweest.'

Ty kneep haar door het linnen van haar jurk en Faith sloot haar benen rond zijn warme hand. 'Ik moet morgen vroeg op,' zei hij.

'Ik ben moe.' Faith keek naar haar moeder en gaapte. 'Maar jullie kunnen toch gaan. Ik kan een taxi naar huis nemen.'

'Ik breng je wel.'

Ze keek naar Ty en fluisterde: 'Dat kan ongepast worden.'

'De dingen die ik met je ga doen zijn bijzonder ongepast.' Hij bracht zijn mond naar haar oor. 'Je moet waarschijnlijk bang zijn.'

'Ben je iets van plan wat verboden is?'

'Niet de eerste twee of drie keer.' Hij haalde zijn schouders op. 'Daarna weet ik het niet zeker.'

13

'Het is hier nogal leeg,' zei Faith terwijl ze midden in de verduisterde zonnekamer stonden. Boven hun hoofd verdrongen de sterren zich in de heldere nachtlucht en ze had het gevoel alsof ze achtentwintig verdiepingen boven Seattle zweefde. 'Virgil en ik waren niet vaak in de stad, dus ik ben er nooit aan toegekomen om het hier in te richten. Ik heb me altijd veel planten en rieten meubelen voorgesteld. Misschien een tijger, zoals in *Who's That Girl* met Madonna. Ik haatte die film, maar ik vond de grote tuin en de tijger prachtig.'

'Ben je zenuwachtig?'

De hakken van haar felroze Chanel-pumps tikten op de tegelvloer toen ze naar de rand liep en naar buiten keek. 'Merk je dat?'

'Je praat veel meer als je zenuwachtig bent.'

Ze legde haar handen tegen het glas en keek naar de Space Needle, die was verlicht alsof het een enorme vliegende schotel was. Op weg naar huis vanaf het restaurant waren ze gestopt bij een apotheek. Hij was naar binnen gehold en had condooms gekocht. 'Jij maakt me zenuwachtig.'

Hij ging vlak achter haar staan. 'Waarom?'

Om verschillende redenen. Te beginnen met: 'Was het nodig om de condooms in maat XL te kopen?'

'Ik heb ze graag strak.'

O god. En te eindigen met: 'Het is een hele tijd geleden voor me.'

Hij boog zijn hoofd en vroeg in haar oor: 'Een hele tijd geleden sinds...?'

'Ik met iemand naar bed ben geweest.'

Hij legde zijn handen op haar heupen, en trok haar rug tegen zijn borstkas en haar billen tegen zijn erectie. 'Iemand behalve Virgil?'

Ze keek naar de schaduwachtige omtrek van zijn weerspiegeling. Hij was lang en sterk en klaar voor haar. 'Virgil was goed voor me en ik hield van hem, maar we hebben nooit…' Ze kon het niet zeggen. Ze kon hem niet verraden, zelfs nu hij er niet meer was. 'Zo was ons huwelijk niet.'

Zijn handen, die haar heupen en buik aanraakten, bevroren. 'Je hebt geen seks met hem gehad?'

Ze gaf geen antwoord.

Zijn nauwelijks zichtbare blik ontmoette de hare in het glas. 'Zelfs niet met iemand die het wel kon?'

'Natuurlijk niet.'

'Hoe lang zijn jullie getrouwd geweest?' Hij klonk ongelovig.

Ze draaide haar hoofd en keek over haar schouder in het gekleurde licht dat zijn gezicht raakte. 'Vijf jaar.'

Hij was een paar hartslagen stil. 'Heb je vijf jaar lang geen seks gehad? Een vrouw die eruitziet zoals jij?'

'Waarom is dat zo moeilijk te geloven?' Er ontsnapte een zacht lachje aan haar lippen. 'Je zei dat ik lelijk was,' fluisterde ze.

'Ik geloof dat ik "onaantrekkelijk" heb gezegd.'

'Dat klopt. Je zegt niet dat je een vrouw aantrekkelijk vindt om met haar naar bed te kunnen.' Ze hief haar gezicht omhoog en kuste zijn kaak. 'Moet ik stoppen?'

'Nee. Vanavond doen we het voor het team.' Hij liet zijn hand over haar buik glijden. 'Het is soms een zware last om de aanvoerder te zijn,' zei hij vlak bij haar oor. Hij liet zijn handen over de welvingen van haar borsten glijden en omvatte ze door de roze linnen jurk en haar witte kanten balconnette-bh heen. 'Ik heb al een erectie door jou sinds die avond van de fotoshoot.'

Haar tepels verhardden onder de streling van zijn vingers. 'Die avond heb je mij ook dingen laten voelen.' Ze kromde haar rug en duwde haar billen tegen hem aan. 'Dingen die ik al jaren niet meer heb gevoeld.'

'Dan is het hoog tijd om daar iets aan te doen,' zei hij terwijl hij zijn mond liet zakken en boven de hare opende. Hij was hard als een knuppel tegen haar billen. Hij gaf haar hete zoenen terwijl hij zijn heupen wiegde en langzaam tegen haar aan stootte. Ze dacht niet dat ze ooit in haar leven iets zo graag had gewild als dit. Deze warme, uitnodigende golf die haar borstkas verkrampte en de bovenkant van haar dijbenen liet smelten tot er alleen een pijnlijk verlangen overbleef. Hij kneedde haar borsten zachtjes. Ze deed haar mond open en beantwoordde zijn zoen. Alles in haar leven was een chaos, maar dit wilde, verboden moment voelde goed. Alsof het iets was wat ze nodig had en wanhopig graag wilde en gewoonweg moest hebben. Ze stond boven op de wereld omringd door sterren en licht en dunne lucht, en Ty was de enige stabiele factor.

Ze bracht een hand achter zijn hoofd en duwde zijn mond op de hare. De hitte van zijn zoen verspreidde zich naar buiten, over haar schouders en langs haar borsten naar beneden. Haar hart bonkte en zwol op, en ze leunde achterover in de stevige, warme troost van zijn omhelzing. Ze ademde zijn geur in haar longen terwijl zijn vingers de knoopjes van haar jurk tot haar middel openmaakten.

Hij hief zijn hoofd op: zijn zware oogleden waren halfdicht, en zelfs in de duisternis was het verlangen dat in zijn ogen brandde overduidelijk. Net als de lange, harde lengte die tegen haar billen duwde. Hij liet zijn grote handen in de kraag van haar jurk glippen, streelde haar schouders en duwde de jurk naar beneden.

Ze liet zijn achterhoofd los, waardoor haar jurk langs haar gevoelige huid naar beneden gleed en ze in haar witte bh, bijpassende string en roze pumps voor hem stond. Zijn vingers streelden haar buik en ze legde haar handen boven op de zijne en bracht ze terug naar haar borsten. 'Raak me aan,' fluisterde ze terwijl ze haar zachte billen tegen de ruwe stof van zijn wollen broek en zijn enorme erectie duwde.

'Hier.' Zijn duimen wreven door de stretchkant van haar bh over haar tepels tot ze strakker, harder en heerlijk pijnlijk werden. 'Vind je het fijn als ik je daar aanraak?'

Ze kreunde. 'Ja.'

'Ik heb er veel aan gedacht om je daar aan te raken.' Zijn rechterhand gleed langs haar buik naar de bovenkant van haar string. 'En daar. Wil je dat ik je daar aanraak?'

Ze knikte. 'Overal.'

Zijn vingers gleden onder haar kanten string. 'Je scheert je nog steeds.'

'Vind je dat vervelend?'

Hij schudde zijn hoofd en bracht zijn mond naar haar hals. 'Het is het enige waaraan ik kan denken.' Zijn vingers gleden lager, spreidden haar vlees en raakten haar aan op de plek die het meest naar aanraking hunkerde.

Haar knieën knikten en hij verstrakte zijn greep om te zorgen dat ze bleef staan. De doffe pijn tussen haar dijbenen werd messcherp en zijn aanraking was het enige wat haar verlichting gaf.

'Je bent nat.'

'Vind je dat vervelend?'

Hij schudde zijn hoofd en streelde met zijn lippen langs haar schouder. 'Ik vind het heerlijk dat ik je zo nat maak.' Hij duwde zijn erectie tegen haar aan.

Ze was heet en tintelde vanbinnen en het zou zo gemakkelijk zijn om een orgasme te krijgen terwijl hij met haar speelde, maar ze wilde meer. Ze wilde iets wat ze al meer dan vijf jaar niet had gehad. Ze wilde hem helemaal.

Faith draaide zich om en Ty's natte vingers gleden via haar bekken naar haar billen. Ze knoopte zijn overhemd open, trok dat uit zijn broek en duwde het van zijn schouders op de grond. Daarna perste ze haar lichaam tegen hem aan. Ze duwde haar borsten tegen zijn warme, stevige borstkas en streelde met haar handen over zijn strakke huid. Ze wilde heel lang van hem genieten en tegelijkertijd bonkte haar lichaam pijnlijk omdat het onmiddellijke verlichting wilde. Haar tepels prikten in zijn borstkas en de haren op zijn buik kriebelden haar. Ze kuste hem alsof het haar laatste avondmaal was, en haar huid was heet en tintelde. Zijn handen liefkoosden haar blote billen terwijl ze met haar hand naar de voorkant van zijn broek gleed en zijn erectie vastpakte. Ze voelde zijn hitte door de wol heen. Ze wilde elke lange, harde centimeter van zijn penis, en ze kneep erin.

Ty tilde zijn hoofd op en keek naar haar, zijn ademhaling was wild en onregelmatig. 'Ik kan niet langer wachten.'

'Ja,' bracht ze uit terwijl ze moeizaam ademhaalde. Hete, vloeibare wellust stroomde door haar aderen en brandde alles weg, behalve haar behoefte aan hem.

Hij deed zijn schoenen uit en pakte zijn portefeuille terwijl zij zijn broek open knoopte en langs zijn gespierde dijbenen naar beneden duwde. Daarna was zijn boxer aan de beurt. Ze pakte zijn penis vast en liet haar hand langs de lange, verhitte schacht glijden. Er verscheen een druppel vocht in de kloof van de dikke eikel, die ze met haar duim verspreidde. 'Je bent een prachtige man, meneer Savage. Maak het niet af voordat de wedstrijd voorbij is.'

'Ik ben een professional.' Hij hield zijn adem in en duwde haar handen weg. 'Ik haal de trekker niet voortijdig over.' Hij rolde het condoom naar beneden af. 'Doe je string uit, behalve als je wilt dat ik hem van je af scheur.' Hij keek naar haar. 'En hou je schoenen aan.'

Ze liet haar string langs haar benen naar beneden glijden en schopte hem weg. Daarna pakte hij haar beet en ging met zijn handen langs haar billen naar de achterkant van haar dijen. Hij tilde haar op, ze sloeg haar benen automatisch rond zijn middel en hij duwde haar rug tegen het koele glas.

Faith woelde met haar handen door zijn haar en zoende zijn mond terwijl hij haar op zijn erectie liet zakken. Ze voelde een pijnlijke steek toen hij bij haar binnendrong en haar hoofd schoot met een ruk omhoog. Ze ademde in en hield de lucht vast, terwijl de grote eikel van zijn penis naar binnen gleed en haar strakke vlees oprekte.

'Ty.'

'Het is goed. Ik zorg ervoor dat het heerlijk voor je is. Laat me gewoon mijn gang gaan, Faith. Ik kan nu niet meer stoppen.' Het volgende moment verdween hij helemaal in haar en hij hield zich aan zijn woord; hij zorgde ervoor dat het heerlijk was. Haar blote buik kleefde aan de zijne vast terwijl hij zijn bekken tegen haar aan duwde. Hij gleed naar buiten en duwde dieper naar binnen, waarmee hij alle hete, kriebelende plekken binnenin bereikte.

'Mmm, ja,' fluisterde ze. 'Dat is heerlijk.' Hij bewoog weer. 'Precies zo. Daar. Niet stoppen. Het is heerlijk, Ty.' Hij stootte in en uit, en haar ademhaling werd onregelmatig, haar huid tintelde terwijl hij haar naar haar climax stootte.

'Hoe heerlijk?' vroeg hij terwijl zijn stem een lage grom was.

'Het is zo heet. Zo heerlijk. Niet stoppen. Sneller. Ja.' Ze haalde diep adem terwijl hij steeds harder en sneller in haar bewoog. Zijn krachtige spieren verstrakten en ontspanden met elke stoot van zijn heupen.

Haar hele wereld vernauwde en concentreerde zich op Ty en de plek waar hun lichamen verenigd waren, haar gestreelde binnenste en getergde g-plek. Vloeibaar vuur stroomde door haar lichaam en verbrandde haar van binnenuit. Hete tintelingen verspreidden zich over haar huid en ze kon zich niet herinneren dat seks ooit zo heerlijk was geweest. Zo intens. Misschien was het zo geweest, maar ze dacht niet dat ze ooit zo volkomen verteerd was door intens plezier, en dat gevoel zo graag wilde dat niets anders meer belangrijk was. Ze deed haar mond open om hem te vertellen dat hij niet mocht stoppen, maar voordat ze de woorden over haar lippen kon krijgen trof de eerste golf van een orgasme haar. Ze kreunde en schreeuwde terwijl het intense gevoel haar overspoelde en de schroeiende vlammen aan haar lichaam likten. Haar hart bonkte in haar oren terwijl Ty in haar lichaam stootte, ongeremd en bevrijd, in een hete seksuele storm van handen en monden en Ty's enorme erectie. Mooi en intens en pijnlijk heerlijk. Telkens weer. Het leek eeuwig te duren en tegelijkertijd veel te kort. Haar benen verstrakten rond zijn middel terwijl ze genoot van de laatste kloppende pulsaties.

'Faith.' Zijn ademhaling was zwaar en moeizaam. 'Je bent prachtig. En zo strak. Jezus.' Daarna kreunde hij langgerekt, alsof hij een kei een heuvel op duwde om hem aan de andere kant naar beneden te rollen.

Toen het voorbij was en de nachtlucht haar huid afkoelde, kuste Ty de kromming van haar hals. 'Dank je. Dat was fantastisch,' zei ze.

Hij hief zijn hoofd op en keek in haar ogen. 'We zijn nog niet klaar,' zei hij.

Ze glimlachte. 'Nee?'

'Ik weet zeker dat ik hier morgenochtend spijt van zal hebben.' Hij tilde haar van zijn nog steeds harde erectie en zette haar op de grond. 'We hebben een doos condooms en nog zes uur waarin we ons met erg ongepaste seks gaan bezighouden voordat de zon opkomt.' Hij veegde een haarlok uit zijn mondhoek. 'Als we hier spijt van krijgen, kunnen we maar beter iets hebben om ons echt over te schamen.'

Een paar uur later stond Faith op de kleine putting green in Ty's mediakamer, met alleen zijn blauwe overhemd aan haar lichaam en rode lak op haar nagels. Haar blonde haar viel over haar rug en ze zag er verrukkelijk uit, vooral voor een vrouw die die nacht al drie keer gevrijd had. De laatste keer was in zijn bubbelbad geweest, terwijl kleine bubbels lucht hun huid op interessante plekken streelden.

'Nu weet ik weer waarom ik een hekel heb aan golf.' Ze hield zijn golfclub in haar handen en haalde geïrriteerd haar schouders op terwijl zijn overhemd langs haar dijbenen naar boven gleed.

Ze was precies als alle fantasieën die hij over haar had gehad. Alleen veel intenser, omdat ze zachter en heter en beter in bed was. Het was moeilijk genoeg geweest om haar niet aan te raken voordat ze met elkaar hadden gevrijd. Over een paar uur zou hij haar opgeven, en hij maakte zichzelf niet wijs dat dat gemakkelijk zou zijn. Misschien kon hij haar gewoon als een playmate beschouwen, als een fantastisch stel borsten en een kont, maar dat was niet zo. Ergens in de afgelopen paar weken was hij om haar gaan geven. Heel veel zelfs.

'Mijn borsten zitten in de weg.'

Ty kwam achter haar staan. 'Zal ik je helpen?' Zijn handen gleden onder haar armen en omvatten haar borsten. De achterkant van zijn overhemd streelde zijn blote buik. 'Probeer het nu nog eens.'

Ze lachte terwijl ze zwaaide en de bal vloog naar het net. De radar registreerde 25. 'Dat is erger dan de laatste keer. Er is niets aan te doen. Mijn borsten zijn te groot.'

'Ze zijn niet te groot.' Ze waren rond en wit met strakke roze tepels die perfect in zijn mond pasten. 'Je bent perfect.' Hij droeg een oude Levi's en ze duwde haar billen tegen hem aan. Zoals ze had gedaan in de zonnekamer, waar hij staand tegen het raam fantastische seks met haar had gehad, met een miljoen sterren boven hun hoofd en de skyline van Seattle rond haar lichaam. Het was de wildste vrijpartij die hij ooit had meegemaakt, en er waren veel wilde vrijpartijen in zijn vijfendertigjarige leven geweest. 'Je hebt gewoon een man met grote handen nodig.'

Ze giechelde en legde nog een bal neer. 'Goed, maar je mag me niet afleiden.'

'Ik zal me gedragen.'

'Ik heb *Caddy Shack* gezien. Er wordt niet gepraat tijdens golf.'

Ze zwaaide naar achteren en hij fluisterde in haar oor: 'Ik wil je kale poesje eten.' De club vloog uit haar handen en belandde aan de andere kant van de kamer.

Ze draaide zich om en keek naar hem. 'Ik dacht dat je je zou gedragen.'

'Dat doe ik toch.'

'Je mag niet praten als iemand gaat slaan.'

'Het was fluisteren. Dat mag op sommige golfbanen.' Hij wees naar de grond. 'Mijn putting green. Mijn regels.'

'Je hebt het helemaal niet over regels gehad.' Ze vouwde haar armen over elkaar en keek met haar stralende groene ogen naar hem op. 'Wat heb je nog meer voor regels?'

'Vrouwen moeten naakt spelen.'

Ze hield haar hoofd scheef en probeerde niet te glimlachen. 'Hoeveel vrouwen hebben er op je stomme kleine putting green gespeeld?'

'Ik laat dat "stomme" voor wat het is omdat ik je graag mag.'

'Hoeveel vrouwen hebben zich moeten uitkleden, Savage?'

'Alleen jij.' Hij pakte de voorkant van zijn overhemd en trok haar naar zich toe. 'Jij bent speciaal.'

Ze liet haar vingers over zijn armen naar boven glijden en de diamanten in haar trouwring glinsterden in het licht. 'Hoe laat is het?'

Hij wilde dat ze dat verdomde ding afdeed. Het gaf hem op de een of andere manier het gevoel dat hij met een getrouwde vrouw vrijde. 'Ongeveer drie uur.'

'Dan kan ik beter gaan. Je hebt een training en je moet morgenavond een ijshockeywedstrijd winnen.'

'De training begint pas over twaalf uur.' Hij liet zijn handen naar haar heupen zakken en trok het overhemd omhoog. 'Ik heb voldoende tijd om te slapen en nog maar een uur om seks te hebben.' Hij tikte op haar blote kont. 'Je kunt maar beter aan de slag gaan.'

Ze schudde haar hoofd terwijl ze met haar vingers door de zijkanten van zijn haar woelde. 'Ik wil je niet van al je kracht beroven. Je zult hem nodig hebben tegen Detroit.'

'Ik heb onaangeboorde reserves. Ik ben net Superman. Als je denkt dat ik alles heb verbruikt, boor ik die aan en dan geef ik iedereen ervanlangs.'

Ze lachte om zijn grapje. 'Maar ik wil je geen ongeluk brengen. Ik weet dat alle ijshockeyers bijgelovig zijn.'

Ty was minder bijgelovig dan sommige andere spelers. Hij kon alleen geen afleiding gebruiken. Tegen Detroit moesten ze het beste uit hun ploeg halen en hij moest er klaar voor zijn. Fysiek en mentaal. 'Als ik eenmaal de wedstrijd in mijn hoofd heb, ben ik moeilijk van de puck te krijgen,' zei hij terwijl hij haar tegen zijn spijkerbroek trok.

Ze trok een wenkbrauw op. 'Je bent al weer hard.'

'Het is heel opwindend om je golf te zien spelen.'

'Komt dat door mijn briljante backswing?'

'Je backswing is waardeloos.' Hij schudde zijn hoofd en boog het. 'Het komt door je briljante achterwerk,' zei hij tegen haar getuite mond.

'Wanneer komt je vader meestal thuis?'

'Hij is hier rond zes uur. We hebben nog tijd genoeg.'

Ze ging met haar hand over de tatoeage in zijn zij. 'Deed dat pijn?'

Hij hield zijn adem in toen haar hand naar zijn buik gleed. 'Niet zo erg als mijn gebroken enkel.'

'Heb je je enkel gebroken?' vroeg ze terwijl ze kleine kusjes op zijn kaak plantte. 'Wanneer?'

'In 2001. Derde ronde, tweede wedstrijd tegen de Devils.'

'Wat is hier gebeurd?' Ze kuste zijn kin en gleed met haar hand in zijn broek.

'Ik kreeg een erectie toen ik je golf zag spelen.'

Ze lachte en legde haar hand rond zijn eikel. 'Dat weet ik. Ik vraag naar je litteken.'

Het was zo lang geleden gebeurd dat hij er tegenwoordig nooit meer aan dacht. 'Een hoge stick. Claude Lemieux. 1998. Naseizoenwedstrijd tegen Colorado. Twintig hechtingen.'

'Au.' Ze gleed met haar mond langs zijn keel terwijl haar vrije hand zijn broek open knoopte. 'Ik heb nog nooit iets gebroken of hechtingen nodig gehad.' Zijn broek gleed van zijn heupen en viel rond zijn blote voeten. 'Alleen een tatoeage.'

Hij had de *Playboy*-bunny op haar onderrug gezien. 'En die is supersexy,' kreunde hij terwijl ze aan zijn hals zoog.

'Virgil vond hem verschrikkelijk.' Ze zoende zijn schouder en ging daarna via zijn borstkas naar beneden. 'Niemand mocht hem zien. Chique vrouwen hebben geen tatoeages.'

'Virgil was oud en wist absoluut niet waar hij het over had.'

Ze knielde voor hem op de grond en gleed met haar hand over zijn schacht heen en weer. 'Het is lang geleden sinds ik dit heb gedaan,' zei ze terwijl ze met haar mooie groene ogen naar hem opkeek. 'Als het niet lekker is, moet je het tegen me zeggen en dan stop ik.'

Jezus. Ze duwde haar zachte lippen rond zijn eikel en hij kwam al zowat klaar. 'Ja, natuurlijk, dat zal ik doen.' Hierna zou hij er een tijdje tegen kunnen. Dan was ze uit zijn systeem, dacht hij terwijl ze hem in haar hete, natte mond nam. Hij woelde met zijn vingers door haar haar terwijl ze begon te bewegen. Vier keer op een avond klaarkomen moest voorlopig voldoende zijn. Ze kreunde, een geluid dat in haar keel vibreerde. Ty stopte helemaal met nadenken.

14

Enorme reclameborden van Faith en Ty hingen in Seattle en domineerden de ingang van de Key Arena. Onder de foto van de eigenares en haar aanvoerder stond CHINOOKS HOCKEY. LAAT JE MEESLEPEN. Tot Bo's enorme teleurstelling en Jules' ongegeneerde opluchting werd er geen melding gemaakt van schoonheden of beesten en was er al helemaal geen vertoon van stiletto's die ballen verpletterden.

In de dagen voor de wedstrijd gonsde de opwinding door de stad, en op donderdagavond zat de Key vol voor de eerste wedstrijd van de halve finales tegen de Detroit Red Wings. Vanaf de val van de eerste puck verliep alles gunstig voor Seattle. Het team scoorde twee keer in de eerste periode. In de tweede periode deed de aanval van Detroit een uitval die een doelpunt opleverde, waarna de Chinooks tot in de derde periode druk bleven uitoefenen. Vijftien minuten lang verdedigden beide teams hun goals en gaven ze de puck van de ene naar de andere speler door zonder een duidelijk schot op de doelcirkel. Met nog vijf minuten speeltijd schoot Ty de puck naar de Sluipschutter, Frankie Kawczynski, die een schot door de spelers probeerde. Doelverdediger Chris Osgood raakte de puck met een punt van zijn handschoen terwijl hij achter hem in het net zeilde. De Chinooks wonnen de eerste wedstrijd met 3-1.

Faith liep een kwartier nadat de wedstrijd voorbij was met Jules naast zich de spelerslounge in. Jules droeg een Chinooks-T-shirt onder een donkerblauw colbert en een spijkerbroek. Hij zou er ongewoon bescheiden uitgezien hebben als het T-shirt niet twee maten te klein was geweest.

'Wat vond je van de wedstrijd?' vroeg een journalist aan Faith.

'Ik ben natuurlijk blij, maar het verbaast me niet.' Ze droeg haar nieuwe roodleren jack over haar blauw-rode Chinooks-T-shirt. 'Het team heeft hard gewerkt om zover te komen.'

'Reis je met het team mee naar Detroit?'

'Ik denk het...' Ty kwam de kleedkamer uit lopen, waardoor haar hersenen bevroren en ze niet meer wist wat ze wilde zeggen. Hij droeg alleen een korte broek die op zijn heupen hing. Een paar uur geleden had hij nog minder gedragen. Een paar uur geleden had ze die zachte huid en harde spieren aangeraakt. Een paar uur geleden had zijn broek rond zijn enkels gelegen en had ze hem in haar mond gehad. Ze keek van de afgetekende spieren en zijn behaarde borst naar zijn gezicht. Zijn blauwe ogen staarden in de hare en hij trok één wenkbrauw op.

'Reis je met het team mee naar Detroit?'

De hitte kroop van haar borstkas naar boven en ze keek weer naar de journalist. 'Nee.'

Hij had haar zo'n goed gevoel gegeven dat ze moest vechten tegen het verlangen om door de lounge te rennen en zich aan hem vast te klampen. Ze dacht dat ze er spijt van zou hebben dat ze met de aanvoerder van het team had geslapen. Het was onacceptabel en onprofessioneel en ze zou schaamte moeten voelen, maar dat was niet zo. In elk geval niet om de redenen waarom ze dat zou moeten voelen. Wat ze voornamelijk voelde was een groot brok schuld in de kern van haar maag. Haar echtgenoot was nog maar anderhalve maand geleden overleden, en gisternacht had ze hartstochtelijke, fantastische seks gehad met een man die haar dingen liet voelen die ze nog nooit had gevoeld. Ze was een stripper, een playmate, en de vrouw van een rijke man geweest, maar ze had nog nooit zo verlangd naar de aanraking van een man als die van Ty. Het was voorbij, maar de paar uur die ze met Ty samen was geweest, had ze niet aan haar overleden echtgenoot gedacht. Niet echt, en helemaal niet toen hij haar zoende en aanraakte. De man die haar een fantastisch leven had gegeven en verzorgd had achtergelaten was ver in haar gedachten weggezakt.

De journalisten stelden haar nog wat vragen over de wedstrijd en de toekomst van het team. Er kwamen meer spelers uit de kleedkamer. De opwinding in de ruimte was elektrisch; het knetterde in de lucht en overal klonken opgewonden stemmen. Faith beantwoordde vragen of gaf vage antwoorden, of ze speelde de vragen door naar Jules, die op de hoogte was van alle feiten. Al die tijd was ze zich heel erg bewust van Ty.

De klank van zijn stem sneed door alle geluiden om haar heen en een warme, tintelende bewustheid streelde langs haar huid en kriebelde in haar maag. Ty had haar het enige gegeven wat Virgil altijd had gewild, maar waar hij niet toe in staat was geweest. Een band die alleen kon ontstaan door middel van lichamelijke intimiteit. De hartstocht waarover haar moeder het altijd had, was het enige wat ze niet van haar echtgenoot had gekregen. Een gevoel dat zo groot was dat ze het op geen enkele manier kon tegenhouden. Een gevoel dat haar zo verteerde dat het haar als een hete, zwarte orkaan had opgepakt en op een andere plek had neergesmeten.

Haar blik bleef rusten op Ty en de groep journalisten om hem heen. Tussen de andere stemmen in de lounge door hoorde ze hem praten. 'Mijn overgang naar Vancouver is heel gemakkelijk geweest. Coach Nystrom weet hoe hij ons tot groots ijshockey moet inspireren en de spelers doen in elke wedstrijd hun uiterste best.'

'Kun je inmiddels beter overweg met de eigenares van het team?'

Hij keek naar Faith en één mondhoek ging omhoog in een ontwapenende glimlach. 'Ik heb niets op haar tegen.'

Faith had het gevoel dat haar hart ook een stukje omhoogging. Precies op dat moment, voor het oog van de spelers en de coaches en de journalisten.

'Hoewel ik vanochtend in de krant heb gelezen dat ze me een controlfreak vindt en denkt dat ik niet voortdurend zo onbeleefd en chagrijnig zou zijn als ik me wat zou laten gaan,' voegde hij eraan toe terwijl hij naar haar keek.

'Ik heb niet "voortdurend" gezegd,' mompelde ze.

'Wat?' vroeg Jim van *The Seattle Times* haar. 'Wat hebt u gezegd, mevrouw Duffy?'

'Ik heb niet gezegd dat hij voortdúrend onbeleefd en chagrijnig is.' Een van de journalisten lachte. 'Savage staat erom bekend dat hij chagrijnig is. Ik zou graag willen weten wanneer hij níét chagrijnig is.'

Ty keek naar haar, nog steeds glimlachend alsof hij een binnenpretje had, terwijl hij op haar antwoord wachtte. Als hij seks heeft, dacht ze. Hij was de vorige avond niet onbeleefd of chagrijnig geweest. Hij was hartstochtelijk en charmant geweest. Hij had haar aan het lachen gemaakt en had, hoe ongelofelijk dat ook leek, ervoor gezorgd dat ze zich bij hem ontspande. Iets wat haar al een hele tijd niet was gelukt in het bijzijn van anderen, én hij was vanavond absoluut niet chagrijnig. 'Als hij belangrijke wedstrijden wint,' antwoordde ze.

'Wat is je strategie voor de wedstrijd van zaterdagavond in Detroit?' vroeg iemand aan Ty.

Hij keek nog een laatste keer naar Faith voordat hij zijn aandacht richtte op de man voor hem. 'IJshockey is een spel van een-op-eengevechten. We moeten daar gewoon aan denken en ze allemaal winnen.'

Faith draaide zich naar Jules. 'Lukt het je nog steeds om morgenavond naar de vergadering van de Chinooks Foundation te komen?' vroeg ze.

Hij keek eerst naar haar en daarna naar Ty, deed zijn mond open en sloot hem weer terwijl er een rimpel tussen zijn donkere wenkbrauwen verscheen. 'Ik was het niet van plan, maar het lukt me wel als je dat graag wilt,' antwoordde hij. Ze had het gevoel dat hem iets dwarszat.

Ze schudde haar hoofd en liep naar de deur. 'Nee hoor, ik maak mijn eigen aantekeningen wel.' Terwijl ze de hal in liep, kon ze er geen weerstand aan bieden om nog een laatste keer naar Ty te kijken, die een hoofd groter was dan de andere mannen. Ze herinnerde zich elk detail van de vorige avond. Zijn gezicht in de donkere zonnekamer en de aanraking van zijn handen en mond. Ze zou Layla graag de schuld van gisteravond geven, maar dat kon ze niet. Niet als ze eerlijk tegen zichzelf was. Gisteravond was helemaal Faith geweest. Er waren geen bijbedoelingen aan te pas gekomen. Het was geen situatie geweest waarin een man haar wilde terwijl zij alleen zijn geld wilde. Ze kon Layla de schuld niet geven voor haar gedrag van gisteravond. Niet als Faith voor honderd procent de leiding had gehad.

Ze draaide zich om en liep naar de liften. Gisteravond had ze voor honderd procent toegegeven aan wat zíj wilde. Ze had in het Brooklyn Seafood and Oyster House gezeten terwijl Ty haar onder de tafel had aangeraakt. Ze had haar hand op de zijne gelegd en was een stap verder gegaan. Dat had Faith gedaan. Niet Layla, de hartstochtelijke, schaamteloze vrouw die ze had gecreëerd om zich achter te verschuilen. Gisteravond was ze Faith geweest, die zich liet gaan en schaamteloos zichzelf was.

Terwijl ze naar huis reed dacht ze na over haar leven na Virgils dood. Het ene moment had ze een prettig, comfortabel leven gehad. Een leven waarin de belangrijkste beslissing van de dag meestal was wat ze zou dragen. Die vrouw, die Faith, had zich niet laten gaan en had de grote, warme hand van een man niet tussen haar benen geduwd.

Ze parkeerde haar Bentley in de parkeergarage en nam de lift naar het penthouse. Haar leven was in een heel korte periode ongelofelijk veranderd. Het was van een langzaam, comfortabel ritme naar een wervelwind van bijeenkomsten en activiteiten gegaan. Haar beslissingen waren veranderd van wat ze moest dragen tot hoeveel ze volgend seizoen voor een eersteklas speler moest betalen. En hoewel ze veel hulp had met de laatste beslissing, was het zo'n enorme verantwoordelijkheid dat ze waarschijnlijk zou bezwijken onder de druk als ze de tijd zou hebben om stil te staan en lang genoeg uit te rusten om erover na te denken.

Ze deed de deur van haar penthouse open en werd begroet

door het gekef van Pebbles. Er brandde licht in de keuken, maar er klonk geen 'Sexual Healing' op de stereo en geen gegiechel in haar moeders slaapkamer.

Faith liep door de keuken en de hal naar haar eigen slaapkamer. Ze deed haar jas uit en gooide die op een stoel. Ze kon zich de laatste keer niet herinneren dat Virgil en zij in het penthouse hadden geslapen, maar het was in elk geval zo lang geleden dat er nergens meer sporen van hem waren. Geen kleding of stropdassen. Geen schoenen of kammen. Geen tandenborstel van hem in de gemarmerde badkamer.

Het enig wat van hem was, was zijn exemplaar van *David Copperfield*, dat Faith had meegenomen uit het grote landhuis op de dag dat ze was vertrokken. Ze ging op het bed zitten en deed de lamp aan. Pebbles sprong naast haar terwijl ze het boek van het nachtkastje pakte en met haar hand over het donkere omslag ging. Ze bracht het boek naar haar neus en rook aan het oude papier en het versleten leer. Virgil had altijd naar dure aftershave geroken, maar ook het boek bevatte geen spoor meer van hem.

Pebbles maakte drie krappe cirkels naast Faiths heup en ging naast haar dijbeen liggen. Faith begroef haar vingers in de dikke vacht van de hond terwijl de tranen haar in de ogen sprongen. Ze miste Virgil. Ze miste zijn vriendschap en zijn wijsheid, maar toen ze haar ogen dichtdeed zag ze haar overleden echtgenoot niet voor zich. Ze zag een andere man. Een man die niet gemakkelijk glimlachte, maar die andere, heerlijke dingen met zijn mond deed. Een mooie, sterke man die haar een gevoel van veiligheid in zijn armen had gegeven toen hij haar tegen het raam van de zonnekamer had geduwd en de liefde met haar had bedreven. Een man die vanaf de andere kant van een kamer naar haar keek en ervoor zorgde dat haar maag tintelde en licht en zwaar tegelijkertijd werd. Een man die ervoor zorgde dat ze naar hem toe wilde rennen en haar hoofd tegen zijn naakte borstkas wilde leggen.

Faith deed haar ogen open en veegde de tranen van haar wangen. Ze had haar echtgenoot net begraven en ze kon niet stoppen met denken aan een andere man. Wat zei dat over haar? Dat ze een verschrikkelijk karakter had? Zo verschrikkelijk en zonder fatsoen als Landon altijd beweerde?

In een boek over rouwen had ze gelezen dat een nabestaande een vol jaar moest wachten voordat hij of zij aan een nieuwe relatie begon of bij iemand betrokken raakte. Maar kon ze dat wat er gisteravond tussen haar en Ty was gebeurd scharen onder een nieuwe relatie beginnen of bij iemand betrokken raken? Nee. Niet echt. Het was om seks gegaan. Om je laten gaan en bevrediging vinden.

Maar als het alleen daarom ging, waarom voelde ze vanavond dan van die warme kleine tintelingen? Waarom had ze de behoefte om door de kamer te rennen en haar hoofd op zijn naakte borstkas te leggen? Nadat haar verlangen gisteravond vier keer op één avond was bevredigd, moest ze er nu toch wel weer klaar mee zijn? Dan had ze zich toch genoeg laten gaan? Als het alleen om seks was gegaan, dan was ze er voorlopig toch klaar mee? Vooral als je bedacht hoe lang ze het zonder had gedaan.

Ze ging met haar hand door Pebbles' vacht en de hond draaide zich om en ontblootte haar buik. Ze voelde iets wat dieper ging dan seks. Iets anders, iets wat haar bang maakte. Het was geen liefde. Ze was niet verliefd op Ty Savage. Ze was een paar keer verliefd geweest en ze wist hoe dat voelde. Liefde was prettig en warm en troostend – zoals de liefde die ze voor Virgil had gevoeld. Of heet en verterend – zoals de liefde die ze voor haar eerste vriendjes had gevoeld. Het voelde niet verkeerd. Alsof één verkeerde beweging ervoor kon zorgen dat de bodem uit je leven verdween.

Dat was geen liefde. Dat was een ramp die elk moment kon plaatsvinden.

De volgende ochtend had Faith een ontmoeting met de manager van de Chinooks Foundation. Ze heette Miranda Snow en leek heel blij om Faith te ontmoeten. 'Mijn assistent is vandaag niet op kantoor,' zei ze terwijl ze Faith meerdere brochures gaf. 'Dit zijn alle liefdadige doelen van de Chinooks Foundation.'

Faith bekeek ze en was onder de indruk. Ieder jaar organiseerden de Chinooks een golftoernooi voor beroemdheden om geld in te zamelen voor spelers en vroegere spelers die een blessure hadden opgelopen en intensieve revalidatie nodig hadden die hun verzekering niet dekte.

'We betalen voor Mark Bressler op dit moment de ziekenhuisrekeningen die niet door de verzekering worden gedekt,' legde ze uit. 'En voor elke aanvullende revalidatie die hij eventueel nog nodig heeft.'

'Hoe gaat het met hem?' vroeg Faith over de voormalige aanvoerder, die ze een paar keer tijdens de Chinooks-kerstfeesten had ontmoet.

'Hij heeft de helft van zijn botten in zijn lichaam gebroken en mag van geluk spreken dat hij niet verlamd is.' Miranda gooide een pen op haar bureau. 'Zijn verzorgers zeggen dat hij een echte lastpost is.'

Het tweede doel waarover Miranda haar vertelde was een beursprogramma om getalenteerde kinderen naar ijshockeykampen te sturen. Het was gebaseerd op drie criteria. Getalenteerde kinderen moesten een gemiddeld cijfer hebben dat hoger dan een zeven lag, bovengemiddeld ijshockey spelen en afkomstig zijn uit een gezin met een laag inkomen.

Het derde liefdadigheidsdoel, de Hoop en Wens Stichting, zamelde geld in voor kinderziekenhuizen in de staat Washington met een aanpak die erop gericht was om drie speerpunten te steunen: onderzoek, financiële hulp en maatschappelijk bewustzijn voor kinderziekten. Faith las de dossiers en promotionele verslagen over alle doelen en had een aantal vragen en opmerkingen. Ze wilde weten hoeveel geld elk doel inzamelde, hoeveel geld werd uitgegeven aan bestuurskosten en administratieve kosten, en wat de stichting in de nabije toekomst van plan was.

'Ik heb het gevoel dat de pr hiervoor overdreven is,' merkte ze op toen ze een aantal krantenknipsels had gelezen 'We moeten aan de gemeenschap teruggeven omdat ze ons steunen. Niet omdat we er goede pr door krijgen en misschien meer ijshockeytickets verkopen.' Dat had ze geleerd bij de Gloria Thornwell Stichting en daar was ze het helemaal mee eens. Een persoon of liefdadige instelling moest geven om de juiste redenen en niet om er zelf beter van te worden. Sommigen voerden aan dat het niet uitmaakte zolang het resultaat hetzelfde was. Faith snapte dat argument, maar ze kende te veel societyvrouwen die voorzitter waren van een stichting of geld gaven om hun foto's op de societypagina's te krijgen.

Miranda keek verbaasd. 'Daar ben ik het helemaal mee eens, maar ik ben een eenzame roepende in de woestijn. Er zit een vrouw bij de pr-afdeling die erg agressief gedrag vertoont.'

Bo. Faith glimlachte. 'Die neem ik wel voor mijn rekening.'

De volgende avond had ze met Bo en Jules in de sportpub afgesproken om de wedstrijd van de Chinooks in Detroit te zien. De eerste periode begon redelijk gelijk, met tien schoten op het doel voor de Chinooks en twaalf voor de Red Wings. Met nog twee minuten te gaan scoorden de Red Wings.

Tijdens de eerste pauze vertelde Faith aan Bo en Jules over haar gesprek met Miranda en haar plannen om betrokken te raken bij de Chinooks Foundation.

'Het levert goede pr op als je dat doet,' zei Bo terwijl ze een flesje Beck naar haar lippen bracht. 'Ik ga eraan werken.'

'Ik wil geen deel uitmaken van de pr voor de liefdadigheidsstichting.' Faith glimlachte. 'Ik weet dat we wat promotie en advertenties voor elke gebeurtenis moeten hebben, maar ik denk dat we heel gerichte campagnes willen. Ik maak een afspraak met Jim en jou als ik iets concreets heb.'

Bo haalde haar schouders op. 'Het golftoernooi voor *celebs* is in juli. Laat me maar weten in hoeverre je daarbij betrokken wilt zijn.'

Jules keek haar aan. 'Speel je golf?'

Ze dacht aan de putting green in Ty's huis. Aan de avond dat ze zijn overhemd had gedragen, het katoen tegen haar blote huid had gevoeld en de geur van zijn aftershave op de kraag onder haar kin had geroken. Aan hoe hij achter haar had gestaan terwijl zij de bal probeerde te slaan. 'Nee, maar ik kan een van die golfkarretjes rijden,' antwoordde ze, waarna ze een slok merlot nam. Op het scherm boven de bar zag ze Ty over het ijs schaatsen met de puck in de kromming van zijn stick. Hij schoot naar Sam en schaatste achter het net langs naar de andere kant. Sam schoot de puck terug naar Ty op het moment dat een verdediger van Detroit net binnen de blauwe lijn tegen hem op botste. De twee vochten om het bezit van de puck, duwden elkaar en deelden elleboogstoten uit. Ty's hoofd sloeg achterover en de fluit klonk. De scheidsrechter wees naar de verdediger terwijl Ty een gehandschoende hand opstak en zijn gezicht bedekte.

'Hij is met het uiteinde van de stick geslagen,' zei Jules, die over de tafel in de richting van de bar leunde.

Ty liet zijn hand zakken en het bloed liep uit zijn linkerwenkbrauw.

'Niet zijn gezicht!' zei Faith voordat ze zich realiseerde dat ze hardop sprak. 'Hij mag zijn gezicht niet blesseren!' Ze had het gevoel alsof iemand haar een stomp in de maag had gegeven. De Red Wings-fans juichten en joelden terwijl Ty van het ijs ging en de Detroit-verdediger naar de strafbank schaatste. Een van de Chinooks-trainers gaf Ty een witte handdoek en hij hield hem tegen zijn wenkbrauw terwijl hij zich omdraaide om op de grote schermen die boven het ijs hingen naar de herhaling te kijken.

'Moet hij nu naar het ziekenhuis?' vroeg Faith.

Bo en Jules keken naar haar alsof ze krankzinnig was geworden. 'Het is maar een snee,' zei Jules.

Ty haalde de bloederige handdoek weg. De trainer keek naar zijn wenkbrauw en Faiths maag verkrampte.

'Jezus.' Bo schudde haar hoofd en nam een slok bier. 'Hij bloedt alsof er een aorta is geraakt.'

'Je aorta zit in je hart. Niet in je hoofd,' zei Jules.

'Ja. Dat weet ik, stomkop.' Bo zette haar biertje op tafel terug. 'Ik bedoelde het niet letterlijk.'

'Dat is gewoon stom.'

'Hou op! Hoe oud zijn jullie, verdorie?' Faith legde haar handen plat op tafel. 'Ty heeft net een snee in zijn wenkbrauw opgelopen. Dit kan ernstig zijn.'

Bo schudde haar hoofd weer. 'Zo erg is het niet.'

'Ze hebben hem opgelapt en weer op het ijs als de derde periode begint,' voegde Jules eraan toe terwijl Ty en de trainer de tunnel in liepen.

'Ik denk het niet.' Als zij zo'n klap kreeg, zou ze een volle nacht in het ziekenhuis en heel veel pijnstillers nodig hebben. Ty was niet zo'n watje als zij, maar hij kon absoluut niet meer spelen nadat hij zo'n verwonding had opgelopen.

Jules had echter gelijk. Toen de ploeg in de derde periode het ijs op kwam, was Ty erbij. Zijn wenkbrauw was gehecht met wit tape en hij had bloedvlekken op zijn shirt, maar hij schaatste.

In de laatste minuten van de wedstrijd werd het 4-3 voor Detroit. Coach Nystrom haalde de doelverdediger van zijn plaats en zette al zijn aanvallers op het ijs, maar hoewel ze hun uiterste best deden was het Detroits avond. Ze scoorden in de laatste tien seconden van de wedstrijd in een leeg doel en wonnen met 5-3.

'We verslaan ze maandagavond in ons stadion,' voorspelde Jules toen ze met z'n drieën de bar verlieten.

De rit van de bar naar het penthouse kostte ongeveer een kwartier. Pebbles was er niet, wat betekende dat haar moeder al naar bed was. Faith poetste haar tanden, waste haar gezicht, trok een Looney Tunes-T-shirt aan en ging naar bed. De wijn en de opwinding van de wedstrijd hadden hun tol geëist en ze sliep zodra haar hoofd het kussen raakte. Ze wist niet zeker hoe lang ze had geslapen toen ze wakker werd omdat de telefoon naast haar bed overging. Ze pakte de hoorn in het donker en sloeg ermee tegen haar voorhoofd. 'Au. Shit. Hallo?'

'Heb ik je wakker gemaakt?'

Ze knipperde met haar ogen. 'Ty?'

'Ja. Ben je alleen of ligt die hond in je bed?'

'Wat?' Ze voelde naast zich en haar vingers raakten vacht. 'Pebbles ligt naast me.'

Zijn zachte lach vulde haar oor. Die was zo zeldzaam dat het geluid door haar heen stroomde en haar vanbinnen wakker maakte. 'Dat moet betekenen dat mijn vader bij jou is.'

'Hij moet naar binnen geslopen zijn toen ik al naar bed was. Wil je met Pavel praten?'

'Alsjeblieft niet.'

Ze likte over haar lippen. 'Waarom bel je dan?'

'Ik weet het niet zeker.'

Ze draaide haar hoofd om en keek naar de oplichtende cijfers van haar wekkerradio. 'Weet je hoe laat het is?'

Het was even stil. 'Kwart over drie,' zei hij daarna.

'Waar ben je?'

'In mijn auto. Ik sta voor je huis.'

Ze ging zitten en duwde het dekbed weg. 'Je maakt een grapje.'

'Nee. We zijn een halfuur geleden geland. Heb je naar de wedstrijd gekeken?'

'Ja.' Ze zwaaide haar benen over de rand van het bed. 'Hoe is het met je wenkbrauw?'

'Ik heb vijf hechtingen.'

'Het zag eruit alsof het flink pijn deed.'

'Heel erg. Je moet naar beneden komen om er een kusje op te geven.'

'Nu?'

'Ja.'

'Ik ben niet aangekleed.'

'Helemaal niet?'

Ze keek in de duisternis naar haar Looney Tunes-T-shirt. 'Ik ben helemaal naakt.'

Hij schraapte zijn keel. 'Trek een jas aan. Ik beloof je dat ik niet zal kijken.'

Ze glimlachte en schudde haar hoofd. 'Dat kijken brengt ons niet in de problemen.'

Zijn stem werd zachter. 'Je houdt van problemen. En ik blijkbaar ook.'

Dat was zo. Ze hield er heel erg van. 'Wat voor soort problemen had je in gedachten?'

'Het soort waardoor je naakt in mijn bed terechtkomt. Omdat je al naakt bent, moet je misschien gewoon naar beneden komen en het afmaken.'

Ze moest het niet doen. Ze moest het echt niet doen. 'Dat zou ongepast zijn.'

'Heel erg.'

'Je hebt dus geen spijt van wat er vorige keer is gebeurd?'

'Nog niet, maar ik heb een paar wisselende posities in gedachten. Ik neem aan dat we na vannacht voldoende schaamte en spijt voelen om er een tijdje mee vooruit te kunnen.'

'Het klinkt alsof je aan me hebt gedacht.'

'Veel.'

Ze had ook aan hem gedacht. Dat had ze niet moeten doen, maar ze kon het niet helpen. En hoewel ze misschien geen spijt had van wat er was gebeurd, zou dat wel moeten. Op dit moment, terwijl ze luisterde naar zijn stem en wist dat hij haar wilde en voor het gebouw geparkeerd stond, voelde ze echter alleen een hete golf van hartstocht in haar buik. 'Ik ook,' fluisterde ze. 'Er is van de zomer een golftoernooi. Ik denk dat ik moet oefenen.'

'Liefje, je mag net zoveel met mijn club oefenen als je wilt.'

'Ik pak mijn jas.' Ze hing op, stapte uit haar string en trok het T-shirt over haar hoofd. Op dit moment won in de problemen komen met Ty het van het schuldgevoel dat ze over een paar uur zou hebben.

Ze poetste haastig haar tanden, kamde haar haar en pakte haar glanzende zwarte regenjas uit de kast. Ze trok een paar rode pumps aan en liet haar sleutels op weg naar de deur in haar jaszak glijden.

Ty stond in de duisternis naast zijn zwarte BMW, die tegen de rijrichting in naast de stoep stond. Een koel briesje waaide vanaf Elliot Bay en blies Faiths haarlokken in haar gezicht.

'Mevrouw Duffy.'

'Meneer Savage.'

Hij deed de passagiersdeur open. 'Leuke jas.'

Ze ging voor hem staan en keek in de duisternis naar zijn gezicht. Zijn wenkbrauw was getapet en de bries die haar haar rond haar hoofd had gewaaid, bracht de geur van zijn huid naar haar neus. Ze legde haar handen op zijn borstkas en hief haar gezicht omhoog. Onder het katoen van zijn overhemd trokken zijn spieren samen en werden hard.

Ty boog zijn hoofd en kuste haar. Zijn lippen drukten op de hare, waardoor een heet en intens gevoel door haar zintuigen golfde en ze haar vingers in de stof kromde die was verwarmd door zijn huid. Zijn tong raakte de hare terwijl zijn hand tussen de revers van haar regenjas gleed. Zijn warme hand omvatte haar borst en hij wreef met zijn duim over haar tepel.

Net toen ze er serieus over nadacht om zijn pols te pakken en hem mee naar boven te trekken, hief hij zijn hoofd op en haalde zijn hand uit haar jas. 'Stap in,' beval hij. Zijn stem was donker van uitputting of verlangen of allebei.

Ze ging op de passagiersstoel zitten en keek naar hem op. 'Wat voor soort wisselende posities had je voor me in gedachten?' vroeg ze.

'Ik wil van de ene kant van mijn matras naar de andere kant werken.'

Ze trok haar voeten naar binnen en dacht aan zijn kingsize bed. 'Dat kan een tijdje duren.'

'Precies.'

15

De warme bries op Faiths schouder haalde haar uit een diepe slaap. Ze knipperde met haar ogen, draaide zich om en keek in een stel stralend blauwe ogen die zich een decimeter van haar gezicht bevonden. Er verschenen kleine lijntjes in Ty's ooghoeken toen hij zachtjes in haar schouder beet.

'Goedemorgen,' zei hij met zijn mond op haar huid.

'Hoe laat is het?'

'Bijna twaalf uur.'

'O mijn·god!' Ze ging zitten en het witte laken gleed naar haar middel. 'Zo laat al?' Een plotselinge knoop van paniek liet haar hart sneller slaan en verkrampte haar maag. Ze was al zo lang niet wakker geworden in het bed van een man dat ze zich dat niet eens kon herinneren. Ze trok het laken omhoog om haar borsten te bedekken en keek over haar schouder naar hem. Hij leek volkomen op zijn gemak en ontspannen in een grijs T-shirt en een wijd vallende broek. 'Je bent al aangekleed.'

'Ik heb acht kilometer op de loopband gerend.'

'Waarom heb je me niet wakker gemaakt?'

Hij ging op zijn rug op de dikke zwarte paisley sprei liggen en deed zijn handen achter zijn hoofd. 'Je was bewusteloos.' Hij gleed met zijn ogen langs haar naakte rug. 'Je ging pas om vijf uur slapen.'

'Jij ook.'

'Ik heb niet veel slaap nodig.'

Ze hield het laken met één hand voor haar borsten en wreef met de andere over haar gezicht. Haar hart bonkte in haar keel terwijl ze naar de spaarzame eiken meubels en de dichtgetrokken jaloezieën voor het enorme boograam keek. 'Moet je niet trainen?' Als het verkeer meewerkte was ze twintig minuten van haar penthouse vandaan en ze droeg alleen een regenjas. Wat gisteravond een fantastisch idee had geleken, voelde in het daglicht als een afgrijselijke vergissing.

'Voorlopig nog niet.' Hij kwam overeind en duwde haar haar achter haar schouder. 'Ik heb bedacht dat ik je op weg daarnaartoe kan afzetten en je na afloop kan ophalen.'

Haar hart bonkte in haar oren. Ze had zelfs geen string bij zich. Er was een tijd in haar leven geweest waarin ze zich daarover niet druk had gemaakt, maar dat was lang geleden. Dat was een andere tijd en een heel ander leven geweest. Ze was een andere vrouw geweest, een vrouw die ze niet meer was. Door de spanning verstrakte haar voorhoofd en ze was bang dat ze een paniekaanval zou krijgen. Ze had heel hard gewerkt om dat leven achter zich te laten.

'Faith?'

Ze keek hem aan. 'Ja?'

'Heb je gehoord wat ik zei?'

'Je moet naar je training.'

Hij bracht zijn mond naar haar schouder en beet zachtjes in haar huid. 'Ik wil je na de training ophalen. Misschien kunnen we naar een klein Italiaans restaurant gaan dat ik in Bellevue heb ontdekt. De bediening is verschrikkelijk, maar het eten is heerlijk.'

'Nee!'

Zijn hoofd schoot omhoog en hij keek haar aan. Ze moest nadenken. Ze moest haar leven en zichzelf in de hand krijgen. Ze kón niet uitgaan met haar ijshockeyer. Haar echtgenoot was net overleden. Ze kon met níémand uitgaan.

Na een paar seconden zei hij langzaam: 'Oké.'

'Ik bedoel...' Wat had ze bedoeld? Ze was zo in de war. Ze wist het niet. 'Ik bedoelde het niet zoals het uit mijn mond kwam. Ik bedoel...'

'Ik weet wat je bedoelt. Je wilt gewoon seks en dat is alles.'

Bedoelde ze dat? Nee. Ja. Ze kon niet voorbij de verwarring denken die haar hoofdhuid verstrakte.

Hij haalde zijn schouders op en trok zijn schoenen en sokken uit. 'Dat is niet erg. Veel vrouwen willen met ijshockeyers naar bed.' Hij trok zijn T-shirt over zijn hoofd, maar hij zag er niet uit alsof hij het niet erg vond. Hij keek een beetje boos. Het T-shirt vloog door de kamer en hij rukte het laken uit haar handen.

'Ty!'

'Nu weten we hoe de stand van zaken is.' Hij duwde tegen haar schouders tot ze op haar rug lag en naar hem keek.

'Je ziet er boos uit.'

Hij schudde zijn hoofd en zette zijn handen naast haar hoofd op het kussen. 'Ik wilde daarnet lief voor je zijn. Nu hoef ik me daar geen zorgen meer over te maken.'

Faith raakte de harde spieren van zijn borstkas aan. 'Ik vind het fijn als je lief bent.'

'Dat is dan jammer.' Hij bracht zijn gezicht naar haar hals.

Voordat ze in zijn bed in slaap was gevallen, hadden ze twee keer seks gehad. De laatste keer was onder de douche geweest, die massagestralen had en waar met gemak zes mensen in konden staan. Wat betekende dat haar haar waarschijnlijk verschrikkelijk zat. Ze fronste haar voorhoofd terwijl hij haar hals kuste. Haar leven was één grote puinhoop en zij maakte zich druk om haar haar?

'Ik wil niet lief meer zijn.' Zijn warme adem gleed langs haar hals en borstkas en ze voelde dat haar spanning iets minder werd.

'Hoe wil je dan zijn?'

'Ruw,' antwoordde hij terwijl zijn mond langs haar hals gleed en bij haar keel pauzeerde om in de huid te bijten. Hij ging langs haar lichaam naar haar rechterborst en keek naar haar op. Zijn blik was een explosieve combinatie van boosheid en verlangen terwijl hij zijn mond opendeed om haar tepel naar binnen te zuigen. Hij zoog haar hard in zijn hete, natte mond terwijl hij haar andere borst vastpakte. De minnaar van gisteravond was verdwenen. De man die zijn grote handen gebruikte om te plagen en een reactie kreeg waar hij haar maar aanraakte. De man die de tijd nam en aandacht aan haar reacties schonk terwijl hij haar lichaam beminde was er niet meer.

Hij richtte zich op haar andere borst en bewerkte haar stijve tepel met zijn tong. Zijn ruwe handen kneedden haar zachte vlees en ze kon er niets aan doen dat het haar opwond. Ze pakte handenvol laken en sprei en kromde haar rug. Ze kreunde diep in haar keel en hij lachte.

'Als ik had geweten dat je ruw lekker vindt...' zei hij terwijl hij zich al kussend en bijtend een weg naar beneden werkte, '... had ik mijn tijd er niet mee verdaan om lief te lijken.' Hij kuste haar buik voordat hij via haar heup naar de binnenkant van haar dijbeen ging. Hij keek vanonder zijn zware oogleden naar haar omhoog. Zijn mooie ogen waren een glanzende chaos van gevoelens terwijl hij aan de gevoelige huid net onder de plooi van haar dij zoog, waarmee hij haar plaagde en gek maakte van verlangen. Op het moment dat ze wilde schreeuwen van frustratie, zei hij: 'Zet je voeten op mijn schouders.' Hij duwde haar dijen uit elkaar en nam haar in zijn hete mond. Hij was niet voorzichtiger dan hij daarnet met haar borsten was geweest. Hij behandelde haar alsof ze er alleen voor zijn plezier was. Hij teisterde haar met zijn mond en tong en ze vond het heerlijk. Ze gaf Layla de schuld.

Binnen de kortste keren golfde er een heet, krachtig orgasme door haar heen dat haar van binnenuit verschroeide. Ze sidderde en snakte naar adem. Ty bleef bij haar tot de laatste golf was weggeëbd en daarna ging hij op zijn knieën zitten. Hij staarde naar haar met zijn donkere blik en veegde met de achterkant van zijn hand over zijn mond, waarna hij een condoom over de lengte van zijn erectie afrolde.

Ze deed haar mond open om iets te zeggen, maar kon niets bedenken. 'Dank je. Denk ik,' zei ze uiteindelijk.

'Je hoeft me niet te bedanken. Het is nog niet voorbij.'

Hij ging op haar liggen en stootte zijn harde penis in haar lichaam. Door de kracht van zijn stoot schoof ze op de matras omhoog, en stroomde de zuurstof uit zijn longen. 'Het is niet voorbij voordat ik zeg dat het voorbij is.'

Ze keek naar de strenge lijnen op zijn gezicht en gleed met haar handen via zijn schouders naar de zijkanten van zijn hoofd. Ty was misschien boos op haar, maar ze kon niet boos op hem zijn. Niet na het intense orgasme dat hij haar net had bezorgd, en niet terwijl de eikel van zijn penis haar schede bewerkte en daar een nieuw vuur liet ontbranden dat alleen hij kon doven. 'Dat is goed,' fluisterde ze terwijl ze haar bekken heen en weer bewoog en haar spieren rond zijn dikke schacht liet samentrekken en ontspannen.

Zijn ademhaling kwam sissend over zijn lippen en hij gromde terwijl hij zich terugtrok en telkens opnieuw diep in haar stootte. Hij bewerkte haar, bracht haar naar een orgasme, zorgde ervoor dat de lucht om haar heen zo dik werd dat ze moeite had met inademen. Ze sloeg haar benen rond zijn middel en kwam hem keer op keer tegemoet, tot een vlammend orgasme door haar aderen joeg terwijl hij in haar lichaam stootte. Ze kromde haar rug en omklemde hem tot hij zijn eigen storm had uitgereden.

Toen het voorbij was, kleedden ze zich zwijgend aan. Hij in zijn T-shirt en trainingsbroek, zij in haar regenjas. Ze zeiden niets tegen elkaar tijdens de rit naar huis. Ty schoof een Linkin Park-cd in de cd-speler en de heavy metal stroomde door het weelderige interieur en verloste hen beiden van een pijnlijk gesprek. Hij leek in zijn eigen gedachten verdiept en zij was nog steeds zo verward dat ze niet wist wat ze moest zeggen. Hij was boos, hoewel hij dat ontkende. Het leek alsof ze hem had gekwetst, wat bizar was, met het oog op zijn harde uiterlijk en chagrijnige karakter.

Toen hij de parkeergarage in reed en naast de lift stopte, zette hij de muziek af. 'Het spijt me als ik je pijn heb gedaan.'

'Dat heb je niet.' Ze was een beetje beurs op sommige plekken, maar ze had geen pijn. Integendeel. 'Het spijt me als ik je gekwetst heb.'

'Faith, ik ben geen vrouw.' Zijn blauwe ogen keken naar haar vanuit de schaduw van de auto. 'Ik ben niet gekwetst als een prachtige vrouw me vertelt dat ze me alleen voor de seks wil gebruiken.' Hij lachte zonder humor. 'Hoewel jij de eerste bent. Dat is me nog nooit gebeurd. Het is altijd andersom geweest.'

'Jij gebruikt mij toch ook alleen voor de seks?'

Hij keek haar aan terwijl hij op de knop drukte om de deur te ontgrendelen. 'Ja. Dat is zo. Dank je.'

Op maandagavond tapete Ty zijn sokken net onder zijn knieën toen coach Nystrom naar het notitiebord wees. De andere Chinooks zaten of stonden te wachten tot de wedstrijd begon. Het geluid van scheurend tape wedijverde met de laatste instructies van de coach.

'Blokkeer de schoten. Zorg dat jullie voor hun doel komen,' zei hij terwijl hij op het bord tekende.

In de arena achter de tunnel warmde de Chinooks-speaker het publiek op terwijl Queen uit de geluidsinstallatie dreunde.

'Hou jullie hoofden omhoog en jullie ogen op de puck,' zei Nystrom een laatste keer voordat de spelers de coaches de kleedkamer uit en de tunnel in volgden. Ze liepen over de matten die de vloer bedekten en terwijl de stadionspeaker nummer, positie en naam omriep, schaatste de bewuste speler het ijs op. Ty stond achteraan in de rij en keek naar de eigenarenbox. Er zaten verschillende mensen op de rode stadionstoelen, maar Faith was er niet bij.

Luchthoorns klonken toen de omroeper Sams nummer en naam riep en Ty dichter naar de opening liep. Gisteren had hij tegen haar gezegd dat hij haar mee uit eten wilde nemen. Hij had net een paar uur seks met haar gehad. Ze had haar handen en mond overal op zijn lichaam gehad en hij wilde haar trakteren op een heerlijke Italiaanse maaltijd. Dat was niet bepaald ongewoon. Elke andere vrouw zou dat en meer hebben verwacht, maar zij had zich gedragen alsof hij haar had gevraagd om zijn baby te krijgen. Haar reactie had hem woedend gemaakt, en hij had het haar betaald gezet door ruwe seks met haar te hebben. Alleen had het een averechtse uitwerking gehad, want ze had het heerlijk gevonden. Hij kon niet stoppen met denken aan de beet die hij op haar dijbeen had achtergelaten en dat maakte hem nog bozer.

De volgende speler werd omgeroepen en Ty deed weer een stap naar voren.

Hij had gedacht dat hij er spijt van zou hebben om seks met Faith te hebben. Dat was niet zo. Hij dacht dat het complicaties zou veroorzaken, maar dat zou niet gebeuren zolang niemand erachter kwam. Fysiek was Faith de perfecte vrouw. Ze was bloedmooi, van haar blonde haar tot haar kleine rode teennagels, maar ze was meer dan alleen fantastische borsten en een lekker kontje. Ze had hersenen en gevoel voor humor, maar het aantrekkelijkste aan haar waren haar vastbeslotenheid en wilskracht. Dat ze overeind kon blijven en vol zelfvertrouwen kon lijken terwijl ze zich helemaal niet zo voelde. Ty had bewondering voor lef en durf en moed.

Blake werd op het ijs geroepen en Ty deed weer een stap naar voren. Het enige aan haar wat hem vroeger afschuwelijk irriteerde vond hij nu ongelofelijk aantrekkelijk. Het was verdomd ironisch. Of misschien was het karma. Wat het ook was, het moest afgelopen wezen. Hier stond hij dan, op het punt om op het ijs te worden geroepen om een van de belangrijkste wedstrijden van zijn leven te spelen, en hij kon alleen aan Faith denken. Hij moest zijn hoofd bij de wedstrijd houden. Hij kon niet in de war zijn omdat een mooie blondine alleen seks van hem wilde en niets meer. Zelfs geen etentje.

Vlad werd omgeroepen en Ty liep naar de rand van het ijs. Met een andere vrouw kon dat een perfecte regeling zijn, maar Faith was geen andere vrouw. Ze was de eigenares van de Chinooks. Iets wat hij met een alarmerende frequentie bleef vergeten.

'Nummer 21!' riep de omroeper. Zijn dreunende stem verdronk bijna in het geschreeuw van de luchthoorns en de toeschouwers, die met hun voeten stampten. 'Spelend op de centrale positie. De aanvoerder van de Chinooks, Ty S-a-a-v-a-a-a-a-ge!'

Met zijn hoofd naar beneden ging Ty ervandoor alsof hij uit de tunnel was geschoten. Het glasachtige oppervlak van het ijs schoot onder hem voorbij terwijl hij langs zijn teamgenoten sprintte en aan het eind van de rij remde, waardoor er fijn ijs omhoog spoot. De fans waren uitzinnig en hij keek omhoog naar de eigenarenbox. Faith stond bij de railing en keek naar de ijspiste. Hij zag haar gezicht niet duidelijk, maar hij wist dat ze naar hem keek en de boosheid golfde opnieuw door hem heen. De buitenproportionele boosheid, die een gat in zijn maag brandde. Hoewel hij wist dat zijn boosheid overdreven was, met het oog op de aard van zijn relatie met Faith, fronste hij zijn wenkbrauwen en schoten zijn ogen vuur. Vuur dat geen goed voorteken was voor de verdediging van de Red Wings.

16

De vroege ochtendzon scheen als een schijnwerper door de ramen terwijl de BAC-111 zich door het wolkendek boorde en koers naar het oosten zette.

Faith opende het laatste nummer van *Hockey News* en probeerde Ty te negeren, die recht voor haar zat. Net als de andere spelers droeg hij een donkerblauw jasje en zijn brede schouder vulde de kier tussen de stoelen. Hij hield de sportpagina's van *The Seattle Times* in zijn handen en las ongetwijfeld het verslag van de 4-1 vernedering die de Chinooks Detroit gisteravond in de Key hadden gegeven, en was erg ingenomen met zichzelf. Ty was gisteravond op het ijs niet te stuiten geweest. De verdediging van Detroit had geen kans gezien hem in te tomen. Hij had vroeg in de eerste periode gescoord en daarna de beslissende voorzetten voor het tweede en derde doelpunt gegeven.

Na gisteravond had hij negen doelpunten, veertien beslissende voorzetten en een totaal van drieëntwintig punten op zijn naam staan. Het was het hoogste wedstrijdpuntentotaal in zijn team en het op drie na hoogste in de NHL.

Vanochtend, toen ze aan boord van het vliegtuig gingen, had hij nauwelijks naar haar gekeken. Als ze haar verstand gebruikte wist ze dat iedereen moest geloven dat ze elkaar niet mochten. Na de laatste keer dat ze bij elkaar waren geweest, wist ze echter niet zeker of het van zijn kant een rol was.

De andere spelers hadden haar wel begroet. Ty zou er niets van hebben gekregen als hij haar even had begroet, behalve als ze hem zo boos had gemaakt dat hij niets meer met haar te maken wilde hebben.

Ze pakte twee zemelenmuffins met extra proteïnen van het blad dat werd doorgegeven en gaf er een aan Jules, die naast haar zat. 'Waar is de boter?' vroeg ze. Waarom zorgde de gedachte dat ze nooit meer met Ty samen zou zijn ervoor dat ze wilde huilen, zelfs al wilde ze tegelijkertijd tegen de achterkant van zijn stoel trappen. Hard. 'Ik heb gelezen dat ijshockeyers de weerzinwekkende hoeveelheid van vijfendertighonderd calorieën per dag moeten eten,' ratelde ze. 'Kun je je voorstellen dat je probeert om zo veel calorieën te eten? Hemel, je zou denken dat ze dan wel boter zouden hebben.' Ze liet haar tijdschrift zakken en legde de muffin erop. Had ze iets gedaan? Behalve dat ze niet in het openbaar met hem uit eten wilde? 'Als ik zo veel calorieën moest eten, zou ik beslist boter op mijn muffin nemen. En dan wou ik er een met stukjes chocolade. Of nog beter, dan nam ik een banaan-walnootmuffin.' Ty's krant ritselde en iets in haar borstkas kneep samen. Hoe moest ze hem nog onder ogen komen als hij niet meer bij haar wilde zijn? 'O, en dan spoelde ik het weg met een echte latte. Geen vetvrije, suikervrije magere latte zonder slagroom.'

Jules keek naar haar. 'Is alles in orde met je?'

'Ja.' Ze wilde dat ze thuisgebleven was. 'Hoezo?'

'Je lijkt je overdreven druk te maken over die muffin.'

Faith trok er een stukje vanaf en stak dat in haar mond. Nee, ze maakte zich niet overdreven druk over een muffin. Ze maakte zich overdreven druk over de man die voor haar zat, die door de krant bladerde en niet tegen haar had gepraat vanaf het moment dat hij haar in niets meer dan een regenjas in haar parkeergarage had achtergelaten. Natuurlijk, ze had hem min of meer duidelijk gemaakt dat ze alleen seks wilde, maar hij had toch kunnen bellen? Hij had haar vanochtend gedag kunnen zeggen.

Ik wilde daarnet lief voor je zijn. Nu hoef ik me daar geen zorgen meer over te maken, had hij gezegd, en ze nam aan dat hij dat meende. Ze maakte zich overdreven druk omdat ze niet wist of hij besefte dat ze bestond, terwijl zij zich bovenmatig bewust was van Ty, van de stof van zijn kostuum tot zijn donkere achterhoofd.

Terwijl ze op haar muffin kauwde, haalde ze de dop van een klein flesje biologisch sinaasappelsap. Ze had zich niet door Jules moeten laten overhalen om met het team mee te reizen naar Detroit. Hoewel hem dat niet veel moeite had gekost als ze eerlijk was.

Het geritsel van de krant voor haar trok haar aandacht naar het gangpad en Ty's elleboog op de armleuning. Ze bracht het plastic flesje naar haar lippen en nam een slok. De opwinding van de wedstrijd van gisteravond was rechtstreeks naar haar hoofd gestegen. De vernedering die de Chinooks Detroit hadden toegebracht had een elektriserend gevoel van opwinding door de arena gestuurd en de haren op Faiths armen waren overeind gaan staan. In plaats van naar een georganiseerde chaos te kijken, zag ze talent en training. Controle die helemaal niet op controle leek. Voor het eerst begreep ze Virgils liefde voor het spel.

Gisteravond, toen de wedstrijd afgelopen was en het dak van het stadion ging, had Jules gezegd dat ze maar één keer met het team was meegereisd en dat hij vond dat ze vaker mee moest gaan.

Nu ze in het daglicht achter Ty zat, die haar volkomen negeerde, leek het een van haar minder goede ideeën. Een beetje onbesuisd. Net als toen ze om drie uur 's nachts alleen in een glanzende regenjas haar penthouse uit holde.

Ze zette het sap op het blad terug, waardoor het licht boven haar hoofd in haar trouwring weerkaatste. De drie briljanten fonkelden aan haar hand. De ring had haar altijd het gevoel gegeven dat ze belangrijk, chic, rijk was. Als ze er nu naar keek, voelde ze zich alleen in tweestrijd staan. Alsof ze in verschillende richtingen werd getrokken en niet wist welke kant ze op moest. Ze was niet meer de vrouw die ze twee maanden geleden was geweest. Haar leven was totaal anders. Het was gevuld met meer dan dinerplannen en zorgen voor de behoeften van haar bejaarde echtgenoot. Ze begon echt te begrijpen hoe de Chinooks-organisatie functioneerde en zelfs hoe het spel werd gespeeld. En ze keek ernaar uit om voor de liefdadigheidsstichting te gaan werken.

Terwijl sommige delen van haar leven stabieler voelden, waren andere delen volkomen onbestuurbaar geworden, en ze had een paarse zuigzoen in de plooi van haar dijbeen om dat te bewijzen. Als ze niet net dertig was geworden, had ze gedacht dat ze aan een midlifecrisis leed. Layla had haar seksleven onder controle gehad, terwijl Faith zich ontzettend schuldig voelde omdat ze een seksleven hád. Toch was dat duidelijk niet voldoende om te stoppen, als ze doodsbang werd bij de gedachte dat ze nooit meer samen zou zijn met Ty.

De videoschermen in het vliegtuig zakten naar beneden en de nieuwste James Bondfilm begon. Ty vouwde zijn krant dicht en Faith nam een slok van haar jus d'orange. Seks met Ty was een slecht idee geweest. Dat had ze vanaf het begin geweten. Als ze betrapt werden, zou dat een enorme vernedering voor haar zijn. Het team zou er zeker onder lijden, maar het zou Ty's carrière kunnen verwoesten. De gevolgen zouden verschrikkelijk voor hem zijn. In haar hoofd wist ze dat het beter zou zijn als Ty besloot dat het voorbij was tussen hen. Beter voor haar en voor hem en voor het team. Heel vervelend dat de rest van haar lichaam niet wilde wat beter was.

Faith deed de rode stoffen knoopjes dicht van de zwarte *cheongsam* die Virgil voor haar had gekocht toen ze tijdens het eerste jaar van hun huwelijk naar China waren geweest. Op de rug van de jurk was een rode draak geborduurd. Ze droeg een paar rode Valentino-schoentjes met open neus en hakken van twaalf centimeter. Ze had haar haar opgestoken met jaden stokjes en had haar ogen met zwarte eyeliner omrand. Er stond een chocolademuffin naast de wasbak en ze trok een stukje van de bovenkant af en stopte dat voorzichtig in haar mond, zodat haar lippenstift niet uitliep. Toen ze terugkwam in haar hotelkamer na een dag in een plaatselijke spa, waar ze een lichaamsmassage, een gezichtsbehandeling, een manicure en een pedicure had gehad, stond de muffin op de salontafel op haar te wachten, in een roze-wit gestreepte doos met de naam van een bakkerij erop.

Ze glimlachte bij het idee dat Jules verschillende bakkerijen in de stad had gebeld om een muffin te bemachtigen omdat ze zo boos was geworden over zemelen versus stukjes chocolade terwijl ze in werkelijkheid boos was om een heel andere reden.

Ze stopte de Rogue Red-lippenstift in haar kleine zwarte tasje toen er op haar deur werd geklopt. Ze bekeek haar spiegelbeeld en liep daarna door de zitkamer naar de deur.

'Je ziet er goed uit,' zei Jules toen ze de deur open had gedaan en hij haar jurk had bewonderd.

Jules droeg een zwarte broek en een rood zijden overhemd. Voor zijn doen had hij zich bescheiden gekleed. 'We passen bij elkaar.' Ze liepen naar de liften. 'Wie zijn er bij het diner aanwezig?' vroeg ze.

'Het grootste deel van het team.' Ze stapten de lift in en Jules drukte op de juiste knop. 'Het reisbureau heeft de privédinerzaal in het Coach Insignia gereserveerd.'

Het Coach Insignia lag op de bovenverdieping van het zevenendertig verdiepingen tellende Detroit Marriott Hotel. Het restaurant had een adembenemend panoramisch uitzicht over Detroit en zijn Canadese buren. Tegen de tijd dat Faith en Jules de zaal binnenkwamen, deden de meeste spelers zich al te goed aan de amuse. Ze droegen allemaal designerkostuums en stropdassen, en als ze geen haveloze play-offsbaarden en diverse sneden en blauwe ogen hadden gehad, hadden ze eruitgezien als gewone zakenmannen.

Ty stond bij het eind van de lange tafel, met een hand op de rug van Daniels stoel, en tekende onzichtbare patronen op het witte tafelkleed terwijl hij met de jongere speler praatte. Hij droeg een blauw-wit gestreept overhemd, dat openstond bij de hals. Hij keek naar haar terwijl hij praatte en zijn vinger stopte. Zijn blauwe ogen bleven op haar rusten terwijl Jules en zij in het midden van de lange tafel gingen zitten, tussen Darby en coach Nystrom in en tegenover Sam en Blake.

'U ziet er vanavond prachtig uit, mevrouw Duffy,' complimenteerde Blake haar. Ze had een goed zicht op zijn gezichtsbeharing. Hij droeg nog steeds de ongelukkige Hitler-snor met de bijpassende streep op zijn kin.

'Dank u, meneer Conté.' Ze glimlachte en sloeg de wijnkaart open. Vanuit haar ooghoek zag ze dat Ty overeind kwam en naar de laatste lege stoel een paar plaatsen bij Sam vandaan liep. 'Ik heb vandaag een lichaamsmassage gehad. De masseur had goddelijke handen. Hij gebruikte olie en verwarmde stenen. Het was alsof ik in de hemel was beland. Ik raakte er zo ontspannen van dat ik zowat kwijlde.' Ze keek op en zag de gezichten die naar haar staarden. 'Bestellen we rode én witte wijn?'

Coach Nystrom trok zijn das recht. 'Natuurlijk.'

'De meeste spelers drinken de avond voor een wedstrijd niet,' zei Darby tegen haar. Faith wist zeker dat dat niet waar was.

'Volkoren muffins, biologisch sinaasappelsap, jullie leven niet echt *on the edge*.' Ze legde haar hand op die van Jules. 'O, ik ben vergeten je te bedanken voor de muffin.'

'Welke muffin?'

'De chocolademuffin op mijn kamer. Dat was heel lief. Dank je.'

Jules opende zijn menu. 'Ik heb een afspraak voor de spa geregeld. Ik weet niets over een muffin. Misschien heeft het hotel je die gegeven. Zoiets als de koekjes in de Doubletree.'

Faith leunde naar achteren en keek naar Ty. Hij bracht afwezig een glas ijswater naar zijn mond terwijl hij het menu bekeek.

'Ik heb ook geen muffin gekocht,' zei Blake terwijl de serveerster zijn bestelling opnam. 'Jij, Sam?'

Sam schudde zijn hoofd en bestelde een salade en gebakken zeebaars. 'Nee.'

'Heb jij me een chocolademuffin gestuurd?' vroeg ze aan Darby. 'Ik wist niet dat je er een wilde.'

'Dat is vreemd.' Een fractie van een seconde dacht ze aan Ty, maar ze zette het idee dat de muffin van hem kwam snel van zich af. Hij was zo verdiept geweest in zijn krant dat ze betwijfelde of hij wist dat ze achter hem had gezeten, laat staan dat hij aandacht had besteed aan wat ze had gezegd. Ze zette het raadsel uit haar hoofd en bestelde een caesar salad, kip en een Duitse chablis uit 1987.

De wedstrijd van de volgende avond domineerde het gesprek rond Faith. De coaches en spelers praatten over het bedwingen van Zetterberg en Datsyuk, de dubbele dreiging die in de finale van de play-offs van vorig jaar fataal was gebleken voor de Penguins. Faith at haar kip en dronk haar wijn en beantwoordde af en toe een vraag. Ze betrapte zich er tijdens het diner verschillende keren op dat ze naar Ty keek. Ze bestudeerde zijn handen terwijl hij in zijn enorme steak sneed of een slok water nam, en de manier waarop hij praatte en grapjes maakte met de mannen om hem heen.

'Wat ga je doen voordat de wedstrijd begint?' vroeg Darby aan haar.

Ze haalde haar blik van Ty's vingers, die de condensatiedruppels van zijn glas veegden. 'Ik weet het niet. Ik denk dat je hier geweldig kunt winkelen, hoewel ik min of meer uitgewinkeld ben.'

'Er is een nieuw casino,' stelde Daniel voor.

'Als je geboren en getogen bent in Nevada, is gokken op de een of andere manier niet zo boeiend meer.'

'Waarom ga je niet schaatsen?' vroeg coach Nystrom.

Faith schudde haar hoofd. 'Ik kan niet schaatsen.' Tweeëntwintig verbaasde gezichten staarden naar haar alsof ze net iets onvoorstelbaars had gezegd. Alsof ze een salarisplafond van 50.000 dollar had vastgesteld of zo. 'Op dit moment. Ik ben van plan om lessen te nemen,' loog ze voordat de situatie vervelend werd. 'Misschien ga ik morgen zwemmen.'

'Wanneer ga je zwemmen?' wilde Sam weten. 'Ik probeer altijd 's morgens naar het zwembad te gaan. Ik heb in het zwemteam van mijn middelbare school gezeten.'

'Vorig jaar heb je je schouderspieren geblesseerd omdat je indruk probeerde te maken en ben je het halve seizoen geblesseerd geweest,' herinnerde coach Nystrom hem. 'Je blijft uit het zwembad vandaan.'

Sam glimlachte. 'Dat was omdat ik de vrije slag deed.'

'Dat is je probleem op het ijs ook,' zei een speler met een licht Zweeds accent. 'Te veel vrije slagen en dan eindig je weer op de strafbank.'

'Ik heb tenminste een stijl, Karlsson.'

Faith keek langs de tafel naar Johan Karlsson, die een hommelgeel-zwart gestreept overhemd droeg en daarmee slechter gekleed was dan Jules. Hij had een dikke blonde baard en een betreurenswaardig Will Ferrell-afrokapsel.

'Ja, de helikopterstijl,' zei Logan Dumont.

'Hou je kop, jonkie. Jij bent de kleutercompetitie nauwelijks ontgroeid.'

Faith had er geen idee van wat de helikopterstijl of kleutercompetitie was, maar het was blijkbaar niet goed.

'Niet hier, mannen,' waarschuwde de assistent-coach.

'Logan voelt zich gewoon gauw aangetast in zijn mannelijkheid omdat hij niet meer dan een armzalig baardje op zijn kin kan kweken,' zei Blake tegen Sam.

Faith nam een laatste hap van haar kip en legde haar vork op de rand van haar bord.

'Mijn baard ziet er in elk geval niet uit als Jenna Jamesons kruis,' antwoordde Logan.

Faith sperde haar ogen open en ze hield haar servet voor haar mond om een ongepaste glimlach te verbergen.

'Jezus, Dumont. Mevrouw Duffy zit aan tafel,' waarschuwde de coach.

'Het spijt me,' zei de jonge speler.

Faith liet haar servet zakken. 'Verontschuldiging aanvaard,' zei ze terwijl haar blik van Logan naar Ty ging, die vanaf de andere kant van de tafel naar haar keek. Zijn blauwe ogen verraadden niets. Geen boosheid, zoals de laatste keer dat ze bij elkaar waren geweest, geen verlangen, niets. Ze voelde een kleine steek in haar hart.

Ze waren geen stel. Ze maakten geen afspraakjes. Hun relatie, als die niet voorbij was, was puur fysiek. Waarom vond ze het dan erg dat hij naar haar keek alsof ze niets voor hem betekende?

Faith pakte haar tasje, dat naast haar bord lag. 'Ik ben moe,' zei ze tegen Jules. 'Ik neem geen dessert.'

Jules keek naar haar en legde zijn servet naast zijn bord. 'Ik loop met je mee naar je kamer.'

'Nee. Blijf maar hier.' Ze stond op. 'Goedenavond, heren. Ik heb een fantastische avond gehad. Ik zie jullie morgenavond in het stadion.' Ze liep het restaurant uit en dwong zich niet om te kijken. Binnen een paar minuten was ze in haar suite terug en gooide ze haar tas op de tafel. Ze zette de televisie aan en drukte op de knop van de afstandsbediening tot ze bij TCM kwam, waar *Gentlemen Prefer Blondes* werd uitgezonden. Virgil was een grote fan van klassieke films en sterren zoals Marilyn Monroe en Sophia Loren geweest. Faith had nooit veel belangstelling gehad voor oude films en ze zapte verder.

Er werd op de deur geklopt en ze gooide de afstandsbediening op de bank. Ze verwachtte Jules te zien, maar was helemaal niet verbaasd dat Ty voor de deur stond.

'Wie is dat?' riep ze terwijl ze door het kijkgaatje naar hem staarde.

Hij trok één wenkbrauw op en vouwde zijn armen over elkaar.

Ze ergerde zich aan hem. Misschien was dat onlogisch, maar ze was nog steeds boos en had geen zin om hem meteen binnen te laten.

'Ik weet dat je naar me kijkt. Je kunt me net zo goed binnenlaten,' zei hij.

'Wat wil je?' vroeg ze toen ze had opengedaan.

In plaats van antwoord te geven liep hij naar binnen en dwong haar naar achteren te lopen.

'Ik ben moe en niet...' Zijn mond stopte de stroom woorden terwijl hij zijn handen tegen de zijkanten van haar gezicht legde. De deur ging met een zachte klik achter hem dicht en hij wreef met zijn duimen over haar wangen. Zijn lippen gleden over de hare, eerder met de belofte van passie dan een volledige kus.

'Je gaat niet zwemmen met Sam,' zei hij vlak boven haar lippen. 'En ik leer je schaatsen.'

Ze was niet serieus van plan geweest om schaatsen te leren. 'Ik wil niet vallen en mezelf blesseren.'

'Dat laat ik niet gebeuren. En de volgende keer dat je een lichaamsmassage nodig hebt bel je mij,' zei hij terwijl hij haar mondhoek kuste.

Ze glimlachte bijna. 'O ja? Als je zo goed bent in doen alsof ik niet besta?'

Hij streelde haar mond met zijn lippen. 'Daar zou ik een Oscar voor moeten krijgen.'

Ze legde haar handen op zijn borstkas en probeerde hem weg te duwen. 'Je had tenminste gedag kunnen zeggen.'

'Nee, dat kon niet.' Hij liet zijn handen zakken en leunde met zijn rug tegen de deur. 'Dat risico kan ik niet nemen.'

Faith liep door de kamer en zette de televisie uit. 'Wat bedoel je daarmee?'

'Ik bedoel dat ik bang ben dat iedereen op een afstand van tien kilometer kan zien dat ik seks met je heb gehad als ik naar je kijk.'

Ze gooide de afstandsbediening op de tafel. 'O.'

'En dat betekent dat ik bang ben dat iedereen op een afstand van tien kilometer kan zien dat ik me de laatste keer dat ik je naakt heb gezien herinner,' ging hij verder terwijl hij naar haar toe liep. 'Ik ben een beetje ruw met je omgesprongen en ik wou dat het me speet, maar het was zo heerlijk dat ik dat niet kan zeggen. Elke keer met jou is heerlijk, en ik ben bang dat iedereen die binnen een afstand van tien kilometer naar me kijkt zal weten dat ik aan het bedenken ben hoe ik je zo snel mogelijk weer uit de kleren kan krijgen.'

Ze beet op haar lip. Het enige wat hij hoefde te doen was langskomen om haar zover te krijgen dat ze haar kleren uittrok. 'Je hebt een groot risico genomen door hiernaartoe te komen.'

Hij pakte haar handen en wreef met zijn duimen over haar knokkels. 'Iedereen is nog in het restaurant. Bovendien zit er niemand van ons op deze verdieping.' Hij trok haar naar zich toe. 'Je hebt de muffin dus gekregen.'

'Heb jij me de muffin gestuurd?'

'Ik kan het niet laten gebeuren dat je wegteert omdat je het met een volkoren muffin zonder boter moet doen. Je hebt veel energie nodig.'

Ze bezat een penthouse in het centrum van Seattle en een eersteklas hockeyteam. Ze had meer geld dan ze op kon maken, en toch glimlachte ze als een idioot om een muffin van twee dollar. 'Dank je.'

Hij reikte naar de stoffen knoopjes die haar jurk dichthielden. 'Ik heb een bijbedoeling.'

Faith bracht haar handen naar haar haar en trok de jaden stokjes eruit. 'Dat is schokkend.'

'Ik heb maandag de beste ijshockeywedstrijd van mijn leven gespeeld. Ik ben gewoonlijk niet bijgelovig, maar ik weet zeker dat het iets te maken heeft met de avond ervoor.'

Ze gooide de stokjes op de tafel en haar haar viel over haar rug naar beneden.

'Ik moet voor elke wedstrijd seks met je hebben, anders rust er een vloek op me.' Hij knoopte de knoopjes die de jurk boven haar borsten dichthielden open. 'Ik weet dat je dat ervoor over zult hebben.'

'Je wilt dus een rondje voor het team?' Ze trok de panden van zijn overhemd uit zijn broek.

'Het is jouw beurt om er iets voor over te hebben.'

'Ja, maar stel dat...' Ze stak een hand omhoog. 'Ik zeg niet dat het gaat gebeuren, maar stel dat we seks hebben en dat je daarna verliest. Dan breng ik geen geluk.'

Hij keek op van de stoffen knoopjes alsof hij daar niet aan had gedacht. 'Liefje, seks hebben met jou geeft me al het geluk van de wereld.'

'Dank je. Denk ik.'

Hij haalde zijn schouders op en ging verder met de knoopjes. 'Als we verliezen, betekent het gewoon dat iemand anders in het team het verpest heeft. Dan is het onze schuld niet. Wij hebben ons best gedaan.'

Ze lachte. 'En moeten we voor elke wedstrijd "ons best" doen?'

Hij knikte. 'Op zijn minst één keer.' Hij schoof de jurk langs haar armen naar beneden en hij viel op de grond.

Ze zette zich af tegen zijn borstkas, deed een stap naar achteren en schopte haar jurk weg. 'Blijf staan.' In niets meer dan haar zwarte kanten bh, bijpassende string en rode Valentino-stiletto's liep ze de kamer uit en even later kwam ze terug met een stoel zonder armleuningen. 'Ga zitten, meneer Savage.'

'Wat ben je van plan?'

'Mijn best doen om ervoor te zorgen dat er geen vloek rust op de aanvoerder van mijn hockeyteam.' Ze liep naar de geluidsinstallatie en zette de radio op een hardrockzender. Een eeuwige favoriet van elke stripclub in het land stroomde uit de geluidsinstallatie. Faith had meer keren op 'Pour Some Sugar on Me' gedanst dan ze zich kon herinneren. Dit keer hoefde ze niet in een karakter te glippen. Ze wilde hem en zichzelf een plezier doen. Ze wilde hem gek maken en naar adem laten snakken. Net zoals hij met haar had gedaan. Ze draaide zich naar Ty om, die nog steeds bij de stoel naar haar stond te kijken.

'Ik zei dat je moest gaan zitten.' Ze ging met één hand naar haar nek en tilde haar haar op, terwijl ze met haar andere hand over haar buik gleed. Het was jaren geleden dat ze zo voor een man had gedanst, maar ze was het niet vergeten. Ze liep naar hem toe – *stap stap pauze... stap stap pauze* – en raakte haar lichaam aan terwijl ze hem van top tot teen bekeek en haar blik heet en sensueel werd.

Zijn ogen gleden over haar lichaam en stopten bij haar handen voordat ze verder gingen naar haar voeten. 'Ik vind de schoenen mooi.'

'Dank je.' *Stap stap pauze... stap stap pauze.* 'Ik neem aan dat je de regels kent.'

'Er zijn geen regels,' zei hij terwijl hij ging zitten.

Er speelde een sexy glimlach rond haar mond. 'Niet aanraken,' zei ze tegen hem terwijl haar vingers naar boven gleden en ze haar borsten vastpakte. 'Ik mag jou aanraken. Jij mag mij niet aanraken.'

Zijn stralend blauwe ogen keken haar strak aan. 'O. Die regels.'

Ze grinnikte, liep met één hand op zijn schouders om hem heen, boog achter hem naar voren en ging met haar handen over zijn borstkas. '*I'm hot, sticky, sweet,*' fluisterde ze de tekst in zijn oor. '*From my head to my feet.*' Ze liep verder om hem heen en ging met haar gezicht naar hem toe schrijlings op zijn schoot zitten.

Ty gleed met zijn handen via de achterkant van haar benen naar haar billen en duwde zijn gezicht in haar decolleté.

'Niet aanraken,' zei ze tegen hem en ze haalde zijn handen weg. Het kruis van haar string was maar een paar centimeter van de rits van zijn broek verwijderd. Ze streelde zijn borstkas, wiegde met haar heupen, raakte de bult in zijn broek bijna aan, maar trok zich daarna terug.

Hij kreunde en haalde gepijnigd adem. 'Raak me aan, Faith.'

'Dat doe ik.'

'Lager.'

In plaats van te doen wat hij vroeg, ging ze staan en plaagde hem met haar handen en lichaam. Ze deed zijn stropdas en overhemd uit en wreef tegen hem aan, verhoogde de hitte en wond hen beiden op, waarbij haar harde tepels door het dunne kant van haar bh heen in zijn borstkas prikten.

Hij wilde haar vastpakken, maar ze danste uit zijn bereik. 'Je maakt me gek,' zei hij met een stem die donker was van hartstocht. 'Kom hier en laat je hand in mijn broek glijden, dan doe ik hetzelfde bij jou.'

'Dat is heel verleidelijk, maar ik weet vrij zeker dat het tegen de regels is.' Ze draaide zich om en ging met haar billen naar hem toe zitten. Zijn handen gleden over haar rug naar boven en hij maakte haar bh los.

'Dat is absoluut tegen de regels.'

'Die regels kunnen me niet schelen.' Hij kuste haar wervelkolom en liet zijn handen naar voren glijden om haar naakte borsten vast te pakken. 'We spelen het spel niet volgens de regels.'

17

'Je zou er verbaasd over zijn hoeveel mannen hun telefoonnummer in mijn string hebben gestopt.'

Ty zou daar helemaal niet verbaasd over zijn. Faith lag met haar hoofd op zijn naakte borstkas en streelde met haar vingers over zijn buik. De toppen van haar korte nagels stuurden vonken naar zijn buik en kruis en als hij er tijd voor had gehad, zou hij weer met haar vrijen. Ze was hartstochtelijk en erotisch geweest en hij had het heerlijk gevonden. 'Heb je wel eens iemand van hen gebeld?'

Ze keek naar hem op en rolde met haar ogen. 'Tuurlijk. Alsof ik ooit zou uitgaan met een man die ik in een stripclub heb ontmoet.'

'Ik ben een paar keer in een stripclub geweest.'

'Dat verbaast me niets. Sporters en musici komen af op stripclubs als mieren op een picknick.'

'Ik ben er al een paar jaar niet geweest,' verdedigde hij zichzelf, hoewel hij niet zeker wist waarom hij daar behoefte aan had. Hij ging met zijn hand over de zachte huid van haar rug. 'Mijn vader is nog steeds gek op strippers.'

'Dat verklaart zijn zwak voor mijn moeder.'

'Was je moeder een stripper?' Hij was opnieuw niet verbaasd.

'Ja. Ze was een stripper en soms een serveerster.'

'Dat klinkt alsof ze hard werkte.'

'Dat deed ze. Ze feestte ook hard. Ik was vaak alleen.'

'Waar is je vader?' Ze wreef met haar voet over de binnenkant van zijn kuit, waarbij haar knie gevaarlijk dicht bij zijn kruis kwam.

'Hij is ervandoor gegaan toen ik klein was.'

Hij rolde haar op haar rug en keek naar haar gezicht. 'Heb je nooit geprobeerd hem te vinden?'

'Waarom? Hij wilde me niet kennen. Waarom zou ik hem dan willen kennen?'

'Goed punt.'

Ze duwde een streng blond haar uit haar gezicht. 'En jouw moeder?'

Hij liet zich op zijn rug vallen en keek naar het plafond. Hij vond het niet prettig om over zijn moeder te praten. 'Wat wil je weten?'

'Waar woont ze?'

'Ze is vijf jaar geleden overleden.'

'Dat spijt me.'

Hij keek vanaf het kussen naar haar. 'Dat hoeft niet. Zij had er ook geen spijt van.' Hij keek naar haar mooie gezicht, haar groene ogen en lange wimpers, haar perfecte neus en de welving van haar volle roze lippen. 'Mijn vader heeft altijd gezegd dat ze krankzinnig was, maar dat komt omdat hij nooit heeft geprobeerd haar te begrijpen.'

Ze draaide zich op haar zij. 'Begreep jij haar?'

Hij haalde zijn schouders op. 'Ze was erg emotioneel. Het ene moment lachte ze en het volgende moment huilde ze. Ze is de scheiding nooit te boven gekomen, en ik denk niet dat ze daarna nog echt interesse in het leven had.'

'Wanneer zijn je ouders gescheiden?'

'Toen ik tien was.'

Ze keek met een verdrietige glimlach naar zijn gezicht. 'Ik denk dat mijn moeder voor de derde keer ging scheiden toen ik tien was. Ik ging met mijn fiets naar dansles, zodat ik er niet over na hoefde te denken.'

Hij stelde zich een klein meisje op een roze Schwinn-fiets voor, met een blonde paardenstaart die achter haar aan wapperde. 'Ik speelde twaalf maanden van het jaar ijshockey.'

'Al dat harde werk heeft zijn vruchten afgeworpen.'

Hij had geweldige coaches gehad die de leemtes in zijn leven hadden opgevuld. Goede mannen en mentoren. Hij vroeg zich af of zij iemand had gehad. Hij durfde te wedden van niet. 'Jouw danslessen ook.'

Ze lachte. 'Ja, maar niet de bewegingen die ik als kind heb geleerd. Ik moest een heel nieuwe stijl aanleren.'

Hij hield van haar stijl. Vooral vanavond. Hoewel het waar was dat hij maandagavond een fantastische wedstrijd had gespeeld, geloofde hij niet echt dat het iets met de seks te maken had. Hij had het gewoon als een excuus gebruikt om bij haar te zijn. Hij hield van het gevoel van haar huid onder zijn handen en het genot in haar ogen als hij diep in haar stootte. Hij raakte snel verslaafd aan het geluid van haar hartstocht en de wetenschap dat hij haar dat gevoel bezorgde. Zelfs op de dagen dat hij zichzelf vertelde dat hij geen tijd voor haar had, kwam hij uiteindelijk toch bij haar terecht.

Ty ging op de rand van het bed zitten en wreef met zijn handen over zijn gezicht. Ze was verslavend. Waarom riskeerde hij anders alles om bij haar te zijn? Het was de enige verklaring die hij ervoor had.

'Ga je al zo snel weg?' vroeg ze terwijl ze achter hem kroop en haar armen om hem heen sloeg. Haar borsten duwden tegen zijn blote rug en hij vocht tegen de neiging om zich om te draaien en haar op de matras te duwen.

'Ik moet gaan voordat ze me missen.' Hij wilde meer vragen stellen over het kleine meisje op de fiets. Hij wilde de hele nacht doorbrengen met het ontdekken van alle bewegingen die ze had geleerd.

Ze gaf een zachte kus in zijn nek. 'Ik zal je missen.'

'Ik zie je morgenavond.' Hij keek in haar ogen, die een paar centimeter van de zijne verwijderd waren, en vroeg zich af hoe erg ze hem zou missen. 'Ik moet een wedstrijd winnen. En daarna nog een paar.'

Ze ging zitten, sloeg haar armen rond haar knieën en keek naar hem terwijl hij ging staan en zich aankleedde. 'Wat ga je doen als je de beker hebt gewonnen? Ga je een lange vakantie nemen?'

'Ik denk nooit zo ver vooruit.' Hij stapte in zijn boxer.

'Denk je er nooit over na wat je gaat doen als je de Cup hebt gewonnen?'

'Natuurlijk wel. Als ik heb gewonnen, ga ik met de beker boven mijn hoofd rondschaatsen.' Hij trok zijn broek omhoog en keek naar haar. Ze zat midden op het bed, naakt en perfect. 'Ik heb me altijd geconcentreerd op winnen. Zolang ik me kan herinneren is dat mijn doel.' Hij had nooit verder gedacht dan dat moment. 'Ik train en hou mijn lichaam in vorm zodat ik niet dik word en uit vorm raak zoals sommige andere spelers.' Hij pakte zijn overhemd van het voeteneind van het bed en stak zijn armen in de mouwen. Terwijl hij de knopen dichtdeed, dacht hij aan Faith in een bikini, die op een zandstrand naast hem lag. De zon verwarmde haar zachte huid. Misschien droeg ze een flaphoed en een grote zonnebril.

Hij fronste zijn voorhoofd. Ze wilde zelfs niet met hem uit eten in een rustig restaurant in Bellevue. Ze had heel duidelijk gemaakt wat ze wilde, en ze had gelijk. Er zou tussen hen nooit meer kunnen zijn dan stiekeme seks. En af en toe een fantastische lapdance. Vooral nu de reclameborden met hun foto overal in Seattle hingen. Hij had nog nooit in een roddelblad gestaan, maar hij kon zich voorstellen dat een foto van hem samen met de eigenares van de Chinooks op de stranden van Mazatlan gepubliceerd zou worden. Waarom dacht hij er dan toch over na?

Faith zag hoe Ty's grote handen zijn overhemd over zijn harde buikspieren en afgetekende borstspieren dichtknoopten en vroeg zich af waarom hij een frons op zijn voorhoofd had. 'Ik weet alles van vastberaden doelen,' zei ze terwijl ze van het bed opstond en een hotelbadjas uit de kast pakte. 'Mijn enige doel in het leven was zoveel geld hebben dat ik me nooit zorgen hoefde te maken hoe ik de rekeningen moest betalen.'

'Ik zou zeggen dat je je doel aardig hebt bereikt.' Hij maakte het laatste knoopje dicht en stopte de panden in zijn broek.

'Ja. Dat heb ik, en toen ik het eenmaal had bereikt, was ik min of meer doelloos. Tot nu toe heb me niet gerealiseerd hoe doelloos.' Ze liet haar armen in de zachte badstof mouwen glijden en knoopte de ceintuur dicht. 'Nu heb ik een nieuw doel. Een beter doel, een waarvan ik in geen duizend jaar had kunnen dromen dat ik dat zou hebben. Het is heel eng, maar ik geniet ervan. Wat ook nogal angstig is.'

Hij keek op en richtte zijn aandacht daarna op zijn zwarte leren riem. 'En dat is?'

'De Chinooks. Ik had nooit kunnen denken dat ik een ijshockeyteam zou bezitten. En ik had nooit gedacht dat ik dat ook nog leuk zou vinden.' Ze vouwde haar armen over elkaar. 'Het is een enorme verantwoordelijkheid. De afgelopen paar jaar heb ik iemand anders overal voor laten zorgen. Nu leer ik om ervan te genieten dat ik zelf verantwoordelijkheid draag. Ik vind het zo leuk dat ik de eigenares van de Chinooks ben, dat ik zelfs uitkijk naar de transfers.'

Hij keek op. 'Wie heb je in gedachten?'

'Een paar topspelers. Als ik terug ben, gaan Darby en ik een paar banden met aanvallende verdedigers bekijken.'

Hij grinnikte terwijl hij naar haar keek. 'Weet je wat een aanvallende verdediger is?'

'Iemand die kan verdedigen en kan scoren.' Ze haalde haar schouders op. 'Ik dénk in elk geval dat het dat betekent.'

'Je hebt gelijk. Dat betekent het min of meer.' Hij liep naar haar toe. 'Ga op zoek naar een forse, zakelijke controleur. Maak je niet druk om de snelheid. Aan het schaatsen kan gewerkt worden.' Hij pakte de ceintuur van haar badjas vast en trok haar tegen zich aan. 'Zorg ervoor dat je niet uit vorm raakt, als ik je niet meer zie voordat we terug zijn in Seattle.' Hij drukte zijn mond op haar voorhoofd.

'Zul je aan me denken?'

Hij schudde zijn hoofd en zijn lippen wreven over haar huid. 'Ik ga mijn uiterste best doen om níét aan je te denken.'

De verschillende geluiden en toonhoogten van meer dan dertig snurkende mannen vulden de cabine van de BAC-111 terwijl het vliegtuig boven Boeing Field cirkelde en zich voorbereidde op de landing. Een paar uur geleden hadden de Chinooks een verpletterende 3-4 nederlaag tegen Detroit geleden. De volgende wedstrijd van de serie werd over twee dagen gespeeld en Faith nam aan dat Ty die dagen nodig had om te herstellen van de gemene klap die hij in de middencirkel van Darren McCarty van Detroit had gekregen.

Even later had Ty McCarty in de hoek teruggepakt, waardoor de Red Wing-speler op het ijs klapte. 'McCarty heeft me aangevallen toen ik niet keek,' had Ty de pers na de wedstrijd verteld. 'Daarna heb ik hem teruggepakt.'

Later die avond had Faith Ty's blauwe plekken van dichtbij gezien. Zijn rechterzij was bont en blauw en zijn rug en harde buik rood. Hij zag eruit alsof hij was geraakt door een honkbalknuppel in plaats van een ijshockeyer. Ty had pijn en was geblesseerd en als ze de twee dagen daarna met elkaar vrijden, was Faith zo attent om schrijlings op hem te gaan zitten.

Toen de wedstrijd begon, was Ty enigszins hersteld, en het lukte de Chinooks om in eigen huis met 3-1 te winnen. De zesde wedstrijd was weer in de Joe Louis Arena in Detroit en deze werd twee keer verlengd. Met nog drie seconden op de klok scoorde Daniel en de Chinooks gingen door naar de finale, die ze tegen de Pittsburgh Penguins zouden spelen.

Euforisch van de winst en het behalen van een finaleplaats in de play-offs, stapte het team aan boord van de BAC-111 en vierde de overwinning met Bollinger-champagne. Toen het vliegtuig zijn kruissnelheid had bereikt, ging coach Nystrom staan, lichtelijk voorovergebogen omdat hij zo lang was. 'Twee maanden geleden is Virgil Duffy overleden,' begon hij toen iedereen stil was.

'We waren allemaal bezorgd hoe de wisseling van eigenaar onze jacht op de beker zou beïnvloeden. Als er een verandering plaatsvindt, is dat altijd reden voor bezorgdheid. Na vanavond denk ik dat we veilig kunnen zeggen dat mevrouw Duffy het team met succes van Virgil heeft overgenomen. Ik denk dat hij trots op haar zou zijn, en we willen haar graag officieel welkom heten in het team.' Hij draaide zich naar links en Darby gaf hem een donkerblauw shirt. Hij draaide het om zodat haar naam, DUFFY, en het nummer 1 in donkergroen zichtbaar werden. 'We willen graag het nieuwste Chinooks-lid verwelkomen.'

Faith stond op en stapte het gangpad in. Ze pakte het shirt aan terwijl haar ogen prikten. 'Dank je wel, coach.' Ze draaide zich om en keek naar de haveloze gezichten die naar haar keken, met baarden die varieerden van holbewonerachtig tot onregelmatig dons. Ze ontmoette Ty's blik en zijn mondhoeken gingen omhoog in een zeldzame glimlach. Ze voelde een steek in haar hart en haar ogen prikten, maar ze was niet van plan om een beetje te gaan huilen. 'Toen ik ontdekte dat Virgil me zijn ijshockeyteam had nagelaten, was ik net zo verbaasd als jullie allemaal. En ik was net zo bezorgd als iedereen dat de verantwoordelijkheid te groot voor me zou zijn en dat ik het zou verpesten.' Ze slikte en hing het shirt over haar arm. 'Met de hulp van mijn assistent, en alle anderen, kan ik met trots zeggen dat ik het goed heb gedaan. Ik ben trots op jullie allemaal, en ik weet dat Virgil ook trots op ons is.' Ze dacht dat ze een soort inspirerende speech moest houden, maar haar blik werd wazig. 'Dank jullie wel,' zei ze voordat ze zichzelf in verlegenheid kon brengen door voor het oog van de spelers in huilen uit te barsten. Ze zat de rest van de vlucht naast Jules, terwijl ze wilde dat ze op Ty's schoot kon zitten en haar gezicht in zijn hals kon begraven.

Om drie uur 's nachts, toen er een zwarte BMW naast de stoep voor haar penthouse stopte, droeg ze het nieuwe shirt onder haar regenjas. Dit keer had ze haar Louis Vuitton-hoedendoos echter bij zich met extra lingerie en kleren.

De vijf dagen daarna, tot de eerste wedstrijd tegen de Penguins, verviel hun leven in een prettig ritme, alsof ze een echt stel waren. Ty trainde overdag terwijl Faith naar banden van beginnende ijshockeyers keek of een afspraak had met Miranda Snow van de Chinooks Foundation. Ze lunchte met Jules of haar moeder, en 's nachts reed ze naar Ty of hij kwam naar haar huis, afhankelijk van de plannen van Valerie en Pavel. Het enige levende wezen op de planeet dat wist van de geheime relatie tussen Ty en Faith was Pebbles. Op het moment dat de hond haar kraaloogjes op Ty richtte, was ze meteen verliefd op hem, tot ongenoegen van de ijshockeyer. Als hij binnenkwam draaide Pebbles rond zijn benen zodat hij nauwelijks kon lopen, en ze sprong op zijn schoot zodra hij zat. Ty keek naar Faith, in de verwachting dat ze iets zou doen, maar als ze dat probeerde hapte de hond naar haar. Pebbles was een absolute slet als het om Ty ging, maar Faith nam aan dat ze dat Pebbles niet kwalijk kon nemen.

Ty en zij hadden één keer een verschil van mening. Dat ging over Virgil. Het gebeurde in zijn huis tijdens een golfles, terwijl hij haar 'backswing met haar oefende'. Ze droeg een rood korset en een kleine string die aan de zijkanten sloot, maar hij werd er niet opgewonden door, zoals ze van plan was geweest. In plaats daarvan was hij geïrriteerd.

'Wanneer doe je die ring van je vinger?' vroeg hij terwijl ze een bal neerlegde.

'Vind je het vervelend dat ik hem draag?'

Hij haalde zijn schouders op en zette zijn biertje op de bar. Hij droeg een versleten Levi's en een hemd. Zijn haar zat in de war omdat ze er met haar vingers doorheen had gewoeld en hij zag er zo lekker uit dat ze er geen enkel bezwaar tegen zou hebben om zijn hele lijf te likken. 'Het herinnert me er voortdurend aan dat je Virgils vrouw bent.'

Ze zette de golfclub in het rek en draaide zich naar hem om. 'En dat vind je duidelijk vervelend.'

'Ik denk dat de meeste mannen dat zouden vinden. Ik heb seks met je terwijl je de ring van een andere man draagt.'

Ze keek in zijn blauwe ogen, die afstandelijk van boosheid waren, en ze begreep het niet. 'Virgil is nog maar twee maanden dood.'

'Precies. Je kunt hiernaartoe komen en seks hebben maar je kunt die verdomde ring niet afdoen?'

'Ik voel me al schuldig over de seks, Ty.' Plotseling voelde ze zich naakt en kwetsbaar en ze liep voor hem langs en pakte haar jurk, die op de bank lag. 'Hij is vijf jaar lang mijn echtgenoot geweest.'

'Hij was je huisgenoot.'

'Hij zorgde voor me.'

'Hij heeft je gekocht omdat hij dat kon.'

'Ik heb mezelf aan hem verkocht.' Ze pakte de jurk en draaide zich om. 'Wat me niet beter maakt dan hem.'

'Jij was in de relatie niet degene met alle macht. Dat was hij.'

Dat was waar. Virgil en zij waren vrienden geweest en hadden heel goed met elkaar overweg gekund, maar hij had altijd de leiding gehad. 'Hij was goed voor me. Beter dan alle andere mannen die ik ooit heb gekend.'

'Dan waren de mannen in je leven klootzakken.' Hij vouwde zijn armen over elkaar.

Dat was inderdaad waar.

'Hij is er niet meer, Faith.'

'Ik weet het.' Ze trok haar jurk over haar hoofd en stak haar armen in de korte mouwen.

'Je bent hem niets verschuldigd.'

'Dat kun jij gemakkelijk zeggen.' Haar handen gingen naar de knoopjes op het lijfje. 'Hij heeft me zo veel geld nagelaten dat ik voor de rest van mijn leven verzorgd ben. Hij heeft me zelfs zijn ijshockeyteam nagelaten. En elke keer als ik bij jou ben, heb ik het gevoel dat ik mijn echtgenoot bedrieg.' Haar vingers frunnikten aan de knoopjes. 'Ik voel me verschrikkelijk schuldig, maar ik voel me het meest schuldig over de momenten dat ik me helemaal niet schuldig voel.' Ze keek naar hem op. 'Misschien had Landon gelijk, misschien ben ik een schaamteloze golddigger. Ik vind het niet erg om een golddigger genoemd te worden, dat is de waarheid, maar ik dacht dat ik het schaamteloos zijn ontgroeid was.'

'Als je schaamteloos was zou je hier niet staan en hysterisch worden.' Hij schudde zijn hoofd. 'Je bent dertig, je bent jong en mooi en je hebt op een plank geleefd. Jezus, je bent vijf jaar lang celibatair geweest. Je moet je er niet schuldig over voelen dat je weer wilt leven.'

'Ik lééfde. Het was alleen geen leven waar jij het mee eens bent.' Ze keek in zijn ogen, die nog steeds boos glansden. 'Het grootste deel van mijn leven heb ik het vermeden om me rot te voelen over de dingen die ik doe. Het grootste deel van mijn leven wás schaamteloos. Ik deed altijd wat nodig was om te overleven, en meestal had ik daar geen problemen mee. Maar bij jou zijn heeft niets met overleven te maken. Het heeft te maken met me goed voelen. Het heeft te maken met het riskeren van mijn reputatie, het beetje dat ik heb, en jouw carrière, en zo egoïstisch zijn dat ik het toch doe.'

Hij deed een paar stappen naar haar toe en pakte haar polsen. 'Ga niet weg.'

'Vertel me dan waarom ik moet blijven.'

'Omdat ik, ondanks de mogelijke schade aan mijn carrière en jouw reputatie, verdomd egoïstisch ben en je hier wil hebben. Het zou gemakkelijker zijn als dat niet zo was, maar ik ben weken geleden gestopt ertegen te vechten.'

Ze liet haar handen zakken en keek in zijn gezicht. De hechtingen waren uit zijn wenkbrauw gehaald en er was een felrood litteken achtergebleven. Hoe lang zou hij haar willen? Hoe lang zou het duren? Ze wilde het hem vragen, maar sloeg in plaats daarvan haar armen rond zijn middel en legde haar hoofd tegen zijn brede borstkas. Zijn hartslag was sterk en stabiel tegen haar wang terwijl zijn hand haar rug streelde. Het voelde zo goed om hier te staan, met haar lichaam tegen het zijne en het gevoel van zijn warme, troostende omhelzing. Ze kon zichzelf bijna wijsmaken dat de situatie niet in een ramp zou eindigen.

Morgenavond was de eerste wedstrijd tegen de Penguins. Daar zou ze aan denken, niet aan de pijn in haar borstkas en het brok in haar keel. Ze zou zich zorgen maken over haar verdedigers en niet over de angst die haar maag verkrampte. Het afschuwelijke gevoel diep in haar ziel dat er iets was gebeurd wat absoluut onaanvaardbaar was. Het druiste in tegen alles wat verstandig was. Hun relatie had alles tegen en toch was ze stapelverliefd op Ty Savage.

Voor het eerst in vijf jaar was haar trouwring een zwaar gewicht aan haar vinger. Plotseling gaf het haar geen goed gevoel om de ring te dragen, terwijl ze verliefd was op een andere man.

Toen ze de volgende ochtend vroeg thuiskwam deed ze hem af en legde hem in de kluis naast de andere sieraden die Virgil voor haar had gekocht. De mooie stenen schitterden in het licht, maar ze gaven haar geen warmte en troost meer, zoals vroeger. Haar hand zag er naakt uit zonder de zware diamanten, maar ze voelde zich lichter, vrijer, goed. Alsof het nu echt tijd was om het verleden en Virgil achter zich te laten.

De rest van de dag probeerde ze niet over haar relatie met Ty na te denken. Ze zou gewoon van moment tot moment leven. Het zou duren zolang het duurde. Toch hoopte ze in een klein hoekje van haar hart dat alles op de een of andere manier goed zou komen. Dat ze een manier zouden vinden om bij elkaar te kunnen zijn, maar haar verstand vertelde haar dat dat niet realistisch was. Hun relatie was gedoemd om in intens verdriet te eindigen, maar misschien kon ze voorkomen dat ze haar hele hart aan hem verloor. Als ze voorzichtig was kon ze misschien een laatste stukje beschermen.

Later die middag arriveerde er een pakje in het penthouse dat het laatste stukje van haar hart stal dat nog niet onvoorwaardelijk aan Ty toebehoorde.

De doos was verpakt in wit papier met een grote roze-witte strik. In het gestippelde vloeipapier lag een paar roze lakleren schaatsen met gouden ijzers. Maat 38.5. Dezelfde maat als haar rode Valentino-stiletto's.

Op het kaartje stond: IK VANG JE OP ALS JE VALT. Er stond geen naam bij, maar ze wist wie haar de schaatsen had gestuurd. Ze ging met de doos op schoot op de bank zitten. Haar ogen vulden zich met tranen en haar keel voelde heet en ruw. Ze probeerde zonder succes om de tranen terug te dringen, maar dat lukte haar niet beter dan het tegenhouden van het opzwellen van haar hart. Ze was verliefd op Ty. Het was onmogelijk en absoluut misplaatst, en het gaf haar geen goed gevoel. Niet het soort goed gevoel dat verliefd zijn moest geven.

'Wat is dat?' vroeg haar moeder terwijl ze de zitkamer in liep.

Faith boog haar hoofd. 'Niets.'

'Het is duidelijk niet niets.'

Ze veegde haar natte wang af aan de schouder van haar BCBG-T-shirt. 'Iemand heeft me schaatsen gestuurd.'

'Wie?'

'Ik weet het niet.'

'Echt niet? Hoe lang was je van plan om dit vol te houden?'

'Wat?'

'Je relatie met Ty geheimhouden.'

Faith keek op en staarde naar haar moeder, die als een wazige vlek van zebraprintbroek en strak zwart topje voor haar stond.

'Ik ben niet achterlijk, Faith. En Pavel ook niet. We weten dat jullie elkaar stiekem ontmoeten. We hebben geprobeerd uit jullie buurt te blijven.' Ze gaf Faith een tissue uit de doos die op tafel stond. 'Droog je tranen, anders loopt je mascara uit.'

Faith pakte de tissue en depte haar ooghoeken droog.

'Ik heb gewacht tot je naar me toe zou komen om erover te praten.' Valerie ging op de bank zitten en Pebbles sprong naast haar. 'Ik kan je helpen. Misschien kan ik je moederlijk advies geven.'

'Ik wil je niet beledigen, mam, maar je bent zeven keer getrouwd geweest. Wat voor advies kun jij me over relaties geven?'

Pebbles rolde zich naast Valerie op alsof ze duidelijk wilde maken dat zij de favoriete dochter was. 'Tja, ik zou je kunnen vertellen welke fouten je níét moet maken. Begin nooit iets met een getrouwde man. Die gaan zelden bij hun vrouw weg. Wat ze ook zeggen.'

'Dat is hier helemaal niet van toepassing, mam.'

'Dat is waar.' Ze legde haar hand op Pebbles' vacht en streelde de hond. 'Of zeemannen. Die gaan overal in de wereld in verschillende havens aan land en ze lijken allemaal verzót te zijn op hoeren. Rotzakken.'

'Dat is opnieuw niet van toepassing, mam.'

Valerie zuchtte alsof zij de enige was die leed. 'Ik neem aan dat mijn punt is dat je relatie met Ty moeilijk maar niet onmogelijk is.'

'Het voelt onmogelijk.'

'Hou je van hem?'

Wat ze voelde was zo nieuw, zo puur, dat ze er niet over wilde praten. 'Ik wil niet van hem houden.'

'Tja, ik wil geen ouderdomsvlekken, maar dat is iets waar niet aan te ontkomen is.'

'Vergelijk je Ty met ouderdomsvlekken?'

Valerie haalde haar schouders op. 'Je lichaam reageert op een bepaalde manier en daar kun je niets aan doen. Je kunt niet bepalen tot wie je je aangetrokken voelt. En je kunt niet bepalen wie je hart kiest.'

Een paar weken geleden zou ze haar moeder verteld hebben dat ze enorme onzin uitkraamde. En ze zou het geloofd hebben. 'Maar ik wil niet dat mijn hart hem kiest. Ik wil op dit moment niet voor een andere man vallen. Het is te vroeg.' En ze wilde vooral geen relatie die zo ingewikkeld was.

'Ik weet dat je van Virgil hield. Hij was je echtgenoot, maar hij is nooit je mán geweest.'

Ze keek naar haar moeders groene ogen, die omringd waren door veel mascara. 'Wat wil je daarmee zeggen?'

'Dat hij niet de man was die je aandacht trok als hij aan de andere kant van de kamer stond of die je kriebels in je maag bezorgde zodra je hem zag. Virgil is goed voor je geweest, maar je had er geen behoefte aan om een hele middag lang opgekruld naast zijn lichaam te liggen.'

Opgekruld naast Ty liggen was een van haar favoriete bezigheden. 'Heb jij dat gevoel voor Pavel?'

Valerie schudde haar hoofd. 'Pavel is niet het soort man op wie een vrouw verliefd moet worden. Hij is een hartenbreker en ik heb voldoende ervaring en ben oud genoeg om hem te zien zoals hij is. Maar hij is fantastisch gezelschap en we hebben veel plezier samen. Hij is hier alleen om te zien hoe zijn zoon de beker wint.' Ze woelde met haar vingers door Pebbles' vacht. 'Ty is anders dan zijn vader. Hij jaagt niet alleen zijn pleziertjes na. Pavel denkt dat Ty gevoelens voor je heeft.'

Faith wist niet wat Ty voelde. Dat had hij nooit gezegd. Ze wist dat hij het fijn vond om met haar te vrijen. Dat was duidelijk. En ze wist dat hij haar cadeautjes gaf met een betekenis. Dat moest iets waard zijn. Maar ze wist ook dat hij zijn carrière zou kiezen in plaats van haar, als hij een keuze moest maken. Dat begreep ze. IJshockey was een deel van hem. Het stroomde door zijn bloed en gaf hem houvast en kracht en een doel. Zijn wil en toewijding waren twee dingen die ze geweldig aan hem vond.

Het waren ook de twee dingen die hen uit elkaar zouden drijven.

De eerste wedstrijd van de finale om de Stanley Cup tussen de Pittsburgh Penguins en de Seattle Chinooks werd op het ijs van Seattle gespeeld. De Key Arena was bomvol en de koele lucht zoemde van de opwinding van de meer dan vijftienduizend juichende fans.

In de eerste periode domineerden de Penguins de puck, maar

de Chinooks kwamen in de tweede en derde periode sterk terug. Faith keek vanuit de skybox toe en haar hart bonkte in haar keel terwijl de Chinooks Pittsburgh met 3-1 versloegen.

De tweede wedstrijd werd in de Mellon Arena in Pittsburgh gespeeld. Ondanks het voordeel dat de Penguins thuis speelden, werd de tweede wedstrijd een herhaling van de eerste. Chinooks-doelverdediger Marty Darche stopte vijfentwintig van de zesentwintig schoten op het doel, terwijl Ty in de laatste minuut scoorde na een voorzet van Logan Dumont. De Chinooks wonnen opnieuw met 3-1. Tijdens de vlucht van Pittsburgh naar Seattle was de stemming voorzichtig uitbundig.

Toen Faith later naast Ty's warme lichaam lag, dicht bij zijn hart, begon ze zelfs een beetje optimistisch over de toekomst te worden. Op de een of andere manier kwam het misschien allemaal goed. Ze wist niet precies hoe, maar als de play-offs eenmaal achter de rug waren, konden ze samen weggaan en een oplossing bedenken.

Toen ze de volgende middag terugkwam van een vergadering met Jules en de Chinooks Foundation dacht ze nog steeds na over mogelijke oplossingen. Misschien kon hun relatie nog een paar jaar geheim blijven.

Bij de receptie van haar gebouw lag een kaartje op haar te wachten. Het was niet ondertekend en de tekst luidde: KOM OM ZES UUR VANAVOND NAAR VIRGILS KANTOOR IN DE KEY ARENA. Het was een vreemd verzoek. Ty zou in de Arena zijn voor de training voor de derde wedstrijd. Ze wist dat hij net zo zijn best deed als zij om niet samen gezien te worden, en ze vroeg zich af waarom hij haar daar wilde spreken.

Om halfzes trok ze haar teamshirt aan. Ze nam aan dat het heel belangrijk moest zijn, maar toen ze een halfuur later het kantoor binnenliep, was Ty niet degene die met zijn voeten op haar bureau op haar stoel zat.

'Kom binnen en doe de deur dicht,' zei Landon met een erg zelfvoldane glimlach rond zijn kleurloze lippen.

Faith bleef roerloos staan terwijl ze in zijn koude ogen keek. 'We hebben niets om over te praten.'

Landon haalde zijn voeten van het bureau en schoof een map naar haar toe. 'Daar vergis je je in, Layla. We gaan praten over je vriend en hoe snel je mijn vaders team aan me gaat verkopen.'

Faiths hart bonkte tegen haar ribben terwijl ze naar het bureau liep en de map opensloeg. Er zaten foto's van Ty en haar in. Het waren er vier, maar de meest bezwarende was de foto die was genomen op de avond dat ze uit het penthouse naar beneden was gegaan terwijl ze alleen een regenjas droeg. Het was donker, maar op de foto was duidelijk te zien dat Ty haar zoende terwijl zijn hand in haar jas met haar borst speelde. Ze voelde de bodem onder zich wegslaan en ze was bang dat ze ging overgeven over het bureau en de voorkant van Landons grijze kostuum.

'Ik ben niet van plan om honderdzeventig miljoen voor het team te betalen.'

'En wat gebeurt er als ik het team niet verkoop?' vroeg ze, hoewel ze het antwoord wist.

'Als ik de foto's naar de kranten heb gestuurd, laat ik ze vergroten en komen ze in de stad te hangen, naast de reclameborden van jou en je aanvoerder.'

Ze had zich vergist. Ze had gedacht dat hij alleen zou dreigen om de foto's naar *The Seattle Times* te sturen. De gedachte dat de foto's van Ty en haar overal in de stad naast de reclameborden zouden hangen, voegde paniek toe aan de angst in haar rondtollende maag. 'Waarom denk je dat het me iets kan schelen of de mensen me zo zien? Ik heb ergere vernederingen in mijn leven meegemaakt.'

'Ik denk inderdaad niet dat het je iets kan schelen. Je bent een stripper en hebt geen fatsoen. Je bent schaamteloos, maar ik denk niet dat je de aanvoerder en de rest van het team wilt vernederen. Vooral nu het erop lijkt dat ze de Cup inderdaad gaan winnen.'

Ze geloofde hem. Ze geloofde dat hij zou doen wat hij zei. 'Je vader zei altijd al dat je een klootzak was.'

Landon kneep zijn ogen samen. 'Mijn vader was een idioot met een voorkeur voor ordinair.' Hij stond op. 'Mijn advocaten sturen je de papieren morgen. Teken ze en stuur ze zo snel mogelijk terug, anders gaat de prijs nog verder omlaag. Ik heb bedacht dat je me het team cadeau kan doen, maar ik wil niet dat iemand denkt dat we ook maar iets met elkaar hebben.'

Het geld kon haar niet schelen. 'Wat ga je doen met het team?' Ze kon niet geloven dat dit gebeurde. Niet nu. Haar keel snoerde samen en ze likte haar droge lippen. 'Ga je het verplaatsen?'

Hij schudde zijn hoofd. 'Dat is niet nodig, nu het team zoveel succes heeft in de play-offs. Het blijft in Seattle.' Hij glimlachte weer. 'Helaas kan ik over je vriend niet hetzelfde zeggen. Hij wordt verkocht zodra ik de details heb uitgewerkt.'

De slagen bleven maar komen. Deze trof haar recht in haar hart. 'Waarom? Hij doet precies waarvoor Virgil hem heeft ingehuurd.'

Landon hield zijn hoofd scheef en bekeek haar met een ijzige blik. 'Ik denk niet dat mijn vader meneer Savage heeft ingehuurd om zijn vrouw te neuken.'

'Je verkoopt een aanvoerder die zijn team naar de finale heeft geleid alleen omdat je mij haat?'

'Helaas is meneer Savage betrokken geraakt bij jou, en ik wil hem of jou niet in de buurt van mijn team hebben.'

Faith keek naar de man voor haar, naar de enige man op de planeet voor wie ze ooit bang was geweest. Ze moest liegen om de enige man van wie ze ooit echt had gehouden te beschermen. Ze haalde haar schouders op. 'Verkoop hem maar aan Toronto, dat kan mij niet schelen,' zei ze. Toronto was een van de laagst scorende teams van het seizoen. 'Hoewel ik betwijfel of ze hem willen hebben. Hij is tegenwoordig nogal ongewenst in Canada. Dat is precies wat die sukkel verdient. Om te moeten spelen in een verliezend team dat hem haat.'

'Wil je me wijsmaken dat je nu al genoeg van hem hebt?'

'Hij heeft besloten dat hij een relatie met een nettere vrouw wil,' zei ze. Ze wist dat het de enige leugen was die Landon zou geloven. 'De meeste mannen willen een verhouding met een stripper, maar er zijn maar weinig mannen die een relatie buiten de slaapkamer willen.' Ze haalde haar schouders op en wees naar de foto's. 'Die foto's zijn oud nieuws, Landon. De aanvoerder en ik zijn niet langer... bij elkaar.'

Nu was het Landons beurt om zijn schouders op te halen. 'Wat betekent dat je aanvoerder slimmer is dan ik had gedacht. Misschien hou ik meneer Savage wel. Dat hangt ervan af of hij me de Cup bezorgt.'

Hij geloofde haar. Misschien een beetje te gemakkelijk, maar ze nam aan dat ze daar niet verrast over hoefde te zijn als ze in aanmerking nam hoe hij over haar dacht.

'Dat verandert echter niets aan jouw situatie,' zei Landon. 'Je tekent de contracten morgen of de foto's staan de dag erna in de kranten.'

De gedachte aan Landons handen op de beker maakte haar misselijker dan ze zich al voelde. Ze moest iets zeggen. Iets dóén, anders zou Landon winnen. 'Denk je dat ik een team van honderdzeventig miljoen dollar opgeef? Zomaar?' was het beste wat ze kon bedenken. 'Waarom? Om een paar foto's die Ty Savage en de rest van het team kunnen vernederen?'

'Ja,' zei hij. Hij doorzag haar bluf. Hij liep langs haar, maar stopte in de deuropening. 'Geniet van je laatste avond in de skybox, Layla. Na morgen is die van mij.'

Technisch gezien was dat niet zo tot de koop over een paar maanden definitief zou zijn, maar ze bevond zich niet in een positie om hem daarop te wijzen.

'Wanneer maak je het bekend?' vroeg ze.

'Op de avond dat ik de Cup in handen krijg.'

18

Faith zat in de eigenarenbox toen de Chinooks werden aange-
kondigd. Een voor een schaatsten ze het ijs op onder het bulde-
rende gejuich van de fans. Haar gezicht en maag gloeiden van
opgebouwde emotie. Sam en Marty en Blake. Haar team. Haar
spelers. De mannen die ze de afgelopen twee maanden had leren
kennen. De huid van haar schedel trok samen van de spanning en
alles leek onwerkelijk terwijl ze over de gang van zaken nadacht.

Er moest een manier zijn. Er moest iets zijn wat ze kon doen
om ervoor te zorgen dat ze niet alles kwijtraakte. Maar er was
niets. Helemaal niets. Ze had geen keus.

Haar eerste reactie toen Landon uit haar kantoor was vertrokken, was wegrennen. Naar huis hollen, de dekens over haar
hoofd trekken en net doen alsof alles in orde was. Maar dat kon
ze niet doen. Iedereen verwachtte dat ze vanavond in de skybox
zat, alsof haar wereld niet net was ingestort.

'Wil je een glas wijn?' vroeg Jules aan haar.

Ze keek naar haar assistent met zijn perzikgroene zijden shirt,
die duidelijk nog steeds leed aan een metroseksuele crisis. Wat
ging er met Jules gebeuren?

'Faith?'

'Ja?'

'Wil je wijn?'

Ze schudde haar hoofd. 'Nee,' antwoordde ze. Haar stem klonk
hol.

'Nummer 21.' De stem van de omroeper vulde de Key en
echode tegen Faiths schedel. 'De aanvoerder van de Chinooks,
Ty S-a-a-a-v-v-a-a-a-ge!'

Het publiek was door het dolle heen toen hij het ijs op kwam. Hun geschreeuw overstemde de gekwelde snik die uit haar keel omhoogkwam. Hij schaatste rond de ijspiste met één hand in de lucht en toen hij langs de skybox reed, keek hij omhoog en glimlachte. Op dat moment verbrijzelde Faiths hart. Een intens, jammerend geluid dreigde aan haar lippen te ontsnappen en ze kwam overeind. Ze sloeg haar hand voor haar mond om het binnen te houden en rende naar het toilet, waarbij ze Pavel en haar moeder zowat omver duwde. Ze deed de deur achter zich dicht en sloeg haar armen om zich heen terwijl de eerste snik uit haar keel opwelde.

'Wat is er aan de hand, Faith?' riep haar moeder aan de andere kant van de deur.

'Niets,' perste ze eruit. 'Ik voel me ziek.' Er volgde nog een snik en ze wist dat ze hier niet kon blijven. Ze moest naar huis. 'Kun je mijn tas brengen?' Ze draaide zich naar de toilettafel en keek naar haar spiegelbeeld. Ze had rode wangen en waterige ogen. Ze hield een papieren handdoek onder het koude water en depte haar gloeiende gezicht. Haar moeder kwam het toilet in en gaf haar tas aan haar.

'Je ziet er inderdaad niet goed uit,' zei Valerie. 'Krijg je al weer griep?'

'Ja. Ik moet naar huis.'

'Ik vraag aan Jules of hij je brengt.'

Het laatste wat ze wilde was instorten in het bijzijn van haar assistent. 'Nee, het lukt wel,' zei ze terwijl ze de toiletdeur opendeed.

'Bel me als je thuis bent,' riep haar moeder Faith na terwijl ze zich uit de eigenarenbox haastte.

Ze strompelde de lege lift in en haar zicht vervaagde terwijl ze naar beneden ging. Ze hield zichzelf zo goed mogelijk in de hand tijdens de korte rit naar huis, maar toen ze eenmaal in het penthouse was stortte ze in. De tranen stroomden over haar wangen terwijl ze het shirt over haar hoofd trok en zich uit haar spijkerbroek wurmde. Ze liet alles in een stapeltje op de grond vallen en kroop in bed. Jules belde om zich ervan te overtuigen dat ze veilig thuis was gekomen en het lukte haar om hem ervan te overtuigen dat ze 'vreemd' klonk omdat ze ziek was. Daarna hing ze op en trok het dekbed over zich heen. Ze was alles kwijt en ze had zich nog nooit in haar leven zo ongelukkig gevoeld. Landon had haar overal van beroofd en ze was leeg, op het brandende verdriet in haar ziel na. Net nu ze echt begon te genieten van haar rol als eigenares, net nu ze echt opgewonden was over haar betrokkenheid bij de Chinooks Foundation, had Landon alles van haar afgepakt. En het ergste was dat ze er zelf voor had gezorgd dat hij haar Ty ook had ontnomen.

Ze voelde zich weer een kind. Alleen en hulpeloos. Ze had zo hard gewerkt om zich nooit meer zo te hoeven voelen, en nu was het weer terug.

Er welde een snik uit haar keel omhoog en Layla kroop in haar hoofd. Ze vroeg zich af hoeveel het zou kosten om Landon te laten vermoorden. Hij verdiende het om te sterven. De wereld was een betere plek zonder mensen zoals hij. Natuurlijk zou Faith dat nooit doen. Niet alleen omdat ze zo niet was, maar ook omdat ze een gezonde angst voor de gevangenis had.

Twee maanden. Virgil was nog maar twee maanden geleden overleden, maar haar leven was zo drastisch veranderd dat het veel langer leek. Ze voelde zich een andere vrouw. Sterker. Vol zelfvertrouwen. Zekerder van zichzelf.

Twee maanden waarin ze zoveel had gewonnen, alleen om alles weer te verliezen. Zo'n korte tijd om halsoverkop en voor honderd procent verliefd te worden, alleen om hem weer kwijt te raken. Het was eigenlijk ontzettend ironisch. De afgelopen vijf jaar had ze een man gehad die haar beschermde. Nu gaf ze haar ijshockeyteam op om iemand anders te beschermen.

Ze had gewoon geen keus. Er was geen enkele manier om haar relatie met Ty te redden en het team te houden. Ze moest Landon geven wat hij wilde. Ze veegde met haar hand over haar wang en vroeg zich af wat Ty zou zeggen als ze hem vertelde over de foto's en Landons plan om hen te gronde te richten. Ze kon wel raden wat hij zou zeggen en wat hij uiteindelijk zou doen. Hij zou Landon willen vermoorden, net als zij. En net als zij zou hij doen wat het beste was voor het team. Uiteindelijk moest ze de Chinooks toch verkopen en raakte ze de man van wie ze hield kwijt.

Ze had altijd geweten dat ze niet alles kon hebben. Dat het op een dag voorbij zou zijn. Dat het haar hard zou treffen en haar leven voor altijd zou bepalen. Maar zo hoefde het voor Ty niet te zijn. Het hoefde op hem geen invloed te hebben. En dat zou ook niet gebeuren als ze hem niets over de foto's vertelde.

Hij had een goede kans om zijn droom waar te maken. Om datgene waarvoor hij had gewerkt en waar hij zijn hele leven op had gewacht te bereiken. Het laatste wat hij nu kon gebruiken was zijn foto in *The Seattle Times* en op reclameborden. Als ze Ty en het team niet wilde vernederen, moest ze de intentieverklaring morgen tekenen. Ty zou nooit te weten komen waarom ze erin had toegestemd het team te verkopen.

De intentieverklaring was maar een eerste stap in het proces, en ze herinnerde zich van de laatste keer dat ze zo'n intentieverklaring had getekend dat het weken duurde om toestemming van de NHL te krijgen. Daarna zou de verkoop plaatsvinden, en als alle puntjes eenmaal op de i stonden was Landon de eigenaar van haar ijshockeyteam.

Ze gooide het dekbed van zich af en liep naar de enorme ramen in haar slaapkamer. Ze staarde in haar bh en string naar de lichten van de Key Arena. Ty was daarbinnen. Hij schoot pucks, stompte met ellebogen en spuugde op het ijs, en ze hunkerde ernaar om erbij te zijn. Al haar spelers waren er, alleen waren het haar spelers niet meer. Ze had niet geweten dat haar hart op zo veel verschillende manieren kon breken.

De tranen stroomden over haar wangen en ze veegde ze weg met de rug van haar hand. Ty en zij hadden gedacht dat ze zo voorzichtig waren geweest, en dat was ook zo. Ze waren in zijn huis of verborgen zich in haar penthouse. Daarbuiten spraken ze niet eens met elkaar. Valerie en Pavel waren er alleen achter gekomen omdat ze bij hen logeerden.

Ze dacht eraan dat een onbekend iemand haar was gevolgd en had gefotografeerd zonder dat ze dat wist. Het was eng en ze voelde zich onteerd. Wat voor karakter moest je hebben om iemand in te huren die om drie uur 's nachts compromitterende foto's maakte?

Je moest in elk geval vastbesloten zijn om te winnen. En dat was Landon. Hij had het spel gewonnen en zij had verloren, terwijl ze niet eens had geweten dat ze een spel speelden. Alleen was dit geen spel. Dit was haar leven. Wat Landon haar had aangedaan, brandde als zuur in haar maag.

Ze drukte haar voorhoofd tegen het glas. Was ze vanochtend nog gelukkig geweest? Was ze vanochtend nog bij Ty geweest? Had ze zijn pijnlijke spieren gemasseerd? Ze had altijd geweten dat het in een ramp zou eindigen. Alleen niet zo. Dit had ze nooit bedacht. Er was geen uitweg voor haar en ze zag geen ander alternatief dan Landon te geven wat hij wilde.

Ze hield van Ty tot in het diepst van haar ziel, maar ze wist niet wat hij voor haar voelde. Ze wist dat hij het fijn vond om met haar te vrijen, maar ze had lang geleden al geleerd dat seks en liefde twee verschillende dingen waren. Als hij ontdekte dat ze het team had verkocht, was hij misschien boos, maar hij zou eroverheen komen. Als hij ontdekte dat ze hem niet meer wilde zien, was hij daar misschien ook een beetje kwaad over, maar ze was ervan overtuigd dat hij daar ook overheen zou komen.

Ze draaide zich van het raam af en kroop weer in bed. Ze staarde naar het plafond en vroeg zich af hoe ze de week tot aan de laatste play-offswedstrijd moest doorkomen. Zouden ze haar missen als ze over de verkoop hoorden?

En de week daarna? Of de volgende maand en de maand daarna? Misschien moest ze gaan reizen. Of verhuizen. Ver weg van Seattle en de Chinooks en Ty. Ver weg van de pijn.

En Jules. Wat moest ze met Jules doen? Hij had zijn baan bij Boeing opgezegd om voor haar te komen werken. Er was geen enkele kans dat Landon haar assistent in dienst zou houden. Misschien kon zij hem houden, maar om wat te doen? Schoenencoördinator? Jules zou haar erom haten.

Om tien minuten over elf ging de telefoon op haar nachtkastje over. Het was Ty. Na elke wedstrijd ging ze naar zijn huis, of hij kwam naar haar toe. Vanavond nam ze niet op. Ze zette de televisie op een nieuwszender en zag dat de Chinooks de derde wedstrijd in de verlenging hadden verloren en dat Pittsburgh nu weer aan de leiding ging.

Om vijf uur de volgende ochtend belde Ty weer. Faith nam aan dat hij op het punt stond om in het teamvliegtuig te stappen. Ze zou hem natuurlijk onder ogen moeten komen. Ze moest hem vertellen dat ze hem niet meer kon zien, maar ze had tijd nodig. Tijd om de waarheid te accepteren en een goede, geloofwaardige leugen te bedenken.

Later die dag overtuigde ze haar moeder ervan dat ze een ernstige keelontsteking met 39 graden koorts had. Omdat ze er afschuwelijk uitzag was het niet moeilijk om geloofwaardig over te komen. Ze lag de hele dag in bed en die avond zag ze eenzaam in haar slaapkamer hoe de Chinooks de vierde wedstrijd wonnen.

Ty belde die avond en de volgende ochtend vroeg. Hij liet berichten achter, maar ze belde niet terug. Jules kwam bij haar op bezoek en ze vond dat ze een Oscar verdiende voor haar rol als zieke. Of in elk geval een Emmy. Ze moest hem vertellen dat Landon en zijn familie die avond de skybox in de Key zouden gebruiken, en dat hij en haar moeder tussen het publiek moesten zitten. Ze bedacht een slappe leugen over een belofte die ze aan Virgil had gedaan, maar hij geloofde haar niet. Hij bleef vragen of er iets was gebeurd en zei dat hij dat dan moest weten, en zij bleef liegen.

Die avond in de Key, terwijl Landon en zijn familie in de eigenarenbox zaten, keek Faith in haar zitkamer een paar huizenblokken verderop naar de wedstrijd. De Chinooks verloren de vijfde wedstrijd in de verlenging. Het brak haar al gebroken hart, maar het was minder erg dan haar telefoon horen overgaan in de wetenschap dat het Ty was. Ze dacht niet dat haar hart nog meer pijn kon doen, maar de twee volgende dagen bleek dat ze zich daarin had vergist. Ty stopte met bellen, wat nog erger was dan luisteren naar zijn boze ingesproken berichten, en de Chinooks verloren de zesde wedstrijd opnieuw in de verlenging. Haar team leek te imploderen en er was niets wat ze daaraan kon doen.

De zevende en laatste wedstrijd werd in de overvolle Key Arena gespeeld, maar Faith zou er niet bij zijn.

De ochtend na het verlies van de Chinooks in Pittsburgh nam Faith een douche en poetste haar tanden. Haar moeder was bij Pavel, waarschijnlijk in Ty's huis, en ze was alleen. Hoewel ze niet zou opnemen als Ty belde, controleerde ze toch haar telefoon om te kijken of hij had geprobeerd contact met haar op te nemen. Misschien had hij zijn leven meteen weer opgepakt. Misschien was hij haar al vergeten. Dat was goed. Het was wat ze wilde, maar het deed pijn dat het zo snel gebeurde.

Om tien uur 's ochtends werd er vanuit de lobby van het gebouw naar haar intercom gebeld. 'Je doet nu open,' zei Ty, die niet alleen moe maar ook kwaad klonk. 'Anders bel ik dat er een bom ligt en wordt het hele gebouw geëvacueerd.' Haar hart bonkte in haar borstkas door het geluid van zijn stem.

'Je bluft.'

'Pak je paraplu maar vast. Het regent.'

Ze zou vroeg of laat met hem moeten praten. Ze had alleen gehoopt dat het laat zou zijn. 'Kom maar naar boven.' Hij stond minder dan een minuut later voor haar deur. Hij zag er tegelijkertijd uitgeput en boos en verrukkelijk uit en haar hart stopte even met kloppen.

'Je ziet er niet uit alsof je stervende bent.' Hij fronste zijn wenkbrauwen. 'Waarom ontloop je me?'

'Kom binnen.' Ze draaide zich om en hij liep achter haar aan naar de zitkamer. Pebbles sprong en kefte in een poging Ty's aandacht te krijgen en Faith moest haar naar het terras slepen en de glazen deur dichtdoen. Ze vroeg zich even af of de hond naar beneden zou springen, maar de laatste tijd had ze nergens geluk mee.

Voordat de moed haar in de schoenen zonk, draaide ze zich om. 'We kunnen elkaar niet meer zien,' zei ze.

Hij legde zijn handen op zijn heupen en keek vanaf de andere kant van de kamer naar haar. 'Waarom niet?'

Haar handpalmen waren klam en haar borstkas deed pijn. Ze vouwde haar armen over elkaar om te voorkomen dat ze door de kamer zou rennen en zich op hem zou storten. Ze had gisteravond een perfecte leugen over Virgil bedacht. 'Ik ben weduwe.' Dat was niet het enige. Er was meer geweest.

'Je bent al twee maanden weduwe en dat heeft je tot nu toe niet tegengehouden.' Hij keek naar haar hand. 'Waar is je trouwring?'

Verdomme. 'Die heb ik afgedaan onder de douche.' Hemel, dat was stom. Het lukte haar gewoon niet om slim te liegen als zijn ogen een gat in haar boorden. Waar was Layla als ze haar nodig had?

'Je hebt heel wat keren in mijn huis gedoucht zonder je ring af te doen. Probeer het opnieuw.'

Achter haar bonkte Pebbles tegen het glas. Faith slikte het brandende brok in haar keel weg. 'Het is verkeerd om bij je te zijn. Ik kan het niet meer.' Pebbles blafte en rende plotseling naar de deur. 'Het had nooit mogen gebeuren. Je moet je concentreren op winnen en ik moet alleen zijn.' Opnieuw rende de hond tegen het glas en Faith wist precies hoe de kleine hond zich voelde. Haar zenuwen begaven het en ze keek naar de hond. 'Hou op!' riep ze. Ze keek weer naar Ty, naar zijn prachtige blauwe ogen, en haar hart brak opnieuw. 'Ik kan niet meer van je houden. Ga alsjeblieft weg voordat Pebbles zichzelf van kant maakt.'

Hij liet zijn handen zakken. In plaats van weg te gaan keek hij haar secondenlang aan. 'Wat kun je niet meer?'

'Wat bedoel je?'

'Je zei dat je niet meer van me kunt houden.'

Verdomme. 'Ik bedoelde dat ik niet meer bij je kan zijn.'

'Dat is niet wat je zei.'

Ze liep in de richting van de deur. Ze moest hem uit haar penthouse zien te krijgen voordat ze in zijn bijzijn instortte. 'Ik hou niet van je en ik kan niet bij je zijn.'

Hij pakte haar arm terwijl ze langsliep en keek naar haar gezicht. 'Je blijft het over "houden van" hebben. Probeer je mij of jezelf te overtuigen?'

Ze probeerde zich uit zijn greep los te trekken, maar dat mislukte. 'Hou op.'

'Dat heb ik geprobeerd.' Hij legde een grote hand tegen de zijkant van haar gezicht. 'Ik kan het niet.' Hij bracht zijn voorhoofd naar het hare toe. 'De laatste paar dagen, toen ik niet wist of alles goed met je was, zijn een hel voor me geweest.'

'Alles is goed met me.'

'Met mij niet.'

Zijn lippen raakten de hare en ze hield haar adem in. 'Ty. Je moet gaan.'

'Nog niet.' Zijn mond ging open en ze voelde zijn kus overal. Het gevoel stroomde door haar heen en ontstak vuren in haar borstkas en buik. Ze bleef zo stil mogelijk staan, en deed haar best hem niet aan te raken of terug te kussen. 'Ik heb je nodig,' fluisterde hij.

Ze bracht haar handen omhoog, maar liet ze weer vallen voordat ze toegaf aan haar verlangen om hem een laatste keer aan te raken. Er ontsnapte een snik aan haar keel.

Hij legde zijn vrije hand op haar andere wang en hield haar gezicht vast terwijl hij haar kuste, lang en intens, en na een aantal lange, martelende seconden legde ze haar handen op zijn armen en hield haar hoofd scheef. Ze kon zich niet beheersen. Ze kon het bonken van haar hart of de vurige hunkering die door haar aderen stroomde niet tegenhouden, en ze gaf eraan toe.

Hij kreunde, een diep geluid van genot en bezit. Zijn tong gleed in haar mond en de kus voedde alle hongerige plekken in haar stervende hart en ziel. Alle plekken die van hem hielden en die ernaar smachtten om bij hem te zijn. Toen hij opkeek, zocht hij haar ogen. 'Waarom begin je niet opnieuw met uitleggen? Waarom heb je me ontweken?' Zijn duimen wreven zachtjes over haar wangen. 'De waarheid dit keer.'

Ze hield te veel van hem om het te vertellen. 'Dat kan ik niet.'

'Je kunt me alles vertellen.'

Ze schudde haar hoofd. 'Het is erg.'

'Heb je iemand anders?'

'Nee!'

Hij deed zijn ogen dicht, en toen hij ze weer opendeed zag ze zijn opluchting. 'Wat is het dan?'

'Het is beter als je dat niet weet.'

'Waarom laat je me dat zelf niet beoordelen?'

Ze schudde opnieuw haar hoofd terwijl de tranen in haar ogen sprongen. 'Kun je me niet gewoon met rust laten? Kun je me niet gewoon op mijn woord geloven dat het beter is als je het niet weet?' Waar was Layla als ze haar nodig had? De stoere meid. Degene die een ondervraging aankon en geloofwaardige leugens kon bedenken.

Hij vouwde zijn armen over elkaar. 'Ik ga niet weg voordat je het hebt verteld.'

Als ze het hem vertelde, ging hij weg. Misschien boos, maar dan had hij zijn antwoord. 'Landon heeft foto's van ons,' bekende ze.

Hij liet zijn armen zakken en trok een wenkbrauw op. 'Virgils zoon?'

Ze knikte. 'Ik moet het team aan hem verkopen, anders stuurt hij ze naar de kranten en hangt hij ze naast de reclameborden met onze pr-foto.'

'Je verkoopt het team aan hem?'

'Ik moet wel.'

De opluchting in zijn ogen werd vervangen door een verzengend vuur. 'Om de donder niet.'

Ze herkende het vuur. Ze had het gezien als hij een tegenstander op de ijsvloer aanviel. 'Ik heb geen keus.'

Hij deed een stap naar achteren en haalde diep adem door zijn neus. Pebbles gooide zichzelf weer tegen het glas en hij liep naar de deur en liet haar binnen. 'Je hebt wel een keus. Ik bedenk wel iets.'

'Je kunt dit niet oplossen, Ty. Hij doet het echt. Hij bluft niet. Hij zal je vernietigen om te krijgen wat hij wil.'

'Hij kan me niet vernietigen, Faith.' Hij wees naar Pebbles, die op haar achterpoten op en neer sprong. 'Zít.'

De hond stopte met blaffen en ging zitten. Faith zou onder de indruk zijn geweest als ze geen belangrijker dingen aan haar hoofd had. 'Hij was van plan om je te verkopen, maar ik denk dat ik hem ervan heb overtuigd dat je een eind aan onze relatie hebt gemaakt. Daarom denk ik dat hij dat niet meer doet. Maar het is te riskant dat je hier bent. Je moet weg. Je moet op de een of andere manier ongezien weg zien te komen, voor het geval er nog steeds een fotograaf rondhangt.'

Ze verwachtte een soort dankbaarheid. In plaats daarvan kneep hij zijn ogen tot spleetjes. 'En je was niet van plan om me hier iets over te vertellen?'

Haar ogen werden weer nat. 'Nee.'

'Waarom in vredesnaam niet?' vroeg hij ijzig kalm.

Ze dacht dat ze dat duidelijk had gemaakt. 'Omdat je op dit moment heel veel andere dingen hebt om je zorgen over te maken.'

'En wat dacht je? Dat je jezelf moest opofferen door je ijshockeyteam aan hem te geven?'

Ze veegde een plotselinge traan onder haar oog weg. 'Ik weet hoe belangrijk de Cup voor je is.'

'Denk je dat jij niet belangrijk bent?'

Ze zweeg.

'Dat denk je dus.' Hij vouwde zijn armen over elkaar alsof hij ergens boos om was. Nee, niet ergens om. Hij was boos op háár. 'Je hebt geen erg hoge dunk van jezelf. Of heb je geen erg hoge dunk van mij?'

'Ik heb wel een hoge dunk van jou.' Ze was in de war en schudde haar hoofd. 'Waarom ben je boos op míj?'

'Waarom?' vroeg hij ongelovig. 'Ik ben de afgelopen dagen door een hel gegaan. Ik heb je assistent bijna aangevallen omdat hij je had gezien en ik niet. Ik was bezorgd en boos en dat was allemaal niet nodig geweest.'

Nu was het haar beurt om ongelovig te kijken. Had hij die arme Jules bijna aangevallen? 'Nee?'

'Je had het me moeten vertellen. Je had het me moeten laten regelen. Dit gaat mij ook aan. Denk je nu echt dat ik toesta dat je het ijshockeyteam aan Landon geeft om mij te beschermen?'

Ze knikte en begon het zo rustig mogelijk aan hem uit te leggen. 'Virgil heeft me vijf jaar lang beschermd. Nu is het mijn beurt om iemand te beschermen.'

Hij lachte zonder humor. 'Je wilt me beschermen?'

'Ja.'

'Als ik dat toestond, wat voor soort man zou ik dan zijn?'

Ze wist niet goed wat hij bedoelde.

Hij legde het haar uit. 'Dan ben ik een watje.'

'Het is al gebeurd.' Ze had hem gered en hij was bezorgd dat hij een 'watje' was? Ze had wat meer dankbaarheid verwacht. 'Ik heb de intentieverklaring om het team te verkopen getekend.'

'Als ik het me goed herinner, heb je al eerder zo'n verklaring getekend en ben je daarna van gedachten veranderd.' Hij liep naar haar toe. 'Vertrouw je me?'

'Waarmee?'

'Vertrouw je me, Faith?'

Het leek heel belangrijk voor hem. 'Ja,' antwoordde ze daarom. Hij stopte zijn hand in zijn broekzak en haalde zijn sleutels eruit. 'Dan kom je morgen met je schaatsen naar de laatste wedstrijd.'

'Landon heeft me uit de skybox verbannen.'

'Dat maakt niet uit. Kom gewoon met je schaatsen, en als we winnen kom je het ijs op.'

'Wat ben je van plan?'

'Ik weet het nog niet precies. Ik ben te boos om goed te kunnen nadenken, maar niemand die mij of wat van mij is bedreigt komt daarmee weg.' Hij schudde zijn hoofd. 'Maak me nooit meer zo krankzinnig als je de afgelopen dagen hebt gedaan.' Hij zoende haar hard en liep daarna naar de deur.

'Van jou?' Een glimlach krulde haar lippen. Een glimlach die de donkere, verlaten plekken verlichtte waar ze de afgelopen paar dagen had doorgebracht. Ze haastte zich achter hem aan. 'Je denkt dat ik van jou ben?'

'Ik weet dat je van mij bent.' Hij liep het penthouse uit naar de lift. 'En alsjeblieft, teken geen documenten meer die Landon naar je toe stuurt. Afgesproken?'

19

'We Are the Champions' dreunde uit de enorme stadionluidspre-
kers en botste met het geluid van de ruim vijftienduizend fans
die juichten en met hun voeten op de tribune van de Key Arena
stampten. De kakofonie raakte op de achtergrond toen Ty het ijs
op stapte. Hij keek naar de eigenarenbox en de Duffy's, die daar
zaten alsof het hun volste recht was. Ty voelde de boosheid in
zijn maag en hij fronste zijn wenkbrauwen terwijl hij opkeek
naar de man die Faith en hem had laten volgen. Naar de man die
iemand had ingehuurd om goedkope foto's te nemen en hun
leven kapot te maken. Of dat in elk geval probeerde.

Landon had Faith bang gemaakt, maar Ty was niet zo gemakkelijk angst aan te jagen. Hij had tegenover mannen gestaan die
groter en slechter waren dan Landon Duffy, en hij had nog geen
gevecht verloren. En dit keer zou hij ook niet verliezen. Het was
het belangrijkste gevecht van zijn leven en hij had lang over alle
mogelijkheden nagedacht. Behalve Landon laten vermoorden,
was er maar één oplossing.

Hij moest de Stanley Cup winnen. En dat moest gebeuren zonder verlenging. Pittsburgh had de laatste drie wedstrijden in de
verlenging gewonnen.

Ty schaatste twee keer langs de face-offcirkel en daarna naar
het midden. Voor de zevende keer in twee weken stond hij tegenover Sidney Crosby. 'Sid the Kid' was tweeëntwintig en had de
gezichtsbeharing van een dertienjarige. Maar de leeftijd van The
Kid en het ontbreken van iets wat ook maar op een baard leek
zeiden niets over zijn talent. Hij sloeg hard en schaatste snel en
hoorde bij de vijf beste spelers in de NHL.

'Ben je er klaar voor om te verliezen, Cindy?' vroeg Ty.

'Je krijgt een pak slaag, ouwe.'

Ty lachte. 'Ik heb meer haar op mijn ballen dan jij op je hele gezicht, Kid.' Hij ging in positie staan en wachtte tot de eerste puck van die avond op het ijs viel. Faith was ergens in de arena, maar daar mocht hij nu niet aan denken. Als hij wilde dat alles ging zoals hij had gepland, moest hij zich op de wedstrijd concentreren. Eén wedstrijd per keer.

De puck viel en de wedstrijd was begonnen. Beide teams waren gekomen om te winnen. Beide waren vastbesloten om de ultieme beker te winnen, en Ty wist dat de wedstrijd niet gemakkelijk zou worden.

In de eerste periode scoorde Daniel na pressie van de Chinooks, maar Sid the Kid maakte de gelijkmaker in de laatste seconde van de eerste periode, wat een bevestiging was van de situatie waar Ty al bang voor was geweest. Het zou een fysiek harde wedstrijd worden, die werd gevolgd door een slopende verlenging.

In de tweede periode schoven de Chinooks de puck langs de boarding naar voren, en in de eerste paar seconden van de tweede periode zag Ty een opening op het ijs en hij sloeg de puck naar het doel van de Penguins. De puck werd weggewerkt. David volgde de puck en schoot hem naar Blake, die hem in de five-hole tikte. Terwijl de luchthoorns klonken en 'Rock and Roll Part 2' uit de geluidsboxen dreunde, verdrongen de spelers zich rond Blake en sloegen op zijn rug.

Ty schaatste naar de bank en goot water in zijn mond. De scheidsrechters praatten in de middencirkel terwijl het doelpunt op het grote scherm werd herhaald.

Faith was daar ergens. Ty slikte en dacht aan de hel die ze hem had laten doormaken. De waarheid over Landon en de foto's waren bijna een opluchting geweest vergeleken bij de scenario's die hij had bedacht. Die hadden gevarieerd van een mysterieuze ziekte tot een andere man in haar leven. Er was geen andere vrouw op de planeet die hem zulke dingen liet voelen als Faith. Die hem het gevoel gaf dat zijn leven fijner was als zij daarin rondliep. Die ervoor zorgde dat hij naar haar keek in een ruimte vol mensen. Die maakte dat hij wilde glimlachen, alleen omdat zij glimlachte.

Er was geen andere vrouw op de planeet die hem zo kon raken als Faith. Hij had haar twee dagen lang niet gebeld. Hij had tegen zichzelf gezegd dat hij haar moest vergeten. Dat hij beter af was zonder de afleiding van een vrouw. Maar voordat hij het besefte stond hij in haar lobby en dreigde hij met een bom en de evacuatie van het gebouw.

Misschien had zijn vader gelijk over hem. Misschien leek hij meer op zijn moeder. Niet het mentaal zieke deel, hoewel de afgelopen week hem inderdaad een beetje krankzinnig had gemaakt. Misschien had zijn moeder voor Pavel gevoeld wat hij voor Faith voelde. Een verlangen tot op het bot waar gewoon niet aan te ontkomen was.

Brookes schaatste naar de face-offcirkel en Ty veegde het zweet van zijn voorhoofd. Hij keek aandachtig toe hoe de puck viel en Crosby hem over het ijs schoot. 'Sneller, mannen,' schreeuwde hij tegen zijn teamgenoten.

De Stanley Cup was in het gebouw, wachtte erop naar buiten gedragen te worden en te worden overhandigd aan het winnende team. Ty had zijn hele leven keihard gewerkt om dit moment te bereiken. Hij was er twee keer heel dichtbij geweest, maar er had nog nooit zoveel van het resultaat van een wedstrijd afgehangen. Het was meer dan het vereeuwigen van zijn naam. Vanavond ging het om meer dan iets doen wat zijn vader nooit was gelukt.

Na anderhalve minuut sprong Ty over de boarding. Logan schoot de puck naar hem toe en hij ving hem op. Er was nog maar anderhalve minuut van de tweede periode over en Ty schaatste over het ijs en schoof een Penguin-speler in de boarding. Hij werd van achteren geduwd en in zijn rug gestompt, draaide zich om en gaf een mep op de zwarte helm. De Penguin-speler viel op het ijs, de scheidsrechter blies op zijn fluit en het vechten stopte. Alleen Sam ging door met wat extra activiteit tegen een verdediger van Pittsburgh. Alle vier de spelers kregen een straf van drie minuten en zaten de laatste paar minuten van de tweede periode op de strafbank.

'Stop met het maken van stomme strafpunten,' zei Ty terwijl hij achter het plexiglas ging zitten. 'Dan hebben we kans om te winnen.'

'Jij zit hier toch ook,' zei Sam tegen hem terwijl hij tussen zijn schaatsen spuugde.

'Slechte beslissing van de scheidsrechter.'

'Ja. Bij mij ook.'

De Chinooks stuurden hun strafpuntenkillers het ijs op, maar geen van beide teams was in staat om voordeel te halen uit de 3 tegen 3-situatie.

In de derde periode maakten de Penguins de stand gelijk en dat bleef zo terwijl de klok verder tikte. Ty was uitgeput. Zijn benen leken van rubber van al het schaatsen. Jezus, het laatste wat hij wilde was een verlenging.

Tijdens de wissel ging hij op de bank zitten en droogde hij zijn gezicht af. Hij dacht aan Faith en dat ze het team wilde opgeven om hem te beschermen. Gisteren was hij er woedend over ge-weest. Vandaag moest hij toegeven dat hij er respect voor had. Een hockeyteam en miljoenen dollars opgeven betekende een heleboel liefde.

Hij keek naar de klok en de resterende paar minuten voordat hij het ijs op stapte.

Pittsburgh kwam in bezit van de puck, en de Chinooks voch-ten voor eigen doel. Met nog maar een halve minuut te spelen bemachtigde Blake de puck en Ty ging ervandoor. Blake schoot naar Vlad en Vlad schoot naar Ty. Terwijl de klok de seconden wegtikte, schoot Ty hard op het doel. De puck schoot langs de handschoen van de doelverdediger en sloeg in het net. De zoemer

klonk en het publiek werd wild. De bank van Seattle stroomde leeg en de spelers klommen op het ijs en op elkaar. Luchthoorns klonken, en Ty's oren zoemden en zijn hart bonkte. Hij
haalde diep adem terwijl hij op zijn knieën viel naast een stapel ijshockeyers en probeerde niet te huilen alsof hij een vrouw
was.

Faith liep door de tunnel in haar Chinooks-shirt, een witte golvende rok en de roze schaatsen die Ty haar had gegeven. Ze ging
opzij toen de Pittsburgh Penguins in een rij achter elkaar langs
haar liepen op weg naar de gastenkleedkamer. Het had haar een
kwartier gekost om door de menigte en langs de beveiliging te
komen. Tegen de tijd dat ze het eind van de tunnel bereikte hadden de Chinooks de eerste fles champagne al geopend en spoten
ze het vocht over elkaar heen. Het team had de helmen vervangen door kampioenspetten en haar blik zocht en vond de
aanvoerder. Ty hield een magnumfles champagne vast, nam een
enorme slok, schudde de fles en spoot de champagne op Sam en
Blake. De aanblik van zijn blijdschap verlichtte haar hart en
haar ogen prikten. Ze had er geen idee van wat hij van plan was;
ze wist alleen dat ze na de wedstrijd in de tunnel moest staan. Ze
had hem gisteravond en vanochtend gesproken, maar hij had het
haar niet verteld, en beide keren was het gesprek verzand in vragen over wat ze droeg en de kleur van haar lingerie.

De tranen stroomden uit haar ogen toen ze zag hoe het rode
tapijt werd uitgerold op het ijs. De een meter hoge Stanley Cup,
opgepoetst en gegraveerd met de namen van helden en strijders,
werd naar de loper gebracht door Hockey Hall of Fame-functio-
narissen Philip Pritchard en Graig Campbell, die blauwe colberts
en witte handschoenen droegen. Ze was zo trots op haar team
en op Ty.

De stafleden boden de Cup aan Ty aan, en hij tilde de meest
begeerde beker van het ijshockey boven zijn hoofd terwijl zijn
teamgenoten champagne in zijn ogen spoten. Hij lachte terwijl

hij de Cup van vijftien kilo liet zakken en zijn lippen op het koele zilver drukte, waarna hij hem weer optilde.

De fans waren door het dolle heen toen Ty over de ijspiste begon te schaatsen met de Cup boven zijn hoofd. Een paar angstige seconden vroeg ze zich af of hij was vergeten dat ze in de tunnel op hem wachtte, net zoals hij had gezegd, maar toen hij langsschaatste ontmoetten hun ogen elkaar en zijn glimlach werd zelfs nog breder. Hij knipoogde naar haar en gaf de beker aan Daniel. Ty kreeg een microfoon voor zijn gezicht geduwd en hij veegde de champagne uit zijn ogen.

'Hoe voelt het om vanavond te winnen?' vroeg een journalist van ESPN.

'Fantastisch,' zei hij terwijl hij de pet op zijn hoofd rechtzette. 'We hebben hier allemaal hard voor gewerkt en verdienen het. Dit team heeft heel wat tegenslagen moeten overwinnen. Het heeft ons sterker gemaakt, en ik weet dat we allemaal wilden dat Bressler hier was om van dit moment te genieten.'

'Wat heeft vanavond de doorslag gegeven?'

'Pittsburgh is een fantastisch team. Ze gaven het niet op en hebben ons niets cadeau gedaan. Ik denk gewoon dat het komt omdat we in ons eigen stadion zijn en we absoluut niet van plan waren om voor de ogen van dit publiek te verliezen.'

Sam naderde Faith van achteren met een grote fles champagne en een onaangestoken sigaar in zijn mondhoek. 'Kunt u geloven dat we hebben gewonnen, mevrouw Duffy? Dit is verdomme ongelofelijk.' Hij pakte de sigaar en probeerde verontschuldigend te kijken, maar dat mislukte. 'Sorry voor mijn taal. Ik liet me een beetje gaan.'

Ze lachte. 'Dat is begrijpelijk.'

Hij knikte naar het stadion en de Cup die van de ene speler naar de andere werd doorgegeven. Alle spelers hielden hem omhoog en kusten de begeerde prijs terwijl hij werd besproeid met champagne. 'Gaat u mee?'

Ze keek over Sams schouder naar Ty, die nog steeds met de

verslaggevers praatte. 'Nog niet.' Terwijl Sam de tunnel uit ging, keek ze naar het stadion. De fans zaten nog steeds op hun stoelen. Ze keek naar de lege skybox en slikte de plotselinge beklemming in haar keel weg. Ze betwijfelde dat Landon naar huis was gegaan.

Ze had gelijk. 'Wat doe je hier, Layla?' vroeg hij vlak achter haar.

Ze keek over haar schouder. 'Waar lijkt het op, spruitje? Ik kijk naar mijn team dat met de Cup rondschaatst.'

'Het is jouw team niet.'

Ze keek in zijn koude blauwe ogen en voelde de spanning uit haar lichaam verdwijnen. Hij had haar het ergste aangedaan en ze had het overleefd. Uiteindelijk zouden de Chinooks misschien niet meer van haar zijn, maar ze was de enige man van wie ze ooit had gehouden niet kwijt. 'Je bent vermoeiend.' Ze zuchtte. 'Jij en je hele familie.'

'Jezus!' zei Blake toen hij en Vlad de tunnel in liepen voor meer champagne en sigaren. 'Ongelofelijk dat hij dat heeft gedaan.' Hij keek naar Faith.

'Wat?'

Hij wees naar Ty en de groep journalisten om hem heen. 'De Engel zegt dat hij ermee stopt. Dit was zijn laatste wedstrijd.'

Faiths mond viel open en ze trok haar wenkbrauwen op. Toen Ty had gezegd dat hij overal voor zou zorgen en dat ze haar team terugkreeg, had ze er geen seconde aan gedacht dat hij van plan was zijn carrière op te geven. 'Dat mag hij niet doen,' zei ze.

'Het verandert niets,' zei Landon. 'Als je probeert er opnieuw onderuit te komen, stuur ik de foto's naar alle kranten in de stad.'

Ty maakte zich los van de journalisten en liep over de rode loper naar haar toe.

'Ik laat je niet stoppen,' zei ze toen hij bij haar was.

'Wat?' Hij lachte en zette een kampioenspet op haar hoofd. 'Ik kan je niet horen.' Zijn glimlach verdween toen hij naar Landon keek. 'Heb je hem verteld dat je het team niet verkoopt?'

Ze schudde haar hoofd.

'Ze verkoopt wel,' zei Landon tegen Ty. 'Ze heeft een intentie-verklaring getekend.'

'Ja. Ze heeft er al eerder een getekend, en jij ook. Je bent een zakenman, Duffy, je weet dat deze deals zo vaak mislukken. Als je een ijshockeyteam wilt... ik heb gehoord dat Wild misschien te koop is. Natuurlijk is dat alleen een gerucht. Net zoals de onzin dat Faith de Chinooks verkoopt.'

Landons kaken verstrakten. 'Ik breng jullie allebei aan de grond.'

'Dat kun je proberen.' Hij pakte Faiths hand en trok haar uit de tunnel op de rode loper. 'Wat een klootzak,' zei hij lachend.

Faiths enkels wankelden en haar hart bonkte in haar borstkas. 'Ik snap niet dat je lacht. Toen ik zei dat ik je vertrouwde, zei je niets over stoppen. Ik wil dat je naar die journalisten toe gaat en zegt dat je een grapje maakte.'

Hij legde zijn hand op haar onderrug en bracht zijn mond naar haar oor. 'Ik hou van je, Faith,' zei hij.

Hij rook naar champagne, en de warmte van zijn ademhaling en de gloed van zijn woorden kropen in haar hart. Ze stond stil door de schok en probeerde op haar schaatsen in evenwicht te blijven. Ze keek omhoog in zijn blauwe ogen. 'Ik hou ook van jou.'

Hij glimlachte. 'Dat weet ik.'

'Ik hou te veel van je om je voor mij te laten stoppen.'

Hij keek van haar naar Marty, die in zijn volle doelverdediger-uitrusting rondschaatste met de Cup boven zijn hoofd. 'Ik heb alleen voor dit ene moment het grootste deel van mijn leven ijs-hockey gespeeld. Nu ik de Cup heb, weet ik dat het niet genoeg is. Ik wil meer.' Hij keek weer naar haar. 'Ik wil jou in mijn leven.'

Zij wilde dat ook. Meer dan ze ooit iets had gewild. Meer dan geld en veiligheid en grote fonkelende diamanten. 'Er moet een andere manier zijn.'

Hij schudde zijn hoofd. 'Nee, dit voelt goed. Ik wil dat mijn carrière op een hoogtepunt stopt. Ik wil niet nog een paar jaar het succes van vanavond najagen. Het opnieuw proberen te vangen, daarin te mislukken en op een dieptepunt stoppen. Ik wil niet zo iemand zijn. Ik wil niet zoals mijn vader zijn. Het is tijd.'

'Weet je dat zeker?'

'Ja.' Ze bereikten het eind van de loper. 'Dat betekent dat ik een baan nodig heb,' zei hij.

'Ja?'

'Ja, en omdat ik alleen talent heb voor ijshockey, ben ik nogal onplaatsbaar.'

'Ik heb bij een benzinestation een bordje gezien. Daar hebben ze personeel nodig.'

Hij lachte. 'Ik dacht dat je misschien nog een scout kon gebruiken.' Ze stopten bij de middencirkel en hij boog haar over zijn arm naar achteren en keek in haar gezicht. Het publiek werd wild.

'Wat doe je?' Ze snakte naar adem.

'Ervoor zorgen dat de foto's oud nieuws zijn.' Hij bracht zijn mond naar de hare en gaf haar voor het oog van de landelijke televisie, alle Chinooks en vijftienduizend juichende fans een tongzoen. De kus bleef doorgaan tot ze duizelig was en ze zeker wist dat iedereen het begreep.

Iedereen behalve Sam. 'Hé, Engel, nu is het mijn beurt.'

Ty schudde zijn hoofd terwijl hij Faith overeind trok. 'Daar zou ik niet eens aan denken als ik jou was.'

Alexander Dumont tilde de Cup boven zijn hoofd en slaakte een Tarzankreet terwijl Logan een nieuwe fles Moët schudde. Onder de zoete nevel van de gouden champagne bracht Ty zijn mond bij haar oor. 'Er is maar één ding dat deze avond nog fantastischer zou maken.'

'Wat dan?'

'Jij en ik, een hete douche en heel ongepast gedrag.'